Rosa Errico / Maria Antonia Esposito / Nicoletta Grandi

campus italia*/ volume 2

CORSO MULTIMEDIALE DI ITALIANO PER LE UNIVERSITÀ

B1-B2

Si ringrazia l'**Istituto di Italianistica**
Ludwig - Maximilians - Universität di Monaco di Baviera

I edizione
© Copyright 2009
Guerra Edizioni - Perugia

ISBN 978-88-557-0216-4

La realizzazione di un libro comporta
un attento lavoro di revisione e controllo
sulle informazioni contenute nel testo,
sull'iconografia e sul rapporto che intercorre
tra testo e immagine.
Nonostante il costante controllo, è quasi
impossibile pubblicare un libro del tutto privo
di errori o refusi.
Per questa ragione ringraziamo fin da ora i
lettori che li vorranno segnalare al seguente
indirizzo:

Guerra Edizioni
via Aldo Manna 25 - Perugia (Italia)
tel. +39 075 5289090
fax +39 075 5288244
e-mail: info@guerraedizioni.com
www.guerraedizioni.com

Progetto grafico
salt & pepper_perugia

Stampa
Grafiche CMF - Foligno (PG)
per conto di Guerra guru s.r.l. - Perugia

Idea e progettazione del corso
Rosa Errico-Reiter

Rosa Errico / Maria Antonia Esposito / Nicoletta Grandi

campus italia*/ volume 2

CORSO MULTIMEDIALE DI ITALIANO PER LE UNIVERSITÀ

B1-B2

Guerra Edizioni

sillabo*

Unità	Grammatica	Funzioni comunicative	Strategie di scrittura	Aree lessicali	Notizie dal mondo
unità 01 **Che musica ascolti?**	Usi dell'imperfetto e passato prossimo (II); i verbi modali al passato (II); le congiunzioni: *sia... sia, né... né*; i pronomi combinati; la posizione dei pronomi con i verbi modali; la posizione di *loro* pronome indiretto.	Parlare dei propri gusti e interessi musicali; parlare di emozioni, sensazioni; condividere o no un'opinione; fare una scelta.	Fare un'intervista.	Canzoni e musica.	Giovani e musica: gusti e mode.
unità 02 **Il piacere di leggere**	Il trapassato prossimo; i comparativi e superlativi irregolari; congiunzioni e locuzioni di tempo; le preposizioni di argomento *di* e *su;* cenni sul passato remoto (I).	Descrivere una trama; fare paragoni; mettere in sequenza due o più eventi nel tempo.	Scrivere una breve recensione di un libro.	Letture e letteratura.	Il valore della cultura e della lettura.

Unità	Grammatica	Funzioni comunicative	Strategie di scrittura	Aree lessicali	Notizie dal mondo
unità 03 **Stereotipi di casa nostra**	Il *cui* di possesso; l'imperativo e i pronomi combinati; la formazione delle parole (I); l'uso dell'articolo determinativo e indeterminativo; la dislocazione; usi della preposizione *di*; pronomi e aggettivi indefiniti.	Esprimere disaccordo; esprimere incredulità; confrontare opinioni; confrontare dati.	Commentare una statistica.	Abitudini, linguaggio dei gesti, società; statistiche.	Stereotipi e tabù.
unità 04 **Paesaggi d'Italia**	Il futuro semplice (II); il futuro composto; le costruzioni impersonali; i verbi pronominali: *cavarsela, prendersela, andarsene, farcela*; ci/ ne; uso del *si* impersonale con i verbi riflessivi.	Protestare; rispondere a proteste; esprimere riserva, esprimere opinione; dare suggerimenti.	Descrivere paesaggi per una guida turistica.	Ambiente, natura, ecologia, clima e sport.	Rapporto uomo e ambiente.
unità 05 **Una società multietnica**	Il congiuntivo presente forma e uso; il congiuntivo in frasi indipendenti (I); l'avverbio *mica*.	Esprimere opinione; confrontare le opinioni; enfatizzare affermazioni negative; esprimere dubbio; mettere a confronto; esprimere necessità.	Comunicare on-line.	Famiglia, immigrazione, società.	I ruoli dell'uomo e della donna.

Unità	Grammatica	Funzioni comunicative	Strategie di scrittura	Aree lessicali	Notizie dal mondo
unità 06 L'italiano in piazza	Il congiuntivo passato; il congiuntivo con le congiunzioni; preposizioni e avverbi di luogo (II); la posizione degli aggettivi (I).	Descrivere con precisione luoghi; fare un'ipotesi; esprimere condizioni.	Scrivere sul web.	Luoghi, cucina, folclore.	I luoghi di incontro degli italiani, socializzare nei vari paesi.
unità 07 Creatività italiana	Il congiuntivo imperfetto e trapassato; il congiuntivo con le congiunzioni; il congiuntivo nelle frasi indipendenti (II); uso di prefissi e suffissi per alterare le parole; i pronomi relativi *il/la quale - i/le quali*; la formazione delle parole (II).	Correggere un'ipotesi; puntualizzare; esprimere certezza; continuare un discorso.	Il testo pubblicitario.	Abbigliamento, design, arredamento.	Il linguaggio dei colori e dell'abbigliamento.
unità 08 Da dove veniamo	La posizione degli aggettivi (II); il passato remoto (II); uso di passato remoto - passato prossimo - imperfetto; il presente storico; i pronomi *egli, ella, esso, essa*; i connettivi: *appena, dunque, quindi, di conseguenza, perciò, per cui...*; i numerali romani.	Chiedere e dare informazioni su fatti storici; riportare fatti storici in modo colloquiale; motivare; prendere appunti; sintetizzare; esporre.	Scrivere un saggio storico.	Politica e storia.	Sistemi politici a confronto.

Unità	Grammatica	Funzioni comunicative	Strategie di scrittura	Aree lessicali	Notizie dal mondo
unità 09 In giro per musei	Il periodo ipotetico; i plurali irregolari: *dio- dei, miglio- miglia, bue- buoi, tempio- templi*; il *si* impersonale e passivante in frasi al presente e al passato (II).	Fare ipotesi al presente e al passato; cercare un accordo; parlare dei propri interessi artistici; prendere appunti; descrivere opere d'arte.	Descrivere un'immagine.	Arte e arti.	Il concetto del bello.
unità 10 Che film vediamo?	Il discorso diretto e indiretto; la concordanza dei tempi all'indicativo e al congiuntivo.	Capire e riferire il discorso altrui; descrivere una trama; esprimere impressioni positive e negative; fare ipotesi riferite a un tempo presente, passato o futuro.	Scrivere una sceneggiatura.	Cinema.	Essere diretti o indiretti nella comunicazione.
unità 11 Che danno in TV?	La forma passiva; la preposizione *da*; modi indefiniti: infinito sostantivato; infinito passato; gerundio presente e passato; participio presente e passato.	Dare indicazioni temporali approssimative; discutere su opinioni diverse; commentare un'opinione; argomentare; prendere e dare la parola.	Presentare un programma TV.	TV, programmi e telecomunicazione.	L'informazione attraverso i media: parlare chiaro o oscuro.

sommario*

introduzione*

L'opera *Campus Italia* è stata elaborata e testata in più gruppi paralleli presso l'Istituto di Italianistica della Ludwig Maximilians Universität di Monaco di Baviera.

Si rivolge a studenti di università, college, accademie e istituti superiori, che vogliono conoscere gli aspetti di base della lingua e cultura italiana o vogliono venire in Italia con progetti di scambio fra università.

Piano dell'opera

Il progetto completo è composto da:

- due volumi
- 4 CD audio
- Guida per l'insegnante
- Testi di attività supplementari vol.1 / vol.2
- Compendio di grammatica
- un sito internet **www.guerraedizioni.com/campusitalia** da cui è possibile scaricare varie attività supplementari, schede di grammatica, test, glossari multilingue.

Ogni volume è costituito da due parti: una parte per la classe e una per il lavoro a casa e copre un totale di circa 150 ore di lavoro per volume. Il piano dell'opera comprende complessivamente quattro moduli che corrispondono ai quattro livelli definiti dal Quadro Comune Europeo per le lingue:

VOLUME 1

(A1): unità per iniziare e unità 1-5
(A2): unità 6-11

VOLUME 2

(B1): unità: 1-6
(B2): unità: 7-11

Ogni modulo si conclude con un test di passaggio da un livello all'altro.

Obiettivi e contenuti

Il corso nasce dall'esigenza di offrire materiale specifico per corsi di italiano in ambiente scolastico e accademico tenendo presente le caratteristiche del pubblico a cui è rivolto: studenti adulti, studenti che conoscono già almeno un'altra lingua, studenti fortemente motivati e con un buon background culturale.

Il corso risponde a queste esigenze con:
- unità tematiche relative a contesti vicini all'ambiente universitario o al vissuto studentesco;
- un sillabo grammaticale basato sulle sequenze naturali di acquisizione, ma anche a progressione rapida con numerose attività di focalizzazione sulle strutture della lingua;
- un sillabo dettagliato delle funzioni comunicative della lingua orale prevalentemente nel primo volume e della lingua scritta nel secondo;
- un sillabo lessicale diviso per campi semantici, con un glossario tematico a fine unità;
- un sillabo di pronuncia e ortografia;
- informazioni che riguardano lo studio e il lavoro;
- focalizzazione sullo sviluppo di abilità richieste durante un percorso accademico (prendere appunti, sintetizzare, riferire, presentare, argomentare);
- riflessioni su relazioni interculturali.

Struttura

Considerata tutta una serie di problematiche legate alle lezioni di tipo universitario (gruppi numerosi, rigidità nella disposizione dei banchi; poche ore di lezione, incontri diradati) si è cercato di rispondere con:

- sequenze brevi di attività che possono essere interrotte e riprese anche a distanza di tempo (ogni sequenza di attività correlate è contrassegnata da numeri 1a, 1b, 1c... / 2a, 2b, 2c...);
- molteplici attività di coppia o minigruppi che possono essere svolte anche in classi numerose;
- test di autovalutazione alla fine di ogni unità;
- materiali supplementari da scaricare gratuitamente dal sito internet e che possono essere agevolmente copiati su lucidi.

Ogni unità di classe comprende una sezione di pronuncia e ortografia, una sintesi delle funzioni comunicative, un *Ricapitolando!* vale a dire una breve attività di revisione orale dei contenuti dell'unità; nella parte di casa sono incluse le schede di grammatica e un glossario del vocabolario di base incontrato nell'unità.

Ulteriori suggerimenti per la gestione in classe sono forniti nella **Guida per l'insegnante**.

Scelte grafiche

Estrema cura è stata dedicata all'aspetto grafico e iconico nella convinzione che l'input visivo giochi un ruolo fondamentale nei processi di motivazione e memorizzazione.

Ogni unità si apre con una serie di foto opportunamente selezionate per introdurre lessicalmente ed emotivamente il tema dell'unità. Anche all'interno del testo la selezione di immagini e foto è sempre funzionale all'acquisizione della lingua.

Ad ogni sezione è stato attribuito un colore diverso (comunicazione, grammatica, lessico, fonetica) che serve all'insegnante e allo studente per orientarsi nel testo.

Sito internet: www. guerraedizioni.com/campusitalia

Sul sito l'insegnante e lo studente troveranno a disposizione:
- alcune unità da visionare;
- tracce di ascolti;
- i test di valutazione;
- esercizi e attività supplementari on-line;
- le schede di grammatica;
- un forum di discussione;
- il glossario multilingue.

Simboli utilizzati

Ascoltare

Dialogare

Nel mondo

Leggere

Grammatica da costruire

Rimandi agli esercizi

Scrivere

Grammatica da osservare

Ciao! salutare

Funzioni comunicative

unità 01
che musica ascolti?

Che tipo di musica ascoltate volentieri?

- rock
- hip-hop
- etnica
- pop
- jazz
- classica

1a. A gruppi. Quali di questi cantanti / gruppi italiani conoscete? Conoscete anche delle loro canzoni? Confrontate in classe.

Eros Ramazzotti

Francesco De Gregori

Zucchero Fornaciari

Fiorella Mannoia

Vasco Rossi

Lucio Battisti

Ligabue

Laura Pausini

Gianna Nannini

Nek

1b. Abbinate i cantanti alle strofe e al tipo di musica. Fate delle ipotesi in classe.

Nato ai bordi di periferia dove i tram non vanno avanti più dove l'aria è popolare è più facile sognare che guardare in faccia la realtà quanta gente giovane va via a cercare più di quel che ha forse perché i pugni presi a nessuno li ha mai resi e dentro fanno male ancor di più.	Su nuscu 'e sa terra mia Durche che fraula 'olaiat Isperdidu in s'aera Isperdidu in sa notte et in su tempus E intr' a mie... perdidu intr' a tie	La donna è mobile Qual piuma al vento, Muta d'accento E di pensiero. Sempre un amabile Leggiadro viso, In pianto o in riso, È menzognero.

Tazenda	lirica
Luciano Pavarotti	pop
Eros Ramazzotti	etnica

esercizi 1-3

1c. Ascoltate la chiamata fra Federica e Martino e rispondete alle domande.

traccia
01 CD1

- Di che cosa stanno parlando?
- Qual è il loro problema principale?
- Quale soluzione trovano insieme?

1d. Riascoltate la telefonata e rispondete alle domande.

Federica, Martino	Quale concerto hanno visto?	Dove ha avuto luogo il concerto?	Cosa decidono di regalare a Gigi?
Federica	Qual è il suo gruppo preferito?	Chi le ha consigliato il concerto di Vivaldi?	Perché ha preso in giro Gigi?
Martino	Quale tipo di musica gli piace?	Qual è il suo cantante preferito?	Quale proposta fa per il regalo?
Gigi	Quanti anni compie Gigi?	Che cosa vorrebbe sentire?	Quale genere musicale gli piace?

esercizi
4-5

1e. A coppie. Fate un dialogo secondo il modello.

- *Qual è il tuo cantante preferito?*
- *…*
- *Perché ti piace?*
- *La sua musica è romantica, ma non banale…*
- *Sei già stato ad un suo concerto? Com'era?*
- *Guarda, è stato stupendo! È stata un'esperienza indimenticabile!*

Parlare dei propri gusti, interessi musicali

Qual è la musica che preferisci?/
Qual è il tuo cantante preferito?
Perché?

1f. Inserite le frasi nella colonna giusta.

Mi è venuta un'idea geniale!
Mentre tornavo a casa in autobus ho visto la pubblicità di un concerto.
Se non sbaglio ascoltava sempre quella trasmissione.
Si lamentava sempre quando sentiva la loro musica.

azione unica al passato	azioni parallele	azione durativa + azione improvvisa	abitudine

esercizi
6-7

1g. Osservate. Come cambiano i pronomi quando sono combinati?

Me lo dici ogni volta.	**Te lo** ricordi, vero?
Il regalo, **glielo** puoi prendere anche tu da solo…	**Glielo** compro domani, vado in centro.

esercizi
8-11

2a. Leggete il titolo di un articolo su Luciano Ligabue: cantante, regista, autore.

> ## LIGABUE E GLI STUDENTI-FAN.
> ## LA LEZIONE È COME UN ROCK

Secondo voi il testo offre informazioni:
- sulla carriera dell'artista
- di carattere personale
- sulle sue fonti di ispirazione
- altro…

2b. Leggete l'articolo. A coppie concentratevi sulle domande o sulle risposte.

Studenti o fan? Il confine, nell'aula magna dell'Università La Sapienza letteralmente infuocata, è davvero labile. Chi scrive si è trovato a fare da moderatore a un'interminabile fila di domande, con un microfono conteso a forza di urla e invocazioni accorate. Qual è la canzone a cui tieni di più? Cosa succederà nei prossimi concerti negli stadi? «Immaginate un palco balordo» risponde sorridendo Ligabue, «e poi moltiplicate per sei». Su una bacheca poggiata su un treppiede, c'erano già decine di post-it lasciati nell'attesa. Su uno c'è scritto: se fossi stato obbligato, quale facoltà universitaria avresti voluto frequentare? La risposta è ovvia: Lettere. Cos'altro? Luciano Ligabue è paziente, risponde con calma anche a domande che forse si è sentito rivolgere decine di volte. Qualcuno tra il pubblico è anche andato fino a Barcellona per seguire i concerti che Liga ha tenuto all'estero, in piccoli club. Ma da lì allo stadio? «Io lo dico sempre» racconta, «sono tutte scuse, perché io suonerei sempre e dovunque. È ovvio che nei club posso guardare la gente in faccia, e c'è comunque un calore esagerato. I nuovi musicisti americani che adesso sono in giro con me erano stravolti, non sono abituati. Poi lo stadio, sì, certo, è un'altra emozione, un'onda di energia che ti ritorna». Va anche sul personale. Quando una ragazza chiede a chi è dedicata *Viva* non esita: «alla mia ex moglie». «Allora doveva essere una gran donna» replica la ragazza, e lui: «se per questo lo è ancora, per l'appunto è viva». Su un foglietto arancione c'è una domanda più complessa: non sarebbe bello scrivere canzoni sui benefici che la natura può regalarci? «Io con la natura ho un rapporto fisico, come ce l'ho con tutte le cose. Vivo in campagna, vado a correre, anche se qualche volta c'è qualcuno appostato sul percorso e mi tocca fare gli autografi anche correndo. Ma l'importante è

essere in relazione con la natura, esserne consapevoli». Qualcuno azzarda domande impossibili tipo: che cos'è il rock? Lì, per un attimo Ligabue si scompone, come a dire che sono domande irricevibili, ma poi ci prova lo stesso: «diciamo solo una cosa, che significa esprimere le proprie emozioni senza pudori». Applauso, come del resto è successo a ogni risposta. Col passare del tempo la lotta per arrivare a guadagnare il microfono diventa quasi una gazzarra. Vincono due ragazze che hanno improvvisato un balletto per attirare l'attenzione, ma la loro domanda, quanto conta l'amore?, viene subissata di fischi, troppo banale. Alla fine la spunta un ragazzino di dieci anni che chiede lumi su come si fa a diventare musicisti. Un altro chiede come si fa, oggi, ad avere accesso al mercato. «L'unica cosa che posso dirvi è trovate una cosa che sia vostra, e solo vostra, dopo di che rompete le palle a tutti per affermarla. E soprattutto andate ad accendere ceri a tutti i santi che conoscete». È fiero della sua italianità? «Certo, anche se oggi questo orgoglio è faticoso. Si paga un prezzo molto alto per questo amore, per un paese che sembra non riuscire in alcun modo a uscire dai suoi limiti. Ma è una responsabilità che ci dobbiamo prendere tutti, non basta dare la colpa a chi ci governa». Applauso, immancabile. Dalla balconata piove un bigliettino con una domanda provocatoria: ha da dire qualcosa ai tifosi romanisti? E da bravo interista col culto del mediano, non si tira indietro. «Lo so che sembra facile, dopo aver vinto, ma la Roma quest'anno ha fatto un campionato eccezionale e soprattutto devo confessare che ho un'ammirazione enorme per Totti, per tutto quello che ha fatto, per essere l'unico grande giocatore talmente attaccato alla maglia della sua città da rifiutare ogni offerta possibile». Anche i tifosi ringraziano.
GINO CASTALDO

Tratto da: Repubblica - 20 maggio 2008

esercizio
12

2c. Estrapolate le domande e le risposte del testo e inscenate un role-play tra il cantante e i sui fan.

Domande	Risposte

2d. Leggete il testo della canzone "Eri bellissima" di Ligabue. Secondo voi a chi si rivolge?

- Alla mamma del cantante ☐
- A una persona importante del suo passato ☐
- Alla compagna di classe ☐

2e. Rileggete la canzone. Quali passaggi o versi possono venir utilizzati come didascalia alle immagini sotto?

Eri bellissima lasciatelo dire
e anche stavolta so che non mi crederai
eri davanti a me davanti agli occhi del bambino
e gli occhi del bambino quelli non li danno
proprio indietro mai
credimi mai
ti dico mai
eri sanissima: ostrica e lampone
sulle mie dita c'eri sempre e solo te
ti davi un attimo e poi ti nascondevi bene
io l'ho capito che sei sempre stata grande più
di me

ma adesso dimmi
com'è andata?
com'è stato
il viaggio di una vita lì con te?
io spero solo tutto bene
tutto come
progettavate voi da piccole
stai bene lì con te?

fragile e piccola con le tue paure
mi costringevi a nasconderti le mie
sapevi ridere sapevi il tuo sapore
te la godevi ad occupare tutte le mie fantasie

ma adesso dimmi
com'è andata?
com'è stato
il viaggio di una vita lì con te?
io spero solo tutto bene
tutto come
progettavate voi da piccole
stai bene lì con te?

eri bellissima lasciatelo dire
eri di tutti ma non lo sapevano
e tu lo sapevi che facevi gola e soggezione
siamo stati insieme e comunque non mi hai
conosciuto mai

ma adesso dimmi
com'è andata?
com'è stato
il viaggio di una vita lì con te?
io spero solo tutto bene
tutto come
progettavate voi da piccole
stai bene lì con te?

-------------------------------   -----------------------------------   ---------------------------------------   ---------------------------------------

esercizio
13

2f. Rispondete insieme alle domande e confrontate in classe.

La canzone tratta di una storia presente o passata?
Il cantante descrive il personaggio come una persona: allegra, dinamica, sicura di sé...
Guardate le foto e immaginate: cosa progettavano da piccole, com'era quando il cantante l'ha conosciuta, cosa è successo dopo...

3a. A coppie. Discutete sulla canzone che avete ascoltato.

Fate una lista di emozioni che può suscitare una canzone.
Ripensate alla canzone che avete ascoltato o decidetene un'altra con il vostro compagno di banco e confrontate le vostre impressioni: è una storia triste, allegra, malinconica, nostalgica...

* *Secondo me è una canzone malinconica.*
* *No! A me mette allegria anche se è un po' nostalgica...*

> Questa canzone per me è malinconica/mi mette tristezza/allegria/mi mette di buon umore/di cattivo umore...

Parlare di emozioni, sensazioni

3b. A coppie. Intervistatevi. In classe fate una statistica con i risultati delle interviste.

Quale musica ascolti se...	Con chi l'ascolti?	Dove l'ascolti?	Quando l'ascolti?
sei triste	da solo	in macchina mentre guido	la mattina
sei allegro	con amici	al bar	a mezzogiorno
sei nervoso	con il mio ragazzo/ragazza	al concerto	la sera
sei rilassato	con i miei genitori	sotto la doccia	mentre mangio
sei arrabbiato	...	in cucina	mentre faccio le pulizie
sei innamorato		...	...

3c. Ritornate al testo della canzone e osservate le frasi.

> L'ho capito che **sei** sempre **stata** grande più di me.
> Com'**è stato** il viaggio di una vita lì con te?
> **Siamo stati** insieme e comunque non mi hai conosciuto mai.

Cosa vuol dire il cantante con queste frasi? Perché usa il passato prossimo?

Confrontate con le frasi seguenti e spiegate la differenza dell'uso di passato prossimo/imperfetto.

> Da bambina **eri** sempre allegra.
> Andare in Italia in estate **era** per noi un viaggio stupendo.
> Quando li ho conosciuti **stavano** insieme.

esercizio
14

**traccia
03 CD1**

3d. Ascoltate l'intervista con un fan di Gianmaria Testa. Quali sono le domande rivolte dall'intervistatore? Prendete appunti e confrontate in coppia.

Gianmaria Testa è un cantautore italiano. Nasce nel 1958 in provincia di Cuneo in una famiglia di agricoltori in cui era vivissimo l'amore per la musica e il canto. L'ambiente familiare lo incoraggia a studiare musica come autodidatta: Gianmaria sceglie la chitarra come strumento e comincia a comporre appena appresi i primi rudimenti. Il debutto di Testa avviene come strumentista rock. Dopo aver vinto il Festival musicale di Recanati nel 1993 e 1994, incontra Nicole Courtois, produttrice francese, che ne comprende la forza espressiva: nel 1995 esce in Francia, per l'etichetta *Label Bleu* (Amiens), il suo primo disco, intitolato Montgolfières.

**traccia
04 CD1**

3e. Riascoltate l'intervista e rispondete alle domande.

Gianmaria Testa	Intervistato
Qual è la sua personalità?	Come ha scoperto il cantante?
Qual era il suo lavoro?	Quali sono i suoi hobby?
Di cosa parla l'album "Da questa parte del mare"?	Suona qualche strumento?
Che premio ha vinto?	Da chi è composto il suo gruppo?

esercizio
15

3f. Leggete le opinioni di alcuni fan di Testa e osservate l'uso degli ausiliari.

Come tutti i cantautori impegnati non **ha** mai **potuto** raggiungere il grande pubblico.
Ha sempre **voluto** seguire la sua vocazione di cantante.
Non si **è** mai **voluto** piegare ai trend della musica commerciale.

esercizi
16-17

3g. Dividete la classe in due gruppi. Un gruppo impersona le band e l'altro i giornalisti.

Gruppi musicali	Giornalisti
Preparate le risposte ad un'intervista. (nome/tipo di musica/strumenti/chi ha influenzato la vostra musica/i paesi visitati/notizie sulla vita privata/rapporto tra voi, rapporto con il denaro, con il successo/vita familiare/ hobby/cibo preferito/ quale musica preferite)	Preparate tutte le possibili domande per un'intervista ad un gruppo musicale (notizie personali/sulla famiglia/sugli interessi/inizi della carriera/formazione del gruppo/primi successi/ tipo di musica/hobby/preferenze musicali/il film preferito…)

4a. Ascoltate degli estratti di grandi opere italiane. Abbinate l'opera al compositore.

a.

b.

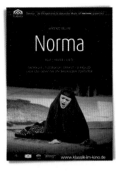

c.

d.

1. Gioacchino Rossini

2. Vincenzo Bellini

3. Giacomo Puccini

4. Giuseppe Verdi

esercizi
18-19

4b. Leggete le diverse opinioni.

Perché la musica classica è poco apprezzata dalla maggior parte dei giovani?

xchè non la conoscono abbastanza, io l'apprezzo, ma ne ho una conoscenza troppo superficiale, in realtà sono poche le opere che conosco, ma constato quotidianamente che c'è di peggio, purtroppo. Si dovrebbe insegnare alle superiori come si insegna l'italiano, le quattro nozioncine della scuola media non sono nulla, e poi l'istruzione musicale è trattata dalla legge in modo differente, non lo trovo giusto

guarda io ascolto x eccellenza canzoni punk rock sfrenato…ma ti confesso anche quando ho bisogno di un po' di tranquillità la musica classica la gradisco molto…

Io ho 18 anni e l'ascolto avidamente…
Spesso i giovani sono troppo presi dalla moda per ragionare con la propria testa… Bisognerebbe spiegare loro che la musica classica è un modo per crescere…

4c. Con chi siete d'accordo? Scrivete poi la vostra opinione online.

- *Io la penso come il primo ragazzo, la musica classica si insegna poco.*
- *Io non sono d'accordo! Secondo me…*

Condividere o no un'opinione

Io la penso come il…/ Io la penso diversamente dal primo ragazzo…

4d. Osservate la posizione del pronome "loro".

Bisognerebbe spiegare **loro** che la musica classica è un modo per crescere.

esercizi
20-21

traccia
06 CD1

4e. Ascoltate queste arie e leggete i testi. Quali parole si possono collegare al prodotto pubblicizzato?

Alfa Romeo 147

Riso Chef - della Star

Le male - profumo di Jean Paul Gautier

Un bel dì, vedremo
levarsi un fil di fumo
sull'estremo confin del mare.
E poi la nave appare.
Poi la nave bianca
entra nel porto,
romba il suo saluto.

[da Un bel dì vedremo - Puccini]

Libiamo, libiamo ne' lieti calici
che la bellezza infiora.
E la fuggevol ora s'inebrii
a voluttà.
Libiamo ne' dolci fremiti
che suscita l'amore,
poiché quell'occhio al core
Omnipossente va.
Libiamo, amore fra i calici
più caldi baci avrà.

[dalla Traviata - Verdi]

Casta Diva che inargenti
queste sacre antiche piante
a noi volgi il bel sembiante
senza nube e senza vel.
Tempra, o Diva,
tempra tu de' cori ardenti
tempra ancor lo zelo audace
spargi in terra quella pace
che regnar tu fai nel ciel.

[da Casta diva - Bellini]

auto
fumo, ...

cibo
libiamo, ...

profumo
piante...

4f. A gruppi. Scegliete e confrontate il risultato in classe.

Quale musica potrebbe essere adatta per la pubblicità di				
oggetti di lusso	macchine sportive	alimentari	abbigliamento	vacanza
	hip-hop			

- *Sia la musica classica sia la musica jazz mi sembrano molto adatte alla pubblicità di vacanze rilassanti.*
- *No, secondo me, invece, si adatta di più una musica vivace, tipo rock.*
- *Beh,...*

Fare una scelta

- Va bene **sia** la musica classica **sia/che** la musica pop.
- Il rap non va bene **né** per gli alimentari **né** per...
- Secondo me è meglio una musica...

esercizio
22

5a. I protagonisti della canzone italiana attraverso il Festival di Sanremo.

Il Primo Festival della canzone italiana si svolge in un'atmosfera da party. Mentre i cantanti si esibiscono, il pubblico è seduto ai tavolini e i camerieri vanno e vengono. Lo scopo di questa festa è quello di proporre canzoni nuove che possano entrare nel repertorio della Radio Italiana.

Nilla Pizzi vince il primo Festival con la canzone *Grazie dei fiori*

Adriano Celentano, che sta facendo il militare, per essere sul palco la sera del 6 febbraio, ottiene un permesso. Nel 1961, arriva la musica dei cantautori, Gino Paoli, che canta *Un uomo vivo*.

Nel 1961 Adriano Celentano arriva secondo con *24.000 baci*

Viene ripescata in gara una canzone scritta da Lucio Dalla dal titolo *Gesù Bambino*. Una preghiera: qualche lieve modifica al testo e un piccolo cambiamento di titolo la farà conoscere per gli anni a venire con il più cauto *4 marzo 1943*.

Lucio Dalla vince nel 1971 con la canzone *4 marzo 1943*

Una radio italiana di New York, la INC, in accordo con la Rai Corporation, trasmette il Festival per la prima volta negli Usa in contemporanea alla messa in onda in Italia.

Successo di Eros Ramazzotti con la canzone *Terra promessa*

Nei giorni 10, 11 e 12 novembre 1993 viene varato "Sanremo Giovani", riservato alle nuove proposte. Un'occasione tranquilla per mettersi in luce e prepararsi all'emozione di febbraio. L'organizzazione ha modo così di dedicarsi con più attenzione alla scoperta dei nuovi talenti.

Laura Pausini nel 1994 arriva prima con *Strani amori*

L'edizione del 2001 vede vincere Elisa con *Luce (Tramonti a nord est)*. Elisa e Giorgia, prima e seconda classificata, si impongono con due belle canzoni e un'amicizia senza apparenti rivalità. Fra i giovani trionfano i Gazosa, una baby band dall'età media di 14 anni, con *Stai con me forever*.

5b. Paese che vai, musica che trovi.

- Esistono dei festival musicali nel vostro Paese? Di che tipo? Esistono anche dei premi importanti?
- Quale significato ha la musica presso i gruppi giovanili del vostro Paese?
- Con quale tipo di musica s'identificano le diverse generazioni?

Fare un'intervista.

a. Le parti dell'intervista: abbinate con le frasi sottostanti.

Introduzione al personaggio, ambientazione intervista: *Come tutti sanno tu sei...*

Domande preliminari e convenevoli: ....

Richiesta di informazioni: ....

Conclusione e auguri: ....

Ti ringrazio di cuore per l'intervista. È stato davvero interessante... Come hai iniziato? È già da molti anni che sei attivo... È con grande piacere che... Qual è il tuo ultimo album? Quali sono i tuoi interessi? Come tutti sanno tu sei un cantante di successo... Siamo qui con il nostro... Ci troviamo dietro le quinte di... Buona fortuna e in bocca al lupo! Perché hai scelto...? In occasione del concerto abbiamo avuto la fortuna di...Ti auguro un buon concerto! Pensando agli inizi della carriera... Quali sono secondo te i requisiti necessari per... Ci troviamo in questo bellissimo teatro perché tu tra poco presenterai un nuovo spettacolo... Sapresti dirmi il momento più importante...

b. Alcuni aiuti per l'organizzazione delle domande. Completate voi.

Come iniziare la domanda	Come collocare nel tempo	Come concludere
Quando	in passato, un tempo, una volta	allora, quindi
Quale	in futuro, tra breve	infatti
Come	nel frattempo	evidentemente
Perché	da molto	perciò
...		dunque

Parlare dei propri gusti, interessi musicali	• Qual è la musica che preferisci? Qual è il tuo cantante preferito? Perché?
Parlare di emozioni, sensazioni	• Questa canzone per me è malinconica/ mi mette tristezza/allegria/ mi mette di buon umore/di cattivo umore...
Condividere o no un'opinione	• Io la penso come il.../ Io la penso diversamente dal primo ragazzo...
Fare una scelta	• Va bene **sia** la musica classica **sia/che** la musica pop. • Il rap non va bene **né** per gli alimentari **né** per... • Secondo me è meglio una musica...

Ricapitolando!

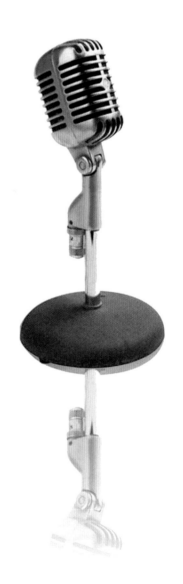

Parlate dei vostri gusti musicali toccando i seguenti punti:
• genere musicale preferito
• cantante preferito
• canzone preferita.

Volete convincere un vostro amico ad accompagnarvi a un concerto di musica classica, pop, rap, etnica. Cercate di convincerlo descrivendo i pregi del genere musicale da voi scelto.

Parlate con un vostro compagno di musica leggera e di musica classica. Cosa pensate di questi due generi musicali? In quali occasioni preferite l'uno o l'altro?

Come scegliete le vostre letture?

in base alle recensioni

a caso

dietro consiglio di amici
o conoscenti

1a. Quali generi letterari conoscete? Come può essere un libro?

avvincente...

romanzo rosa...

1b. Parliamone insieme! Intervistatevi a vicenda e poi riferite ciò che avete scoperto del vostro partner.

- Cosa leggi?
  Gialli, poesie, racconti, saggi, biografie, fumetti, guide turistiche, romanzi storici, romanzi d'amore, romanzi d'avventura, altro?
- Dove e quando leggi?
- Conosci qualche autore italiano?
- Hai già letto libri italiani? Quali?
- Quali sono state le tue prime letture?
- Qual è il libro che ti ha divertito di più?
- Qual è il libro che hai trovato più triste?
- C'è un libro che ti ha fatto paura?
- Da quale libro si dovrebbe fare un film?
- C'è un libro che ti piacerebbe leggere?
- C'è un personaggio che hai odiato?
- C'è un personaggio che hai amato
  o con cui ti sei identificato?

2a. Leggete le frasi e poi ascoltate. Quali di queste informazioni sono nel dialogo?

traccia
07 CD1

1. Gianna preferisce le biografie.
2. Marco è un amante di gialli italiani.
3. Il giallo di Turano non ha avuto successo.
4. *I milanesi ammazzano al sabato* è appena uscito nelle librerie.
5. *L'elenco telefonico di Atlantide* è un testo di fantascienza.
6. Il testo di Turano è ambientato in Sicilia nel mese di agosto.
7. "N" è un libro che parla della vita di Napoleone.

2b. Rimettete in ordine il dialogo. Riascoltate e confrontate.

traccia
08 CD1

Rita: Quelli italiani. Ricordo che una volta gli avevo regalato alcuni gialli di Mankell e Harris, ma non gli erano piaciuti, secondo lui erano troppo horror e lui preferisce i gialli più classici.

Flavio: Allora, compriamogli l'ultimo di Turano. È il suo libro migliore e credo anche quello di maggior successo. Oppure, anche se non nuovissimo, "I milanesi ammazzano al sabato". L'ho letto anni fa perché me l'avevano consigliato ed era stato un grande successo e devo dire che ne ero rimasto entusiasta.

Flavio: Facciamo un regalo unico?

Flavio: Quanto ai gialli io sono un'esperto. Preferisce quelli italiani o…

Rita: Beh, no! Hanno gusti molto diversi. A Gianna piacciono molto le biografie, mentre Marco è un appassionato di gialli e di libri di fantascienza.

Rita: Allora, cosa regaliamo a Marco e Gianna?

2c. Secondo voi a che genere appartengono i libri a pag. 23? Fate ipotesi sul loro contenuto.

- *Secondo me nel libro di Banda i protagonisti sono i giovani d'oggi, e il libro parla dei loro interessi e dei loro problemi.*
- *Dovrebbe essere un libro interessante.*

Descrivere una trama

Si tratta di… / Il libro parla di… /
È un saggio su…
I personaggi / i protagonisti sono…
È un romanzo / una biografia su…
La storia è ambientata a Milano /
in Italia / nel 1800…

Esprimere opinioni su libri

Per me/Secondo me/A mio avviso è un libro interessante/avvincente/noioso…

esercizi
1-2

2d. Rileggete il dialogo al punto 2b e completate.

Ricordo che una volta gli ....
alcuni gialli, ma non gli ....

L'ho letto anni fa perché me l'...............................
ed .... un grande successo.

Non l'**avevi letto?**

esercizi
3-5

3a. Leggete e abbinate le descrizioni al libro giusto. Da quali elementi si capisce?

A.

B.

C.

D.

E.

1.
Mondello all'inizio di agosto
è come un manicomio diretto
da un anarchico. E invece
Catafalmo deve avere la mente
lucida: le donne che ronzano
intorno al tizio su cui indaga
spariscono tutte. E sono tutte
bionde. Raramente gli hanno
affidato un caso tanto complesso
e…
Una trama intrigante dalla
prima all'ultima pagina.

2.
"Cara, ti trovo davvero in
forma!" Sentirselo dire dopo
i quaranta significa avere di
fronte una donna invidiosa o,
peggio, una stronza. Quello che
ci fa sentire meglio è una vera
amica…

A volte l'amicizia fra donne è
più tonificante della palestra
e più riposante di un centro
benessere. L'unica cura che ci
rende sempre e nonostante tutto
migliori.

3.
Giulio Rovedo, responsabile
dell'ufficio legale di una piccola
banca, ha ormai poche speranze
di mantenere il proprio lavoro.
Da quando un importante
colosso finanziario sta per
assorbire la banca, succedono
i fatti più strani. Così, da
una vita finora tranquilla, il
protagonista si trova catapultato
in un'avventura planetaria,
fra universi paralleli, fonti
miracolose, demoni egizi. Un
thriller mozzafiato, ironico
e inatteso tra fantascienza,
fantasy, horror. Un romanzo,
che tiene incollato il lettore
dall'inizio alla fine.

4.
In una scuola di una piccola
città, i professori sono riuniti in
assemblea: perché nel mondo
burocratizzato dell'istruzione,
tra crediti scolastici, scrutini e
circolari incomprensibili, urge
un imperativo: essere moderni.
La grande idea, questa volta,
consiste nel modernizzare i
classici, facendoli riscrivere agli
stessi studenti. Tra parodistici
rifacimenti dei "Promessi sposi"
di Manzoni o della "Vita Nova"
di Dante, l'autore gioca spesso
e volentieri al capovolgimento
dei ruoli e regala al lettore
un divertente e impietoso
ritratto della scuola.

5.
È senz'altro il libro di maggiore
successo dell'autore. Siamo
all'Isola d'Elba, Napoleone
vi è appena giunto, è lì in
esilio. Il bibliotecario Martino
Acquabuona osserva, giorno
dopo giorno, l'eroe.
Il ritratto che ci dà è formidabile
perché del condottiero descrive
non solo gli aspetti grandiosi,
ma anche meschini
e umani.

3b. Quali informazioni ci danno le brevi descrizioni?

Autore?
Genere letterario?
Ambientazione (luogo/tempo)?
Personaggi?
Altro?

3c. Confrontate i libri a pag. 26 secondo il modello.

- *Secondo me il primo libro è migliore del secondo perché la trama sembra più intrigante.*
- *Io preferisco l'ultimo perché mi sembra più originale e divertente.*

Fare paragoni

- Secondo me il primo libro è migliore del secondo perché…
- Forse il secondo ha avuto minore successo del primo perché…

esercizi
6-8

3d. Cercate le espressioni di tempo presenti nei testi al punto 3a, e scrivete un breve testo usandone il maggior numero possibile.

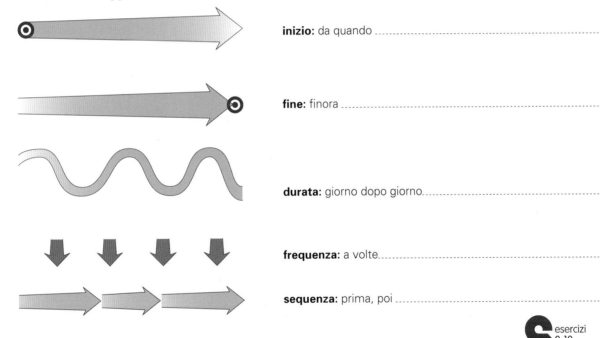

inizio: da quando

fine: finora

durata: giorno dopo giorno

frequenza: a volte

sequenza: prima, poi

esercizi
9-10

3e. Evidenziate nella pagina precedente le strategie per rendere interessante la descrizione di un libro.

uso di aggettivi:	*trama intrigante, …*
uso di frasi ad effetto:	*è senz'altro il libro di maggior successo…*
uso di frasi sospese:	*tanto complesso e…*
uso di verbi forti:	*catapultare, …*
uso di figure retoriche:	*Mondello è come un manicomio…*
uso di citazioni dal testo:	*…*
altro:	*…*

4a. Guardate questa pubblicità comparsa sulla rivista L'Espresso. Capite il gioco di parole? Quali classici italiani conoscete?

4b. A quale autore appartengono i dati biografici in fondo? A coppie fate ipotesi.

Alessandro Manzoni	Dante Alighieri	Umberto Eco
Nacque a Milano nel 1785...	Nacque a Firenze nel 1265...	È nato ad Alessandria nel 1932...

morì a Ravenna nel 1321 - studiò a Lugano e a Milano - scrisse I Promessi Sposi -
ha esordito nella narrativa con un romanzo di ambientazione medievale -
è docente e teorico di semiotica - fu studioso di retorica, filosofia e teologia - la sua opera
più importante è divisa in tre volumi - è un famoso scrittore dell'Ottocento -
è anche autore di scritti su attualità e costume - visse alcuni anni a Parigi e nel 1808 sposò
Enrichetta Blondel - abbandonò la sua città perché era stato condannato a morte -
tema di molte sue opere è l'amore idealizzato per Beatrice - la sua opera in versi è studiata
in tutto il mondo - ha lavorato ai programmi culturali della RAI - grande poeta del Trecento

esercizio
11

4c. Leggete i brani tratti da classici della letteratura italiana. Da quali opere sono tratti? Conoscete la storia?

1.

- Signor curato, disse un di que' due, piantandogli gli occhi in faccia,
- Cosa comanda? - rispose subito don Abbondio, alzando i suoi dal libro, che gli restò spalancato nelle mani, come su un leggio. [...]
- Lei ha intenzione di maritar domani Renzo Tramaglino e Lucia Mondella!
- Cioè... rispose, con voce tremolante, don Abbondio: - Cioè. Lor signori son uomini di mondo, e sanno benissimo come vanno queste faccende. Il povero curato non c'entra: fanno i loro pasticci tra loro e poi... [...]
- Or bene,- gli disse il bravo, all'orecchio, ma in tono solenne di comando,- questo matrimonio non s'ha da fare, né domani, né mai.

2.

Poi i monaci ci portarono vino, cacio, olive, pane e della buona uva passa, e ci lasciarono a rifocillarci. Mangiammo e bevemmo con molto gusto. Il mio maestro non aveva le abitudini austere dei benedettini e non amava mangiare in silenzio. Peraltro parlava sempre di cose così buone e sagge che era come se un monaco ci leggesse le vite dei santi.
Quel giorno non mi trattenni dall'interrogarlo ancora sul fatto del cavallo.
Però - dissi - quando voi avete letto le tracce sulla neve e sui rami, non conoscevate ancora Brunello. In un certo modo quelle tracce ci parlavano di tutti i cavalli, o almeno di tutti i cavalli di quella specie. Non dobbiamo dunque dire che il libro della natura ci parla solo per essenze, come insegnano molti insigni teologi?

3.

Nel mezzo del cammin di nostra vita
mi ritrovai per una selva oscura
ché la diritta via era smarrita
Ahi quanto a dir qual era è cosa dura
esta selva selvaggia e aspra e forte
che nel pensier rinova la paura

3. La Divina Commedia
2. Il nome della Rosa
1. I Promessi Sposi

4d. Osservate! Che cosa indica il passato remoto?

Cioè... **rispose**, con voce tremolante, don Abbondio...
Or bene,- gli **disse** il bravo, all'orecchio...
Poi i monaci ci **portarono** vino, cacio, olive, pane e della buona uva passa.
Mangiammo e **bevemmo** con molto gusto.

esercizi
12-15

traccia
09 CD1

5a. Ascoltate un brano tratto da *Io non ho paura* di Niccolò Ammaniti e rispondete alle domande.

Chi racconta la storia?

- un bambino ☐

- una bambina ☐

- un adulto ☐

Cosa sta facendo all'inizio del racconto?

- correndo ☐

- lavorando ☐

- camminando ☐

Quali sono gli altri personaggi nominati?

- sorella ☐

- padre ☐

- amica ☐

In quale stagione si svolge il racconto?

- primavera ☐

- autunno ☐

- estate ☐

NICCOLÒ AMMANITI
IO NON HO PAURA
EINAUDI   STILE LIBERO

traccia
10 CD1

5b. Riascoltate e riportate le descrizioni che sentite.

Clima	Natura	Persone
Faceva caldo...	*Il grano era alto...*	*Ero sudato...*

5c. Racconta di un viaggio che ti ha colpito particolarmente.

- *Quell'anno lo ricordo perché era particolarmente caldo.*
  Siamo andati con la mia famiglia...
- *Ah! E cosa è successo dopo?*
  ...

Quell'anno... / A fine primavera/estate abbiamo fatto...
Prima... poi...
A metà aprile siamo partiti per...

Mettere in sequenza due o più eventi nel tempo

esercizio
16

5d. Leggete il brano. Da quale punto di vista è narrato?

Stavo per superare Salvatore quando ho sentito mia sorella che urlava. Mi sono girato e l'ho vista sparire inghiottita dal grano che copriva la collina. Non dovevo portarmela dietro, mamma me l'avrebbe fatta pagare cara.

Mi sono fermato. Ero sudato. Ho preso fiato e l'ho chiamata. - Maria? Maria? Mi ha risposto una vocina sofferente. - Michele!

- Ti sei fatta male?
- Sì, vieni.
- Dove ti sei fatta male?
- Alla gamba.

Faceva finta, era stanca. Vado avanti, mi sono detto. E se si era fatta male davvero? Dov'erano gli altri? Vedevo le loro scie nel grano. Salivano piano, in file parallele, come le dita di una mano, verso la cima della collina, lasciandosi dietro una coda di steli abbattuti.

Quell'anno il grano era alto. A fine primavera aveva piovuto tanto, e a metà giugno le piante erano più rigogliose che mai. Crescevano fitte, cariche di spighe, pronte per essere raccolte. Ogni cosa era coperta di grano. Le colline,

basse, si susseguivano come onde di un oceano dorato. Fino in fondo all'orizzonte grano, cielo, grilli, sole e caldo. Non avevo idea di quanto faceva caldo, uno a nove anni, di gradi centigradi se ne intende poco, ma sapevo che non era normale.

Quella maledetta estate del 1978 è rimasta famosa come una delle più calde del secolo. Il calore entrava nelle pietre, sbriciolava la terra, bruciava le piante e uccideva le bestie, infuocava le case. Quando prendevi i pomodori nell'orto, erano senza succo e le zucchine piccole e dure. Il sole ti levava il respiro, la forza, la voglia di giocare, tutto. E la notte si schiattava uguale.

Ad Acqua Traverse gli adulti non uscivano di casa prima delle sei di sera. Si tappavano dentro, con le persiane chiuse. Solo noi ci avventuravamo nella campagna rovente e abbandonata. Mia sorella Maria aveva cinque anni e mi seguiva con l'ostinazione di un bastardino tirato fuori da un canile.

[Niccolò Ammaniti, *Io non ho paura*, Einaudi pagg. 5-6]

Da quali elementi lo avete capito? Riferimenti a persone, prospettiva, lessico, azioni…

5e. A gruppi. Scrivete un breve testo cambiando il punto di vista del narratore.

- Punto di vista della mamma
- Punto di vista della sorellina
- Punto di vista degli amici
- Narratore esterno

6a. Leggete l'articolo e confrontate in classe. A voi è mai successo di...?

DA GEORGE ORWELL ALLA BIBBIA - I CLASSICI CHE FINGIAMO D'AVER LETTO

SECONDO UN SONDAGGIO IL 65% DELLE PERSONE MILLANTA LETTURE IN REALTÀ MAI FATTE. TRA GLI AUTORI PIÙ CITATI TOLSTOJ E JOYCE. IN ITALIA PAVESE E SVEVO

C'è chi dice "Proust", chi sussurra "Musil", chi ammette "Joyce", chi confessa "Tolstoj", chi ancora "Svevo", chi, a mezza voce, aggiunge "Flaubert, Eco, Pavese". Benvenuti nel mondo dei lettori bugiardi che citano con sicurezza incipit e risvolti di copertina di tomi mai aperti. Con un bel po' di cattiveria un sondaggio inglese ha "conteggiato" quanti sono i lettori che confessano di aver mentito dicendo di aver divorato classici in realtà conosciuti soltanto per sentito dire.

Una classifica del tutto particolare dove il 65% degli intervistati ammette di aver pronunciato ben più di una bugia, raccontando ad esempio di aver letto "1984" di George Orwell, "Guerra e pace" di Tolstoj (31%), "Ulisse" di James Joyce (25%), o la Bibbia (24%). Motivo della bugia? Vergogna per la propria refrattarietà a capolavori così noti, ma soprattutto così lunghi.

Del resto, dice Vigini, oggi la categoria più diffusa è quella del "lettore zapping", che vuole arrivare velocemente alla fine del libro, e dopo 30 pagine "tende a lasciare lì il romanzo, in un mercato editoriale che propone 160 novità al giorno, come non sentirsi spaventati da volumi che sfiorano le mille pagine?".

In realtà si scopre che qualche bugia qua e là l'hanno detta un po' tutti. Tranne forse Luciana Littizzetto, che confessa di aver abbandonato "Anna Karenina" talmente tante volte, da poterne citare a memoria l'inizio. Dice Littizzetto: "No, non ho mai peccato in questo senso, anzi tendo ad arrivare fino in fondo ai libri, anche a costo di indigestioni letterarie. Del resto basta andare su Google, dare una sbirciatina, rubare qualche frase, ed ecco che si riesce a buttare lì quella citazione che ti fa passare da gran sapiente".

Si confessa invece "leggermente bugiardo" Paolo Villaggio, che ricorda con ironia "una sera, a casa di Alberto Moravia, mentii sostenendo di aver letto Proust, era troppo ammettere in quel salotto, tra tutti quegli intellettuali, che la *Recherche* mi aveva sempre annoiato in modo insopportabile. Anni dopo, aggiunge Villaggio, ho mentito di nuovo spudoratamente, ma questa volta sul film di Spielberg E. T., sembrava davvero un delitto non averlo visto...".
Mentire sui libri però, affermando di conoscerli, è sempre meglio che negare di essere appassionati di letteratura. È il paradosso che accade tra i giovani: negano di amare la lettura per non passare per secchioni.

(di Maria Novella De Luca)

esercizi 17-18

6b. Leggere i libri.

- Perché è importante leggere?
- Cosa è importante leggere?
- Quanto peso ha l'informazione nel tuo Paese?
- Quale ruolo ha la lettura nel trasmettere i valori?
- Che cos'è per te la letteratura?
- Quali sono i classici che nel tuo Paese si "devono" leggere a scuola?

Scrivere una quarta di copertina.

a. Ricordate le tecniche per scrivere una quarta di copertina interessante? Raggruppate le frasi in basso per tipologia.

è un testo avvincente - non è possibile non leggerlo - resterete a bocca aperta - tutto d'un fiato dalla prima all'ultima pagina - immergetevi in questo quadro del settecento letterario - "mangiarono davanti al camino e si salutarono come due amici" - un incontro ad alta quota - non potete perderlo - pensava di avere tutto sotto controllo ma all'improvviso… - un salto nel passato - una storia ammiccante - una trama intrigante - succedono fatti stranissimi - è un feroce colpo d'occhio sulla società italiana - ammettilo! Quello che succede in questo libro, almeno una volta è capitato anche a te - irresistibile come una sitcom, coinvolgente come un romanzo, vero come un'inchiesta - un ritratto divertente e impietoso -…

uso di aggettivi: *è un testo avvincente*

....

uso di frasi ad effetto: ....

....

uso di frasi sospese: ....

....

uso di verbi forti: ....

....

uso di citazioni dal testo: ....

....

uso di figure retoriche: ....

....

b. Completate la quarta di copertina per un libro che conoscete o vorreste scrivere.

Lingua:
Anno di pubblicazione:
Casa Editrice:
Genere:
Autore:

Descrivere una trama	• Si tratta di.../Il libro parla di... /È un saggio su.../ La storia è ambientata a.../ in... /nel... I personaggi/i protagonisti sono... È un romanzo/una biografia su...
Esprimere opinioni su libri	• Per me / Secondo me è un libro interessante/avvincente/noioso...
Fare paragoni	• Secondo me il primo libro è migliore del secondo perché... • Forse il secondo ha avuto minore successo del primo perché...
Mettere in sequenza due o più eventi nel tempo	• Quell'anno... / A fine primavera/estate abbiamo fatto... Prima... poi... A metà aprile siamo partiti per...

Ricapitolando!

Scegliete fra i libri che avete letto ultimamente quello che vi è piaciuto di più e quello che vi è piaciuto meno e parlatene motivando le vostre scelte.

State preparando un'intervista al vostro autore preferito. Formulate le domande chiedendo fra le altre cose a quale novità sta lavorando e se vi può dare informazioni precise su genere, ambientazione e tema.

Scegliete una foto della vostra infanzia o fatta durante una vacanza e raccontate quando è stata fatta, dove eravate, chi c'era con voi, che cosa avete fatto prima, che cosa dopo, ecc...

unità 03
stereotipi
di casa nostra

Cosa ti viene in mente se pensi all'Italia...

dolce vita

moda

opera

arte

1a. A coppie leggete le seguenti barzellette sugli italiani. Su quali aspetti del loro carattere si ironizza?

1. Come si fa a zittire un italiano?
   Gli si legano le braccia dietro la schiena!

2. Perché gli italiani sono tutti bassi?
   Perché da bambini la mamma gli ha detto:
   quando sarai grande andrai a lavorare!

3. Quanti italiani servono per cambiare una lampadina?
   Mio cugino conosce un tipo che ha un fratello: il padre
   della sua ragazza ha fatto il militare con un certo Riccardo
   il cui cognato era stato a scuola con uno la cui madre
   aveva un laboratorio di calzature. Uno degli operai usciva
   con una ragazza. Il padre di questa andava sempre a
   messa la domenica con un certo Guido che conosceva
   un tipo che aveva una sorella che era sposata con un
   elettricista che ha detto che lo farebbe gratis.

Conoscete altre barzellette sugli italiani?

1b. A coppie. Completate liberamente la barzelletta e poi discutetene in classe.

Quando un .... non sa una cosa...	LA IMPARA
Quando un .... non sa una cosa...	PAGA PER SAPERLA
Quando un .... non sa una cosa...	CI SCOMMETTE SOPRA
Quando un .... non sa una cosa...	FA FINTA DI SAPERLA
Quando uno .... non sa una cosa...	CHIEDE CHE GLI SIA SPIEGATA
Quando un .... non sa una cosa...	TI SFIDA A CHI HA RAGIONE
Quando un .... non sa una cosa...	CI BEVE SOPRA
Quando uno .... non sa una cosa...	CI STUDIA SOPRA
Quando un .... non sa una cosa...	LA INSEGNA!!!

americano - francese - spagnolo - italiano - greco - irlandese - svizzero - inglese - tedesco

- Secondo voi gli aspetti su cui si ironizza sono stereotipi o c'è un fondo di verità?
- Quali altri stereotipi conoscete sugli italiani o su altri popoli?

1c. C'è una differenza tra stereotipo e pregiudizio? Leggete le definizioni e parlatene in classe.

Lo stereotipo
Insieme coerente e abbastanza rigido di credenze
che un certo gruppo condivide rispetto a un altro
gruppo o categoria sociale.

Il pregiudizio
Tendenza a giudicare in modo ingiustificatamente
sfavorevole gli individui appartenenti ad un dato
gruppo sociale.

1d. Rileggete la terza barzelletta. Qual è la funzione di *cui*?

esercizi
1-5

1e. A coppie cercate uno stereotipo per varie nazionalità e discutetene.

Tedeschi - Giapponesi - Americani - Francesi - Brasiliani - Cinesi...

- *Secondo me i tedeschi sono troppo perfezionisti.*
- *Non sono d'accordo, è solo che amano*
  essere precisi e svolgere bene il loro lavoro.

Esprimere incredulità

Sinceramente mi sembra strano. /
Mi sembra una cosa improbabile/
strana/curiosa./Non ne sono così
convinto.

Esprimere disaccordo

Non sono per niente d'accordo... / Scusa,
ma devo obiettare... / Mi dispiace, ma la
penso diversamente... / Ma figurati! /
Non esageriamo!/ Ma che dici!

esercizi
6-7

traccia
11 CD1

1f. Ascoltate il dialogo e completate le informazioni.

Cosa dice Francesco riguardo a:

Tempo:
Traffico:
Bambini:
Mamme:
Famiglie:
Rispetto ambientale:
Carattere della gente:
Cibo:

Quali sono le obiezioni di Margherita?

1g. Osservate alcune espressioni del dialogo. Qual è la posizione del pronome con l'imperativo?

Figura**ti**! Dim**mela** pure! Scusa**mi** ma non sono d'accordo! Smetti**la** di prendermi in giro!

Presta**melo**! Parlia**mone**! Beviamo**ci** un bel caffè!

esercizi
8-11

Essere italiani è un lavoro a tempo pieno. Noi non dimentichiamo mai chi siamo, e ci divertiamo a confrontare chi ci guarda. Diffidate dei sorrisi pronti, degli occhi svegli, dell'eleganza di molti e della disinvoltura di tutti. Questo posto è sexi: promette subito attenzione e sollievo. Non credeteci. O meglio: credeteci, se volete. Ma poi non lamentatevi.

Un viaggiatore americano ha scritto: "Italy is the land of human nature", l'Italia è la terra della natura umana. Se è vero - e ha tutta l'aria di essere vero - l'esplorazione diventa avventurosa, per voi stranieri. Dovete procurarvi una mappa. Restate qui dieci giorni? Facciamo così: durante il viaggio, studieremo tre luoghi al giorno. Luoghi classici, quelli di cui il mondo parla molto, forse perché ne sa poco. Cominceremo da un aeroporto, visto che siamo qui. Poi cercherò di spiegarvi le regole della strada e l'anarchia di un ufficio, la loquacità dei treni e la teatralità di un albergo, la saggezza seduta di un ristorante e la rassicurazione sensuale di una chiesa, lo zoo della televisione e l'importanza di una spiaggia, la solitudine degli stadi e l'affollamento in camera da letto, le ossessioni verticali dei condomini e la democrazia del soggiorno (anzi: del tinello). Dieci giorni trenta luoghi. Dobbiamo pur cominciare da qualche parte, per trovare la strada che porta nella testa degli italiani.

***

Prima però dovete capire una cosa; la vostra Italy non è la nostra Italia. Italy è una droga leggera, spacciata in forme prevedibili: colline al tramonto, olivi e limoni, vino bianco e ragazzi dai capelli neri. L'Italia, invece, è un labirinto. Affascinante ma complicato. Si rischia di entrare e girare a vuoto per anni. Divertendosi un mondo, sia chiaro.

Molti stranieri, nel tentativo di trovare l'uscita, ricorrono ai giudizi dei viaggiatori del passato - da Goethe a Stendhal, da Byron a Twain - che su di noi avevano sempre un'opinione, e non vedevano l'ora di correre a casa a scriverla. Questi autori vengono citati ancora oggi, come se non fosse cambiato niente. Non è vero: in Italia qualcosa è cambiato. Il problema è capire che cosa. I moderni resoconti rientrano, quasi tutti, in due categorie: cronache di un innamoramento e diari di una disillusione. Le prime soffrono d'un complesso di inferiorità verso la nostra vita privata (di solito contengono un capitolo sull'importanza della famiglia e un altro sull'eccellenza della cucina). I secondi mostrano un atteggiamento di superiorità davanti alle nostre vicende pubbliche (c'è sempre una dura condanna della corruzione ed una sezione sulla mafia).
Le cronache dell'innamoramento sono scritte, in genere, da donne americane, e mostrano un amore senza interesse: descrivono un paradiso stagionale, dove il clima è buono e la gente cordiale.
I diari della disillusione sono tenuti quasi sempre da uomini inglesi, e rivelano un interesse senza amore: raccontano un sogno sconcertante, popolato da gente inaffidabile e governata da meccanismi diabolici.

L'Italia però non è un inferno: troppo gentile. Non è neppure un paradiso: troppo indisciplinata.

Diciamo che è un purgatorio insolito, pieno di orgogliose anime in pena, ognuna delle quali pensa d'avere un rapporto privilegiato col padrone di casa. Un posto capace di mandarci in bestia e in estasi nel raggio di cento metri e nel giro di dieci minuti. Un laboratorio unico al mondo, capace di produrre Botticelli e Berlusconi. Un luogo dal quale diciamo di voler scappare, se ci viviamo; ma dove tutti vogliamo tornare, quando siamo scappati.
Un paese così, come potete capire, non è facile da spiegare. Soprattutto se arrivate con un extra-bagaglio di fantasie, e alla dogana lo lasciano passare.

[Beppe Severgnini, *La testa degli italiani*, Rizzoli, 2005 pp. 13-15]

2b. Analizzate il testo e rispondete alle domande.

Rileggete la prima parte del testo.

Severgnini fa un viaggio attraverso l'Italia in dieci giorni.

1. Quali sono i luoghi che vuole presentare?

   L'aeroporto, ...

2. Di ogni luogo italiano Severgnini analizzerà un aspetto particolare. Quale?

   Le regole della strada, l'anarchia di...

   ....

Rileggete la seconda parte.

3. Quali sono le immagini stereotipate dell'Italia a cui l'autore fa riferimento?
   Colline al tramonto...

   ....

4. Severgnini parla di due categorie di libri sull'Italia.
   Da chi sono scritti e quali sono le caratteristiche?

Cronache di un innamoramento	I diari della disillusione

5. Perché l'Italia non è un inferno? ....

6. Perché non è un paradiso? ....

7. Perché è un purgatorio? ....

 esercizi
12-14

2c. Osservate! Quando si usa l'articolo determinativo o l'indeterminativo?

L'Italia è **un** labirinto...	L'Italia è **la** terra della natura umana.
Un viaggiatore americano ha scritto...	**Il** problema è capire che cosa...
Un Paese così non è facile da spiegare...	Cercherò di spiegarvi **le** regole...

3a. Per gli italiani gesticolare è una capacità innata? Leggete e parlatene poi in classe.

Per alcuni la capacità di comunicare con i gesti è innata.

Un luogo comune? Macché. Ora è dimostrato.

Fino a un anno d'età siamo tutti in grado di comunicare sia con le parole che con i gesti.
Nei sei mesi successivi l'ambiente in cui siamo immersi ci fa dimenticare questa dote. Ma alcuni la conservano.
I popoli mediterranei sono capaci di esprimersi in entrambi i modi: sono in grado, cioè, di coniugare le parole e i gesti. Non si tratta, in altri termini, di un prodotto culturale, ma è una capacità innata che va esercitata.

- Cosa significano secondo voi i seguenti gesti?
- Ne conoscete altri?
- Quali gesti secondo te sono tipici del tuo Paese?
- Quali gesti hanno nel tuo Paese un significato diverso?
- Quali gesti sono ammessi e quali no?

esercizi
15-17

3b. Quale definizione dell'Italia e degli italiani condividi di più? Perché?

Hanno detto di noi

Per la storia dello spirito umano l'Italia sarà sempre la metà dell'Europa.
Stendhal

Mi piace sedermi in un caffè in Italia e guardare lo spettacolo degli italiani. È un popolo eccezionale: sempre nuovo, sempre diverso.
Ethel Kennedy

Essere italiano significa anche che, se sei arrabbiato, non lo dici soltanto con le parole, ma puoi dirlo anche muovendo le mani.
Dom Deluise

Conosci tu il paese ove fiorisce il limone? Splendono tra le foglie brune arance d'oro, nel cielo azzurro spira un vento dolce, umile cresce il mirto, alto l'alloro...
Johann Wolfgang Goethe

Quando penso all'Italia e agli italiani mi viene sempre da gesticolare, perché nessuno come loro lo fa con tanta autorità e con tanto controllo dei propri gesti.
Peter Ustinov

La cucina italiana è la mia preferita. Ho imparato tutto quello che so da mia madre, una cuoca napoletana coi fiocchi. *Francis Ford Coppola*

3c. Scrivete ora voi una frase sull'Italia.

4a. Quanto conoscete gli italiani? Provate a rispondere alle domande in piccoli gruppi.

1. Che tipo di casa hanno?
2. Quali sono le loro principali preoccupazioni?
3. Quali sono le soddisfazioni più grandi?
4. Quali sono i divertimenti più comuni?
5. Quanto fumano?
6. Quante ore guardano in media la TV?
7. Quanto leggono?
8. Quanto usano internet e computer?
9. Quanti figli hanno?
10. Qual è il pasto principale?

> **Confrontare opinioni**
>
> Per noi / Secondo noi la maggior parte degli italiani abita in... e per voi?

4b. Confrontate ora le vostre risposte con i dati qui sotto.

2 I nostri incubi
I problemi per gli italiani sono
il traffico, l'inquinamento
dell'aria, la difficoltà di
parcheggio, il rumore.

3 La famiglia è ancora un nido
Dove gli italiani si sentono
veramente soddisfatti e a proprio
agio è in famiglia e con gli amici.
Gli insoddisfatti in modo radicale
sono appena l'1,5 per cento.

1 Casa dolce casa
Il 73,4 per cento degli italiani
vive in una casa di proprietà.

**5 Per una volta abbiamo
seguito il divieto**
Tra gli uomini i fumatori
sono il 28,2 per cento,
tra le donne il 16,5. Il 22,5
per cento della popolazione
dichiara di aver fumato in
passato, e di aver smesso
volontariamente.

6 Basta TV, guardiamo altro!
Guarda regolarmente la
televisione il 93,8 per cento
per una media di 3 ore al giorno.

**4 Siamo conosciuti per l'opera
ma la conosciamo poco**
Lo spettacolo prediletto rimane il cinema,
seguito da visite a musei e mostre,
spettacoli sportivi, discoteche e balere,
visite a siti archeologici e monumenti,
teatro e concerti (19,2 per cento, ma se
si tratta solo di concerti di musica classica
la percentuale scende al 9,3 per cento).

8 Gli uomini navigano, le donne leggono
Nel 2007 la quota di popolazione che utilizza il personal
computer è passata al 41,7 per cento. Però dai 35 anni in
su si riscontra una forte prevalenza maschile sui collegamenti
a internet. Netta prevalenza femminile per quel che riguarda
la lettura dei libri: il tasso maschile è al 37 per cento, e quello
femminile al 48,9 per cento.

7 Poco informati!
Il 58,1 per cento della popolazione legge
un quotidiano almeno una volta alla settimana
(65,5 per cento al Nord e 46,5 per cento nel Sud).

10 Abitudini dure a morire
Ci sono abitudini dure a morire, e il pranzo a casa è tra
queste per il 73,9 per cento degli italiani. La percentuale
scende però al 51,2 per cento per la fascia di età compresa
tra i 35 e i 44 anni. Il pranzo si consuma a casa
principalmente nel Mezzogiorno (83,8 per cento). Però si sta
facendo strada anche una colazione che prevede il consumo
di cereali oltre che di latte, tè e caffè.

9 Dov'è finita la grande famiglia italiana?
Le coppie italiane hanno normalmente un figlio
in meno di quello che desidererebbero avere.
Causa il carovita e la difficoltà di conciliare lavoro
e famiglia. La media è di 1,31%.

traccia 12 CD1

4c. Ascoltate l'intervista. Quali sono i punti su cui si concentra l'intervistatore nelle sue domande?

1. *Cambiamento della società italiana*
2. _____
3. _____
4. _____
5. _____

traccia 13 CD1

4d. Ascoltate ancora una volta: quali concetti sono espressi nell'intervista?

	V	F
1. La società italiana non è cambiata molto negli ultimi anni.	☐	☐
2. Oggi anche in Italia si può parlare di società multiculturale.	☐	☐
3. In Italia usiamo tanto il cellulare ma poco internet.	☐	☐
4. Gli italiani in media leggono i quotidiani quanto gli altri europei.	☐	☐
5. Gli italiani sognano cose irrealizzabili e poche cose concrete.	☐	☐
6. Spesso si ha il posto di lavoro fisso solo dopo i trent'anni.	☐	☐
7. L'intervistata confida nella capacità degli italiani di reagire.	☐	☐

4e. A coppie. Discutete sulle affermazioni del giornalista e confrontate con il vostro Paese.

* *Anche in Francia il tasso di natalità è diminuito, ma rispetto agli anni passati…*
* *Da noi, invece, in Brasile ci sono più nascite, in media…*

> **Confrontare dati**
>
> Anche da noi…/Da noi invece…/
> Rispetto a…/In confronto a…/
> Facendo un paragone con…/
> In media…/In percentuale…/
> La percentuale del…

4f. Osservate. A cosa si riferiscono i pronomi?

Spesso il primo figlio **lo** si ha dopo i trent'anni.
Un aiuto all'incremento demografico **lo** danno le coppie straniere residenti in Italia.
E la rivoluzione tecnologica come **l'**abbiamo affrontata?
I quotidiani **li** leggiamo raramente.

esercizi
18-20

5a. Leggete il testo e parlatene in classe.

Cos'è un tabù

I tabù sono un tipo di divieto del tutto particolare, che di solito è riconducibile a principi morali, rituali e religiosi, o anche alla più generica superstizione. E non sono affatto solo di alcune società primitive: oggi come ieri fanno parte della vita di ogni persona.

Chiunque li infranga può rischiare l'esclusione dalla società, per cui rispettarli diventa un bisogno. Ciascuno di noi proverebbe imbarazzo a girare nudo su un autobus o mangiare gli spaghetti con le mani o che so… piangere in pubblico. Ma come nascono i tabù? Probabilmente non tutti nello stesso modo: alcuni sono genetici, altri hanno motivazioni economiche, altri ancora fungono da collante sociale. Tutti, comunque, esprimono un'implicita proibizione, accettata e condivisa dall'intera società.

Il termine deriva dalla parola polinesiana "tapu" che significa appunto "proibito", "segnato". Il termine si è poi diffuso in Occidente, ed è entrato nei nostri vocabolari, grazie al saggio di S. Freud "Totem e Tabù". I tabù esistono da sempre. Ma se l'umanità ha una storia lunga e ricca di cambiamenti, cosa è successo ai tabù? Alcuni sono rimasti tali: l'incesto, gli escrementi ed i cadaveri. Ma se ne sono aggiunti di nuovi, soprattutto in quella che definiamo la nostra società moderna: la pazzia, la sporcizia, la morte e poi il sudore, i peli, il pianto per gli uomini. Ci sarebbe poi anche il tabù della nudità. Per noi occidentali, ormai, vedere un corpo nudo, specialmente se di donna (il nudo maschile è osato da pochi), è un'abitudine. E se alcune popolazioni vivono nude per necessità climatiche, noi occidentali le intemperie le sfidiamo di continuo per mettere carne al vento!

5b. Quali parole del testo hanno un significato indefinito?

Alcune società, ...

esercizi
21-23

5c. Fate una lista di cosa è lecito o non lecito nei vostri Paesi.

- a tavola
- con amici
- per strada
- in ufficio
- in famiglia
- a scuola
- in macchina
- nei luoghi di culto

Commentare una statistica.

a. Completate l'articolo con l'aiuto delle seguenti espressioni e delle statistiche.

in crescita /in calo; aumentano /diminuiscono; in confronto a /rispetto a; la percentuale di…; il 50% dei…; il grafico mostra/rivela/indica; in media il…; gran parte di…; la maggior parte dei…; al primo/secondo posto…

Gli italiani in numeri: soddisfatti di famiglia e amici ma preoccupati per ambiente e criminalità. Preoccupati per traffico e inquinamento e per le proprie condizioni economiche, ma ampiamente soddisfatti delle proprie relazioni familiari e amicali e dell'uso del proprio tempo libero, che riflette anche diversi interessi culturali e sportivi.

La popolazione dall'1 al 2050

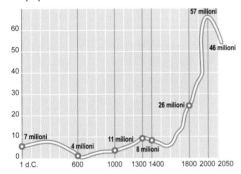

Una popolazione sempre più anziana

....

....

....

....

Condizioni di salute e malattie croniche dichiarate
Anni 2002-2007, per 100 persone

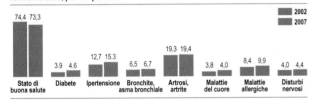

ma che vanta un discreto stato di salute,

....

....

....

Iscritti all'università

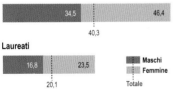

e migliora costantemente il proprio livello d'istruzione.

....

Laureati

....

....

....

Famiglie per alcuni beni tecnologici posseduti
Anni 1997-2007, per 100 famiglie

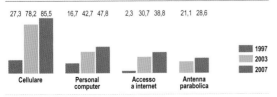

Che aumenta la quantità di case di proprietà e che pur rimanendo tenacemente attaccata all'abitudine del pranzo a casa progredisce nell'uso della tecnica.

....

....

....

Esprimere disaccordo	• Non sono per niente d'accordo.../ Scusa, ma devo obiettare.../ Mi dispiace, ma la penso diversamente.../ Ma figurati! /Non esageriamo!/ Ma che dici!
Esprimere incredulità	• Sinceramente mi sembra strano. Mi sembra una cosa improbabile/strana/curiosa. Non ne sono così convinto.
Confrontare opinioni	• Per noi/Secondo noi la maggior parte degli italiani abita in... e per voi?
Confrontare dati	• Anche da noi.../Da noi invece.../Rispetto a.../In confronto a.../Facendo un paragone con.../In media.../In percentuale.../La percentuale del...

Ricapitolando!

Quali sono gli stereotipi più ricorrenti sugli italiani?
Quali trovi il più simpatico, il più antipatico, il più vero, il più falso?
Quali sono i gesti più comuni degli italiani?

Cercate su internet frasi di personaggi famosi sul vostro Paese. Presentatele poi alla classe.

unità 04
paesaggi d'Italia

Che cosa sarà del nostro bel pianeta?

cambiamenti climatici

inquinamento

estinzione di specie
animali o piante

1a. Leggete la vignetta. Create un finale diverso sul tema clima.

traccia
14 CD1

1b. Ascoltate. Di cosa parlano Rina e Piero?

- Del progresso della scienza nella ricerca di metodi per evitare l'inquinamento.
- Della responsabilità del singolo verso problemi che interessano tutti.
- Dello spreco inutile in molti settori della vita quotidiana.
- Di soluzioni a livello internazionale per marginare catastrofi naturali.

traccia
15 CD1

1c. Cosa fanno o non fanno gli italiani per salvare l'ambiente? Riascoltate e completate.

ECOCONDOTTA

Ci si muove solo
in macchina,…

PROBLEMI

Il clima è cambiato,…

COSA SI PUÒ FARE

Ci vuole più responsabilità
da parte del singolo,…

1d. A coppie. Fate dei dialoghi usando le situazioni suggerite.

- Vedete una persona che getta una carta per terra.
- Vedete una persona che lascia il motore acceso.
- Siete seduti vicino a una persona che comincia a fumare dove è vietato.

Rispondere a proteste

Ma cosa vuole! / Ma non sono
affari suoi! / Beh! Lasciamo
perdere!

Cosa sta facendo?! /
Ma insomma! /
Ma scusi, Lei…

Protestare

esercizi
1-2

1e. Che cosa esprimono queste frasi?

Riserva	Dubbio	Previsione	Avvenimenti anteriori ad altri

Chissà dove si andrà a finire! - Di questo passo rovineremo tutto! - Sarà anche vero, ma… -
Anche se cercherò di usare meno detersivi… - E quando avremo distrutto tutto, dove vivremo?

esercizi
3-9

1f. Rispettate l'ambiente? Quali di queste cose fate o non fate? Parlatene in piccoli gruppi e poi riferite in classe dando dei consigli ecologici ai vostri compagni. Aiutatevi con i dialoghi modello.

- Usare pochi detersivi

- Comprare prodotti biologici
- Limitare l'uso della macchina
- Fare la raccolta differenziata dei rifiuti
- Non sprecare energia e acqua

- Usare carta riciclata
- Usare contenitori di vetro
- Andare in vacanza in treno

- Altro? ....

- *Io cerco di limitare l'uso della macchina e cerco di non sprecare energia e acqua. Trovo invece inutile fare la raccolta differenziata perché…*
- *Secondo me, invece bisogna assolutamente fare la raccolta differenziata, altrimenti soffocheremo nei rifiuti. Ci si deve servire dei mezzi pubblici e si devono sostenere le aziende biologiche.*
- *Sarà pure così, ma c'è un altro aspetto da tenere in considerazione…*

Esprimere necessità

Bisogna… / Ci vuole / Ci vogliono…
È necessario / Sono necessari…/
Occorre fare…

Esprimere opinione

Secondo me invece…/ Inoltre si devono acquistare prodotti…

Esprimere riserva

Sarà pure così, ma c'è un altro aspetto da tenere presente…

esercizio
10

1g. Osservate l'uso della forma impersonale.

Si devono sostenere le aziende biologiche.
Ci si deve servire dei mezzi pubblici.

Sostenere le aziende biologiche.
Servirsi dei mezzi pubblici.

1h. E ora create un decalogo ecologico.

1. *Si deve ridurre l'uso della plastica.*
2. ....
3. ....
4. ....
5. ....

6. ....
7. ....
8. ....
9. ....
10. ....

esercizi
11-14

2a. Dividete la classe in cinque gruppi. Ogni gruppo legge una delle proposte e la presenta.

- A chi è adatta?
- Perché è interessante?
- Cosa si può fare?

È L'ULTIMA TENDENZA: IL TURISMO ECOSOSTENIBILE

Oggi c'è un altro modo di viaggiare: è quello di chi sceglie mezzi di trasporto non inquinanti, fa sosta in strutture guidate dalla gente del posto e viene a contatto con le tradizioni locali. Il contrario della vacanza "mordi e fuggi".

Nella Valle Orco per avvistare le marmotte.
C'è un'area poco conosciuta, in Piemonte, che è perfetta per avvistare stambecchi, marmotte e camosci. È la Valle Orco, che fa parte del Gran Paradiso, dove ci sono pochi turisti e gli animali si lasciano avvicinare. Qui, vicino al Centro educazione ambientale di Nasca (TO), c'è il campo natura di Four seasons: un campeggio in cui i bambini trascorrono una settimana all'aperto con animatori e guide. Imparano a conoscere e rispettare l'ambiente divertendosi. Dalle passeggiate con il binocolo, per avvistare gli animali, a quelle in cui ci si mette in marcia provvisti di gesso per fare i calchi delle impronte. E, tra un'analisi dell'acqua al microscopio e un esperimento scientifico, ci sono poi tanti classici giochi rivisitati. Per esempio la caccia al tesoro con tanto di bussola e mappa, per mettere in pratica i principi dell'orienteering.

In barca e a piedi nell'arcipelago toscano.
Sette isole, più decine di scogli e isolotti immersi nell'arcipelago toscano, il parco marino più grande d'Europa, uno scrigno di biodiversità. L'associazione *La Boscaglia* propone di scoprirlo veleggiando tra le isole per poi gettare l'ancora e fare trekking tra i profumi della macchia mediterranea. La prima tappa è all'isola d'Elba, dove si attracca sulla costa occidentale e, dal paese di Marciana Alta, si parte per un'escursione tra boschi di castagno e scorci marini fino al monte Capanne (1.019 metri), con panorami mozzafiato che spaziano per tutto l'arcipelago. A Giannutri,

invece, si ormeggia la barca a Cala Maestra e si raggiungono la villa romana sul mare e i grandi faraglioni che fanno della costa dell'isola una tra le più belle del Mediterraneo. Al Giglio, infine, si cammina dalla cittadina di Porto, con le sue case colorate, fino all'arroccata località di Giglio Castello.

Nel Parco d'Abruzzo per riconoscere le piante.

Centomila ettari in gran parte coperti da foreste abitate da lupi, camosci e orsi marsicani. Il WWF organizza una vacanza per famiglie a Pescasseroli (L'Aquila), vicino alla Camosciara, la parte più antica del Parco d'Abruzzo. Si dorme in una fattoria didattica, tra faggi secolari, limpidi ruscelli e una ricca rete di sentieri. Ogni giorno gli animatori e le guide alternano gite a escursioni a tema per grandi e bambini. Nel bosco, per esempio, si gioca agli animali predatori e ogni famiglia si divide tra uomini, scoiattoli, orsi e lupi. Non mancano attività sportive e laboratori dedicati a piante e foglie. La sera, infine, si cena con prodotti locali e, al posto della tivù, si guardano le stelle.

Nelle terre siciliane confiscate alle mafia.

Un tour di quattro giorni in Sicilia, a spasso tra la riserva naturale dello Zingaro, i siti archeologici di Segesta e Selinunte; Corleone, le Gole del Drago, Erice e Palermo. Lo propone La via dei Canti, con l'obiettivo di scoprire le bellezze e comprendere la Sicilia di oggi. Oltre all'itinerario turistico, il viaggio prevede anche l'incontro con i rappresentanti delle 1.300 associazioni che cercano di combattere la mafia. Tra queste, Liberaterra, che sui terreni confiscati ai boss coltiva grano, uva e legumi e produce pasta, vino e minestre. Niente conferenze: ci si vede a pranzo, si chiacchiera, si assaggiano i prodotti.

Nel Sulcis-Iglesiente una rete di ospitalità.

Dietro alle spiagge vip, c'è un'altra Sardegna, meno nota ma altrettanto affascinante, dove si rincorrono dune di sabbia, ginepri, miniere abbandonate, grotte calcaree. È il Sulcis-Iglesiente, nel Sud-Ovest della regione, dove andare alla scoperta delle antiche miniere e sostenere l'attività di un gruppo di donne che ha creato un'associazione, la Domus amigas, per favorire l'agricoltura biologica, l'artigianato e il turismo responsabile. Tra le iniziative, una rete di ospitalità in 35 case della zona (che comprende anche le isole di Sant'Antioco e Carloforte) in modalità B&B o in cambio di lavoro agricolo. E, su richiesta, c'è la possibilità di partecipare a laboratori artigianali collegati alla rete. Da quello di pane, pasta e dolci fatti in casa, fino all'intaglio del legno.

2b. In gruppi completate la scheda.

	ubicazione	attività/sport	cosa vedere	caratteristiche
Valle Orco				
Arcipelago toscano				
Parco d'Abruzzo				
Sicilia				
Sardegna				

esercizi
15-16

2c. Organizzate una gita o un piccolo viaggio nel vostro Paese e presentateli poi alla classe.

a. per un amico/a che ama la natura e lo sport
b. per un amico/a che ama le città
c. per una famiglia con bambini
d. per un viaggio di cultura
e. per un weekend in coppia

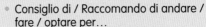

Dare dei suggerimenti

- Consiglio di / Raccomando di andare / fare / optare per…
- Ti suggerirei di visitare/vedere…
- È meglio andarci in primavera…
- Si possono vedere/ammirare…

3a. Quali di queste affermazioni descrivono gli italiani? Discutetene con un compagno aiutandovi con il modello.

	SI	NO
1. Gli italiani sono sportivi.	☐	☐
2. Gli italiani non praticano lo sport, preferiscono guardarlo in TV.	☐	☐
3. Agli italiani piace ballare.	☐	☐
4. Gli italiani sono vanitosi e perciò curano molto il loro aspetto.	☐	☐
5. Gli italiani sono più sportivi rispetto a 10 - 15 anni fa.	☐	☐

- *Per me gli italiani sono poco sportivi.*
- *Io, invece, non ne sono tanto convinto, anzi, secondo me praticano molto sport perché tengono molto all'aspetto fisico.*
- *Secondo me non ci tengono più di tanto...*

Esprimere opinione

Ne sono assolutamente convinto / Non ne sono tanto convinto.

Anzi.../ Al contrario.../ Invece per me...

Esprimere un'opinione contraria

esercizi 17-18

traccia 16 CD1

3b. Ed ora ascoltate e controllate se le vostre risposte corrispondono a quelle date dal Dott. Cipriani.

traccia 17 CD1

3c. Riascoltate e rispondete alle seguenti domande.

1. In che modo sono cambiati gli italiani da 15 anni a questa parte?
2. Che cosa spinge gli italiani a praticare lo sport?
3. Di quale fenomeno parla il dott. Cipriani?
4. Quali sono gli sport più gettonati?
5. Che cosa spinge gli italiani all'emulazione?
6. Che cosa sono disposti a fare gli italiani pur di essere belli e in forma?
7. Il quadro dato da Cipriani corrisponde ai pregiudizi sull'italiano medio?

3d. Osservate! Quando si usa la particella *ci* e quando *ne*?

È convinto **di questo**?	→	**Ne** è convinto?
Gli italiani tengono **all'aspetto**.	→	Gli italiani **ci** tengono.

esercizi 19-21

3e. Dividete la classe in gruppi di quattro o cinque persone. Parlate dei seguenti temi e riassumete *in plenum* i risultati.

- Sport preferiti.
- Tempo dedicato allo sport.
- Perché si fa sport.
- Meglio lo sport in palestra o all'aria aperta.

4a. Sport nella natura. Dove vi piacerebbe andare e perché?

SPORT CHE FAI, ITALIA CHE TROVI
Vuoi conoscere l'Italia? Allora muoviti!

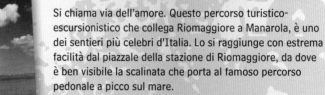

Si chiama via dell'amore. Questo percorso turistico-escursionistico che collega Riomaggiore a Manarola, è uno dei sentieri più celebri d'Italia. Lo si raggiunge con estrema facilità dal piazzale della stazione di Riomaggiore, da dove è ben visibile la scalinata che porta al famoso percorso pedonale a picco sul mare.

Nel periodo invernale l'itinerario si presenta come una tranquilla e solitaria passeggiata da affrontare in tutta calma, magari da "integrare" con un gustoso pranzo a base di pesce nei tipici ristoranti di Manarola e Riomaggiore. Nel periodo estivo rappresenta la migliore via d'accesso per un tuffo in mare e per delle piacevoli e rinfrescanti nuotate.

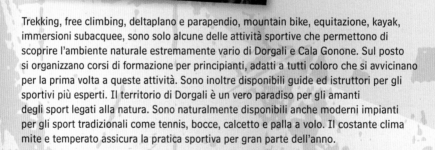

Trekking, free climbing, deltaplano e parapendio, mountain bike, equitazione, kayak, immersioni subacquee, sono solo alcune delle attività sportive che permettono di scoprire l'ambiente naturale estremamente vario di Dorgali e Cala Gonone. Sul posto si organizzano corsi di formazione per principianti, adatti a tutti coloro che si avvicinano per la prima volta a queste attività. Sono inoltre disponibili guide ed istruttori per gli sportivi più esperti. Il territorio di Dorgali è un vero paradiso per gli amanti degli sport legati alla natura. Sono naturalmente disponibili anche moderni impianti per gli sport tradizionali come tennis, bocce, calcetto e palla a volo. Il costante clima mite e temperato assicura la pratica sportiva per gran parte dell'anno.

Per chi ama la vela e il windsurf consigliamo la Calabria. Veleggiare su un mare bellissimo verso le Eolie e sostare nelle meravigliose isole dell'arcipelago: Salina, Vulcano, Panarea, Alicudi, Filicudi, Lipari; oppure attraversare lo Stretto di Messina e visitare la Sicilia nordorientale.

Anche gli appassionati di windsurf saranno pienamente soddisfatti. Potranno infatti praticare questo sport in uno scenario di incredibile bellezza.

Sci - All'ombra del Monte Bianco dove la neve è sempre garantita

235 chilometri di piste da sci da discesa, anelli per il fondo, 60 funivie, cabinovie, seggiovie e sciovie. E poi itinerari per lo slittino, centri per il pattinaggio, scuole di arrampicata su ghiaccio e la più antica associazione di guide alpine d'Europa. Ma questa zona non offre solo sport, e si propone come meta ideale per chi vuole vacanze su misura, cultura, natura, relax e gastronomia.

Il modo migliore per scoprire questa bellissima città è la bicicletta. Oltre ai nove chilometri della cinta muraria, si può pedalare seguendo percorsi tematici: il ghetto, la città rinascimentale, quella medievale.
Nei dintorni di Ferrara troviamo una formidabile rete di percorsi cicloturistici che si snodano tra la città e le campagne, oasi protette e paesini di pianura.
Il percorso cicloturistico Destra Po FE 20 è lo straordinario itinerario che accompagna il grande fiume nei suoi ultimi 132 chilometri.

I fondali marini delle Tremiti rappresentano un paradiso per i sub.
Per loro il Parco ha realizzato ben 23 sentieri subacquei per far osservare con grande attenzione il meraviglioso patrimonio faunistico e floristico dei fondali.
Per coloro che non fanno immersioni il Parco Nazionale del Gargano sta lavorando a un progetto che consiste nell'installazione di alcune telecamere sottomarine collegate a monitor posizionati nei locali del Centro Visita del Parco e negli alberghi dell'arcipelago. Nelle Isole Tremiti le immersioni sono tante e di tutti i tipi. Nessun sub potrà restare scontento.

4b. Rileggete i testi e classificate gli sport di cui si parla. Fatene una breve descrizione.

invernali	acquatici	d'aria	di terra	di montagna
arrampicata su ghiaccio: si pratica su ghiacciai in tutto il periodo dell'anno. Ci vuole un'attrezzatura speciale...				

esercizi 22-23

4c. Leggete i seguenti titoli e indicate i pro e i contro delle attività sportive di cui parlano.

BUNGEE! UNO SPORT PER MATTI!?

Bicipiti e pettorali che passione! O no?

Universitari con i tricipiti afflosciati dallo studio, quarantenni decisi a imprigionare la pancetta dietro un muro di addominali scolpiti...

Hydrospeed - sempre più frequenti gli incidenti causati da questo sport!

SNOWBOARD
due ragazzi hanno provocato una slavina percorrendo una pista non autorizzata.

RAFTING: TRE FERITI GRAVI DURANTE UNA GARA.

4d. Cosa spinge a praticare sport estremi? Parlatene in piccoli gruppi e poi in classe.

5a. Sport ed ecologia nel mondo.

- Nei vari Paesi ci sono differenze sul concetto di rispetto ambientale. Perché?
- Quali Paesi hanno sviluppato maggiormente il concetto di rispetto ambientale? Come?
- La cosa pubblica è di tutti o di nessuno?
- Secondo voi sport ed ecologia sono strettamente collegati? Una persona sportiva è anche sempre ecologica?

Una pagina di guida turistica.

a. Leggete le due pagine tratte da guide turistiche. Quali differenze notate nello stile?

STACCARE LA SPINA / UN BREAK IN LIGURIA

Avete solo pochi giorni di vacanza? Volete cambiare aria senza andare troppo lontano? Vi piacerebbe conoscere le tradizioni di una regione? Cercate divertimento? Vi piace mangiar bene e alloggiare in alberghi che rispecchiano le vostre esigenze pur mantenendo un buon rapporto qualità-prezzo?

Allora la Liguria è la destinazione che fa per voi. Ad appena un'ora di volo dai principali aeroporti italiani, la Liguria è pronta ad ospitarvi e a suggerirvi il modo di riempire di emozioni ed esperienze indimenticabili i vostri giorni liberi. Ecco alcuni consigli per un breve break...

COME UN'ISOLA

Come un'isola, nell'ampia Valle del Paglia, emerge il masso su cui sorge Orvieto. Le pareti che lo circondano sono a picco sulla valle e la città si estende massimamente sulla parte centrale perché, ad eccezione di qualche convento, non fu mai permesso di costruire case o palazzi sul ciglio della roccia.

Il clima è quello tipico di molte zone dell'Italia centrale: mite in autunno e primavera, caldo d'estate.

Orvieto è una meta ideale non solo per chi s'interessa di archeologia, ma anche per chi ama l'arte in generale. Oggi Orvieto, per la ricchezza d'opere d'arte, i reperti etruschi e romani, le chiese e palazzi romanici, i suoi caratteristici prodotti artigianali, nonché per il vino delle sue famosissime cantine, è uno dei più suggestivi e importanti centri di attrazione turistica dell'Italia centrale e può contare su una moderna attrezzatura alberghiera, ristoranti tipici e trattorie tradizionali.

b. State preparando una pagina per la guida turistica in foto.

Decidete a coppie di quale angolo d'Italia volete parlare. Fate una breve ricerca su internet. Per la stesura della pagina tenete presente i seguenti punti:

1. Titolo ad effetto.
2. Di quale luogo si tratta.
3. Dove si trova esattamente?
4. Caratteristiche geografiche, clima.
5. Tipi di sport che vi si possono fare.
6. Destinatari: principianti, esperti…
7. Attrezzatura necessaria.
8. Dove si può mangiare e dormire.
9. Ci sono edifici, monumenti…?
10. Quali impressioni ed emozioni suscita in voi l'ambiente?

Protestare	• Cosa sta facendo?! / Ma insomma! / Ma scusi, Lei...
Rispondere a proteste	• Ma cosa vuole! / Non sono affari suoi! / Beh! Lasciamo perdere.
Esprimere necessità	• Bisogna... / Ci vuole/Ci vogliono... / È necessario/Sono necessari... / Occorre fare...
Esprimere opinione	• Secondo me invece.../ Inoltre si devono acquistare prodotti...
Esprimere riserva	• Sarà pure così, ma c'è un altro aspetto da tenere presente...
Esprimere opinione	• Ne sono assolutamente convinto. / Non ne sono tanto convinto...
Esprimere un'opinione contraria	• Anzi... / Al contrario... / Invece per me...
Dare dei suggerimenti	• Consiglio di / Raccomando di andare / fare / optare per... • Ti suggerirei di visitare/vedere... • È meglio andarci in primavera... • Si possono vedere/ammirare...

Ricapitolando!

Fate un profilo dell'italiano medio secondo gli ultimi dati ISTAT.
Metteteli a confronto con i dati nel vostro Paese.

Descrivete i vostri connazionali. Sono sportivi? Qual è lo sport più praticato? Esiste un cosiddetto sport nazionale? Quale? I vostri connazionali amano e rispettano l'ambiente? Cosa fanno per proteggerlo?

Vi hanno invitato ad un talkshow che ha come tema lo sport e in che modo esso contribuisce al degrado della natura. Parlatene in classe assumendo i seguenti ruoli: moderatore, ambientalista (sport sì, ma nel rispetto della natura), amante dello sport.

unità 05
una società
multietnica

Come immaginate l'Italia al giorno d'oggi?

immigrati

uomini e donne

famiglia

1a. Leggete il seguente articolo. Scrivete due titoli diversi. Confrontate in classe e scegliete i più interessanti.

1. Titolo ottimista. Potete fare riferimento alle righe 19-21.
2. Titolo pessimista. Potete fare riferimento alle righe 12-14.

La provenienza degli studenti non italiani comprende una molteplicità di cittadinanze che rappresentano tutti i continenti. La maggior parte degli iscritti (29,8%) è originaria dei paesi dell'Europa non comunitaria e in prevalenza dell'Albania con ben 78.183 frequentanti.
A seguire ci sono gli studenti provenienti dalla Romania che, entrata di recente a far parte della
5 comunità europea, è il paese con la più alta rappresentanza di alunni iscritti alle scuole italiane.
Ben rappresentati sono anche i paesi dell'Africa (24%), in particolare il Marocco con il 13,6%
di presenze. Il 14,3% degli alunni stranieri sono invece di origine asiatica, mentre solo l'11,4%
proviene dal continente americano.
I problemi d'inserimento degli alunni stranieri sono spesso connessi ad una difficoltà linguistica
10 per cui è anche più alto il rischio di un insuccesso scolastico. Si rileva così che il rendimento
di questi studenti è a un diverso livello rispetto a quello dei coetanei italiani. Già nella scuola
primaria il 21,3% dei bambini stranieri si trova inserito in una classe che non corrisponde a
quella della sua età, percentuale che per il 5° anno arriva al 33,4%.
Negli ultimi anni si nota comunque una diminuzione di questo "ritardo", indice di una maggior
15 attenzione che viene data alle forme di accoglienza e che rendono meno difficile l'impatto con
il sistema scolastico. La differenza, poi, tra i tassi di promozione degli alunni italiani e quelli
stranieri mostra un altro aspetto delle difficoltà di integrazione di questi ultimi.
Alle primarie la differenza non è così grave (3,6%) mentre aumenta nelle scuole superiori di I e II
grado (11,5 punti percentuali). Sono comunque in aumento gli alunni non italiani che riescono a
20 terminare il percorso scolastico con successo. Ci piace pensare che fra trent'anni al posto di Benigni
ci sia un toscano di colore che giri i teatri d'Italia recitando Dante.

esercizi
1-3

1b. A gruppi di 3 o 4 persone. Scrivete un breve trafiletto sulla situazione scolastica nel vostro Paese tenendo conto dei punti a seguito.

- Quanti stranieri vivono nel vostro Paese?
- Nelle scuole la percentuale di stranieri è alta o bassa?
- Vi sono particolari istituzioni per l'integrazione dei bambini stranieri?
- Vi sono difficoltà d'integrazione linguistica?

1c. Scambiatevi il trafiletto tra i gruppi. Formulate due domande da rivolgere all'altro gruppo.

Esempio:
- *Da quando ci sono insegnanti stranieri nelle vostre scuole?*
- *Perché la maggior parte dei bambini stranieri non prosegue con le scuole?*
...

1d. A coppie. Leggete la recensione del film. Estrapolate la critica positiva e negativa fatta dal giornalista.

Il giovane Assane (Djibril Kébé), senegalese di religione musulmana, è gettato in mare al largo di Lampedusa dai traghettatori della morte, si salva e va in cerca di un'occupazione e di una vita dignitosa.

Dopo aver superato privazioni e umiliazioni d'ogni genere (lavoro nero, vita da ambulante senza-casa, attentati razzisti...), risalendo l'Italia da Messina a Firenze, fino a Torino, sembra aver trovato finalmente ciò a cui chiunque avrebbe diritto: il permesso di soggiorno, un lavoro decoroso, degli amici - quando viene picchiato selvaggiamente da un gruppo di balordi, solo per il colore della pelle. Nella seconda parte del film, Assane torna in Senegal in preda ad una forte depressione. Sospeso tra due concezioni opposte dell'esistenza, teme di aver perduto radici culturali, fede, identità; sarà il suo antico professore d'università a tendergli una mano per risalire dal baratro.

È con grande piacere che accolgo il rientro di Vittorio De Seta dopo anni di silenzio. Sembra che lo spirito di De Seta sia quello di sempre. Oggi, a 82 anni, ci presenta un film che ha avuto una lunga fase di gestazione e che ora arriva al pubblico. È interessante quanto De Seta sia abile nel comprendere che la pellicola si gioca sullo sguardo di Assane, sul mondo che con i suoi occhi esplora. Un'esplorazione che non è più ricerca e ammirazione per le opere d'arte, per stucchi e vetrine ma istinto di sopravvivenza in luoghi sconosciuti. Ottima l'ambientazione e la ricerca di situazioni quotidiane credibili. Trovo che De Seta resti fedele a se stesso anche in questo film, però... sono cambiati i tempi e talvolta si trovano limiti nella sceneggiatura. La storia di Assane si rifà indubbiamente a situazioni reali, però ritengo che il protagonista risulti alla fine come una specie d'icona di bontà assoluta. L'apice si raggiunge quando il *buon africano* arriva nell'appartamento della *buona insegnante* d'italiano per accudire il fratello psicolabile e riesce con un clic a far ripartire un computer in panne. È didascalismo allo stato puro e temo che il film rischi di ottenere l'effetto contrario al voluto. Senza bisogno di vivere situazioni estreme, tutti sappiamo che l'integrazione richiede sforzi da ambedue le parti. Questo film è invece troppo schematico per essere credibile ed efficace. Gli extracomunitari che vengono nel nostro Paese con il solo scopo di trovare un lavoro decente sono la stragrande maggioranza. Raccontarli in forma idilliaca non mi sembra però che abbia un effetto positivo nella difesa dei loro diritti.

Punti positivi	Punti negativi

esercizi 4-5

1e. A coppie. Secondo voi la critica è più positiva o negativa? Perché?

- *Penso che non sia una critica molto positiva, e tu che cosa ne pensi?*
- *Anch'io trovo che sia negativa perché...*

Esprimere opinione

- Credo che / penso che sia... perché...
- Anch'io penso che...

1f. Osservate. Cosa esprime il congiuntivo: soggettività o oggettività?

Sembra che lo spirito di De Seta **sia** quello di sempre.
Trovo che De Seta **resti** fedele a se stesso...
Ritengo che il protagonista **risulti** alla fine come una specie d'icona...
Temo che il film **rischi** di ottenere l'effetto contrario.
Non mi sembra però che **abbia** un effetto positivo...

esercizi 6-14

2a. In classe. Che cosa vi suggerisce il titolo seguente?

> ## Quando l'Albania eravamo noi.

- *Ma, io credo che si riferisca a...*
- *Io penso invece che questa frase si rifaccia a...*

riferirsi a - indicare - rifarsi a

traccia
18 CD1

2b. Ascoltate e segnate le affermazioni corrette.

- La Prof.ssa De Paoli è un'esperta del tema emigrazioni italiane. ☐

- La Prof.ssa De Paoli ha progettato con la sua classe un documentario sul tema dell'emigrazione. ☐

- Molti tra gli alunni hanno parenti emigrati all'estero. ☐

- Il tema non ha trovato grande riscontro tra la scolaresca. ☐

- La classe ha scritto delle critiche sul libro del giornalista Gian Antonio Stella. ☐

- Il libro tratta anche le origini dell'emigrazione italiana. ☐

- Gli alunni hanno creato uno spazio in rete per discutere insieme del tema. ☐

traccia
19 CD1

2c. Riascoltate. Qual è l'opinione della Prof.ssa De Paoli in merito al blog nato a scuola? Siete d'accordo con lei?

2d. A coppie. Leggete ora alcuni interventi degli alunni. Scrivetene uno anche voi.

CHATTARE PER CONOSCERE E CAPIRE

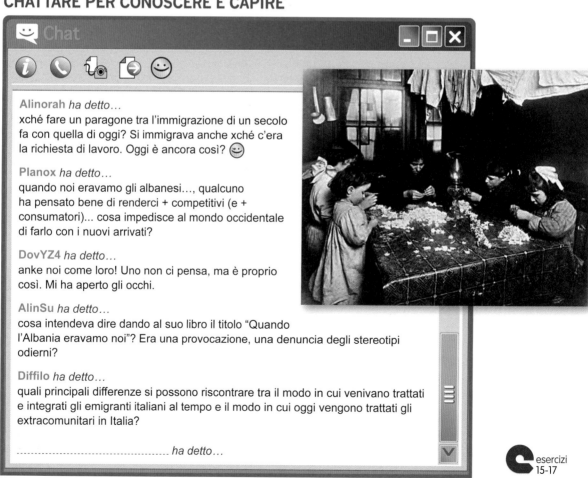

Alinorah *ha detto...*
xché fare un paragone tra l'immigrazione di un secolo fa con quella di oggi? Si immigrava anche xché c'era la richiesta di lavoro. Oggi è ancora così? 😊

Planox *ha detto...*
quando noi eravamo gli albanesi..., qualcuno ha pensato bene di renderci + competitivi (e + consumatori)... cosa impedisce al mondo occidentale di farlo con i nuovi arrivati?

DovYZ4 *ha detto...*
anke noi come loro! Uno non ci pensa, ma è proprio così. Mi ha aperto gli occhi.

AlinSu *ha detto...*
cosa intendeva dire dando al suo libro il titolo "Quando l'Albania eravamo noi"? Era una provocazione, una denuncia degli stereotipi odierni?

Diffilo *ha detto...*
quali principali differenze si possono riscontrare tra il modo in cui venivano trattati e integrati gli emigranti italiani al tempo e il modo in cui oggi vengono trattati gli extracomunitari in Italia?

.... *ha detto...*

esercizi
15-17

2e. Leggete. Che cosa sapete voi dell'esperienza migratoria degli italiani nel XIX e nel XX secolo?

Nuovomondo - un film di Emanuele Crialese, con Charlotte Gainsbourg e Vincenzo Amato
Con Nuovomondo si compie l'esperienza migratoria italiana, interna (da Sud a Nord) o transoceanica: la storia di un viaggio oltremare alla ricerca della terra promessa. Quel viaggio, chiuso nel profondo di una nave mai ripresa in campo lungo, è compreso fra due sequenze potenti fino a togliere il fiato: la partenza del bastimento dal porto siciliano e lo sbarco in America.

Trama
Siamo agli inizi del Novecento. Sicilia: una decisione cambierà la vita della famiglia Mancuso, scegliere di lasciarsi il passato alle spalle e iniziare una vita nuova nel Nuovo Mondo. Salvatore vende tutto per portare i figli e la vecchia madre in un posto dove ci sarà più lavoro e più pane per tutti. Salvatore Mancuso è uno dei tanti emigranti italiani che hanno messo in gioco tutto alla ricerca di un (sudato) futuro migliore.

2f. Leggete in classe gli spunti di un film. Dividetevi in gruppi. Ogni gruppo sceglie di scrivere una parte seguendo i punti sottostanti. Mettete insieme la storia leggendola ad alta voce in classe.

Gruppo 1	Gruppo 2	Gruppo 3
Inizio della storia - in Italia Famiglia povera del Veneto agli inizi del '900. Viaggio difficile. Arrivo in Argentina. Paese diverso dalle aspettative.	*In Argentina* Lavorano come contadini. Molti anni dopo comprano terre - ricchezza. Vita agiata.	*In Argentina e in Italia* Figlio torna in Italia - sposa una cugina povera. Figlia invece vuole studiare e non sposarsi.

2g. A coppie. Cercate una fine per il film e motivate.

- *Che ne dici di una fine tragica?*
- *Oh no! Penso che ci voglia una fine divertente perché...*

Confrontare le opinioni

- Che ne dici di.../ Come trovi...?
- Penso che sia meglio una fine divertente / tragica... perché credo si adatti meglio a tutta la storia...
- Secondo me invece.../ Invece per me ci vuole...

2h. Inserite le parole mancanti.

.... sia meglio una fine tragica...
.... è meglio una fine...

esercizio
18

3a. Guardate la foto e commentate in classe.

- Che tipo di giovani sono secondo voi?
- Quali sono i loro interessi?
- Che tipo di responsabilità potrebbero prendere nei confronti della società?
- Quanti anni hanno? Sono persone mature?

3b. Scrivete un breve commento personale sul tema.

Personalmente ritengo che i giovani...

3c. A coppie. E tu che tipo sei? Fate il test e formulate il profilo del compagno.

1. Quanti anni hai?
   15-18 ☐ 19-21 ☐ 22-25 ☐ 26+ ☐

2. I tuoi coetanei ti considerano:
   Immaturo ☐ Poco maturo ☐
   Abbastanza maturo ☐ Molto maturo ☐

3. I familiari e le persone più grandi di te ti considerano:
   Immaturo ☐ Poco maturo ☐
   Abbastanza maturo ☐ Molto maturo ☐

4. Ti consideri una persona responsabile?
   Per niente ☐ Poco ☐ Abbastanza ☐
   Molto ☐

5. Sei una persona indipendente?
   Per niente ☐ Poco ☐ Abbastanza ☐
   Molto ☐

6. Ti senti maggiormente a tuo agio da solo oppure in compagnia?
   Da solo ☐ In compagnia ☐
   Entrambe le cose ☐

7. Chi fa da sé fa per tre. Sei d'accordo con questo proverbio?
   Molto ☐ Abbastanza ☐ Poco ☐
   Per niente ☐

8. Ti senti sicuro di te stesso?
   Per niente ☐ Poco ☐ Abbastanza ☐
   Molto ☐

9. Ti spaventa l'idea di diventare adulto e dover badare a te stesso senza aiuti esterni?
   Molto ☐ Abbastanza ☐ Poco ☐
   Per niente ☐

10. Pensi che diventerai una persona importante?
    Certamente sì ☐ Spero di sì ☐
    Non è importante ☐ Non credo ☐

11. Cambi spesso idea?
    Spesso ☐ A volte ☐ Raramente ☐ Mai ☐

12. Ti sottrai mai ai tuoi impegni inventando scuse o fingendo malesseri?
    Mai ☐ Raramente ☐ A volte ☐ Spesso ☐

13. Racconti mai bugie a fin di bene?
    Spesso ☐ A volte ☐ Raramente ☐ Mai ☐

14. Quanto del tuo denaro metti da parte?
    La maggior parte ☐ Circa la metà ☐
    Un terzo ☐ Meno di un terzo ☐

15. Quanti veri amici ritieni di avere?
    0-1 ☐ 2-3 ☐ 4-6 ☐ 7 + ☐

16. Ritieni di aver compreso bene come funzionano le cose al mondo?
    Perfettamente ☐ Abbastanza ☐ Sì e no ☐
    Per niente ☐

3d. A coppie. Commentate il test con il partner.

- *Mi sembra che secondo il test tu sia molto immaturo!*
- *Ma scusa, non siamo mica tutti perfetti!*
...

maturo immaturo ingenuo responsabile consapevole

- Non mi sembra mica di essere così immaturo!
- Non sono proprio convinto che sia un risultato realistico…
- Sono sicuro che è…

Enfatizzare affermazioni negative

3e. Osservate la funzione di "mica".

Non mi sembra **mica** di essere così! | Non sono **proprio** convinto…

esercizi
19-20

traccia
20 CD1

3f. Ascoltate il dialogo e rispondete alle domande.

- Per quale motivo si lamenta la giovane donna?
- Secondo lei qual è il problema principale?
- Che consigli le dà la sua amica?

***

- Qualche vostra conoscente vi ha fatto confidenze su questo tema?
- Che cosa pensate di questo tema?

3g. Dividetevi in gruppi. Scegliete A o B e argomentate.

A - Pro	B - Contro
Siete d'accordo con la donna del dialogo.	Non siete d'accordo con l'opinione della donna.
In tutti gli uomini la tendenza è più forte che nelle donne. Restano sempre attaccati alle gonne di mamma. Non crescono mai…	Non tutti gli uomini sono mammoni. Oggigiorno non è più così. Gli studi durano molto e la vita è cara, quindi è naturale che…

traccia
21 CD1

3h. Riascoltate una parte del dialogo e completate.

- ...., non è mica una tragedia essere attaccato un po' alla famiglia, ti pare?
- C'è modo e modo di essere "attaccato" alla famiglia! Adesso addirittura la mia cara suocerina mi fa delle battutine del genere: "Sai, quando hai chiamato ieri, lui era lì con me".
- Magari lo fa scherzando, eh?
- .... e non con me, scusa! Ormai ha trent'anni e fa tutto quello che dice lei e come dice lei. Invece di diventare uomo e stare con me, prendersi le sue responsabilità, sta

dietro alla mammina, l'aiuta a fare le torte mentre io sono qua a casa da sola che lo aspetto! Non è mica questo che voglio dalla vita in due!

- Forse dovresti parlargli con calma. Non so… hmmm .... e non riesce a dirtelo? ....? O forse lui non ha capito bene quanto ti disturbi il fatto, no? Prova a cercare il dialogo…
- Il dialogo! Ah! Non cerca mai di capirmi, è ancora un bambino…

3i. Cosa indicano le espressioni del dialogo precedente?

Dubbio	Esortazione
Che non **sia** ancora sicuro?	Beh, **abbi** pazienza!

esercizio
21

4a. A coppie. Osservate la vignetta e scegliete la didascalia più appropriata.

Italiani: un popolo di nonnini

La popolazione italiana è sempre più vecchia: urgono provvedimenti

Di mio figlio io sembro il nonno e non il padre

Famiglie italiane senza figli

I bambini crescono - ma lentamente!

A che età siamo maturi?

4b. A coppie. Fate un dialogo come nell'esempio.

Mettere a confronto

- *Com'è la situazione nel tuo Paese?*
- *Beh, io non credo che da noi la popolazione invecchi troppo velocemente e da voi?*

- Com'è da te? E nel tuo Paese?
- Guarda, da noi non è molto diverso.
- Da noi invece non è così...

Esprimere necessità

- È necessario che...
- Bisogna che abbiano...

4c. In classe. Quali sono i motivi di questo fenomeno? Quali provvedimenti si potrebbero prendere?

- *È necessario che lo Stato si occupi degli anziani...*
- *Bisogna che diano più facilitazioni...*

abbreviare studio - sostegno economico - affitti più bassi - aiuto a trovare lavoro - sussidio - case di accoglienza - visite mediche a domicilio

 esercizio 22

4d. Leggete i diversi paragrafi e rimetteteli in ordine - vi sono più possibilità?

EDITH, STUDENTESSA DI 86 ANNI!

A. Agli esami più tranquilla dei giovani maturandi

Quando si è presentata, rilassata, allegra, ha salutato con entusiasmo il direttore ringraziando la scuola, il Comune e lo Stato per averle permesso di studiare. "Per me - ha detto - ogni lezione è stata una gioia. Mi sono sentita un'allieva come gli altri, anche se ero diventata la nonna di tutti". Dunque perfettamente inserita in classe, Edith non si è mai sentita anziana tra i compagni: "In classe c'erano persone di ogni età, tra cui molti stranieri che mi hanno accolta benissimo. Mi sono sempre sentita giovane".

B. Non si è mai troppo vecchi

Avrà avuto gli stessi batticuori dei diciottenni agli esami di maturità? Avrà sentito quel tuffo al cuore che abbiamo provato tutti nel sederci sui quei banchi, spettatori di successi e fallimenti? Chi lo sa, di sicuro le è rimasta la voglia di imparare. Edith Link non è una ragazza qualsiasi, con i suoi 86 anni è la studentessa più anziana presentatasi alla maturità in Italia. Giunta in Italia nel 1946 da Teplice, in Boemia, aveva già conseguito due diplomi in Germania, ma non contenta, a 81 anni, vuole il titolo di studio anche italiano e così, dopo cinque anni all'istituto "Giulio" di Torino, arriva finalmente a coronare il suo sogno: sostenere gli esami di maturità.

C. Maneggia internet senza difficoltà

Dei nuovi mezzi di comunicazione, nel suo tema, Edith ha elogiato la velocità, la praticità, la possibilità di averli con sé nei momenti di emergenza. "Conosco Internet e il telefono cellulare, anche se lo uso solo in montagna, dove manca la linea normale - racconta - ma so bene come funzionano gli sms". "I suoi appunti, perfetti, circolavano spesso tra gli studenti e non ha mai risparmiato un aiuto ai compagni", racconta la vicepreside Maria Teresa Burzio.

D. Prova di letteratura? Facile!

È uscita serena dall'aula dopo la prova scritta d'italiano, per nulla provata dalle cinque ore passate a scrivere di nuove forme di comunicazione. "Non ho avuto nessun problema ad affrontare la prova - racconta - la letteratura italiana è la materia che più mi piace, ma avrei preferito una traccia su Pascoli. Montale, con il suo "mal di vivere", non mi corrisponde".

Marco Fasolino

4e. Completate l'articolo e confrontate in classe. Leggete il testo originale a pag. 205.

Come prosegue la storia? Che cosa farà la signora Edith dopo la maturità?

E dopo anche l'università
Una volta tagliato il traguardo della maturità, la signora Edith _____

4f. Quali attività deve fare un anziano per mantenersi giovane?

penso che - ritengo che - credo che - è necessario che - bisogna che	sport - leggere - mantenere i contatti sociali - studiare - lavorare - occuparsi dei nipoti

Esprimere opinioni

Penso che.../ Dovrebbe...

5a. A coppie completate l'articolo e poi confrontate in classe.

Fare il papà è semplice? Non si direbbe...

Il padre tradizionale
Forte attaccamento alle tradizioni passate e al ruolo sociale ricoperto dai papà del secolo scorso: mantenere la famiglia.

Il mammo imbranato
I primi tentativi di uscire dagli schemi e di produrre un'immagine di padre divertente e allo stesso tempo rispecchiante i cambiamenti sociali in atto.

Il padre adolescente
Dopo aver sperimentato il ruolo materno, l'identità paterna prova a ricercare una sua definizione andando verso la direzione opposta: nasce così la figura di padre infantile, cioè di un papà che ha i suoi desideri e bisogni, che nella maggior parte dei casi coincidono con quelli del figlio adolescente.

Il padre moderno
?

5b. A coppie. Quali aggettivi si adattano ai diversi tipi? Perché?

indipendente - infantile - maturo - dinamico - moderno - allegro - noioso - tranquillo - ridicolo - antiquato - antipatico - affettuoso - tenero - duro - introverso - insicuro - giocoso - eccentrico - competitivo - ansioso - attento

5c. A coppie. Secondo voi è cambiato il ruolo dell'uomo negli ultimi decenni? Scrivete alcuni dei punti principali.

	ieri	oggi
famiglia		
lavoro		
rapporto coppia		
...		

5d. In classe. Riferite sul ruolo dell'uomo nella vostra cultura e fissate le differenze più interessanti.

Comunicare on-line.

a. A coppie. Quali sono le differenze stilistiche tra i due messaggi di seguito?

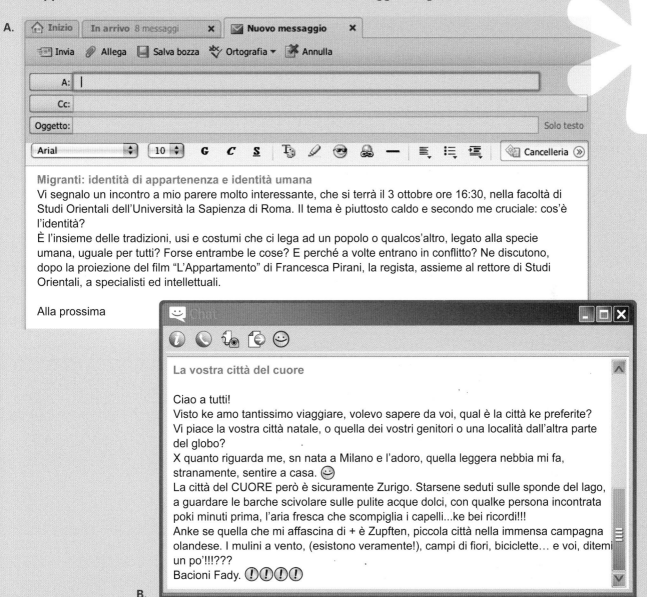

A.

Migranti: identità di appartenenza e identità umana

Vi segnalo un incontro a mio parere molto interessante, che si terrà il 3 ottobre ore 16:30, nella facoltà di Studi Orientali dell'Università la Sapienza di Roma. Il tema è piuttosto caldo e secondo me cruciale: cos'è l'identità?

È l'insieme delle tradizioni, usi e costumi che ci lega ad un popolo o qualcos'altro, legato alla specie umana, uguale per tutti? Forse entrambe le cose? E perché a volte entrano in conflitto? Ne discutono, dopo la proiezione del film "L'Appartamento" di Francesca Pirani, la regista, assieme al rettore di Studi Orientali, a specialisti ed intellettuali.

Alla prossima

La vostra città del cuore

Ciao a tutti!
Visto ke amo tantissimo viaggiare, volevo sapere da voi, qual è la città ke preferite?
Vi piace la vostra città natale, o quella dei vostri genitori o una località dall'altra parte del globo?
X quanto riguarda me, sn nata a Milano e l'adoro, quella leggera nebbia mi fa, stranamente, sentire a casa. 😊
La città del CUORE però è sicuramente Zurigo. Starsene seduti sulle sponde del lago, a guardare le barche scivolare sulle pulite acque dolci, con qualke persona incontrata poki minuti prima, l'aria fresca che scompiglia i capelli...ke bei ricordi!!!
Anke se quella che mi affascina di + è Zupften, piccola città nella immensa campagna olandese. I mulini a vento, (esistono veramente!), campi di fiori, biciclette… e voi, ditemi un po'!!!???
Bacioni Fady. ①!!①①

B.

b. Riscrivete il primo messaggio usando tutte le caratteristiche tipiche del registro informale usato dai giovani.

Abbreviazioni: avverbi (xké), congiunzioni, preposizioni (cn), verbi (sn)…

Ortografia: Maiuscole per evidenziare le parole, uso della K, + o x…

Uso dell'interpunzione: molti punti di domanda, punti esclamativi, i puntini di sospensione, interpunzione molto personale…

Uso di emoticons: 😊

Stile: personale/impersonale; formale/informale.

Esprimere opinione	• Credo che / penso che sia... perché... • Anch'io penso che...
Confrontare opinioni	• Che ne dici di.../ Come trovi...? • Penso che sia meglio una fine divertente / tragica... perché credo si adatti meglio a tutta la storia... • Secondo me invece... / Invece per me ci vuole...
Enfatizzare affermazioni negative	• Non mi sembra mica di essere così immaturo! • Non sono proprio convinto che sia un risultato realistico... • Sono sicuro che è...
Mettere a confronto	• Com'è da te? E nel tuo Paese? • Guarda, da noi non è molto diverso. • Da noi invece non è così...
Esprimere necessità	• È necessario che... • Bisogna che abbiano...
Esprimere opinioni	• Penso che.../ Dovrebbe...

Ricapitolando!

Intervistate un compagno di diversa nazionalità sui seguenti temi:

- famiglia
- ruolo dell'uomo e della donna
- i giovani: interessi, lavoro, divertimento
- immigrazione ed emigrazione

Ricapitolate e mettete poi a confronto i dati ottenuti.

unità 06
l'italiano in piazza

Riconoscete le piazze nelle foto?

In quali città italiane sono?

Ci siete mai stati?

Quale preferite?

1a. Osservate le immagini. Dove sono le piazze? Abbinate le foto alle didascalie.

A.
Perugia
Al centro la fontana
a vasche poligonali
dei Pisano.

B.
Urbino
Facciata del Palazzo
ducale in piazza
Rinascimento.

C.
Gubbio
Scalinata di
palazzo Ducale.

D.
Vigevano
Portici rinascimentali
sormontati dalla
torre sforzesca.

E.
Lecce
Particolare del rosone.

F.
Catania
Piazza Duomo centro
della vita cittadina.

1. .... 2. .... 3. .... 4. .... 5. .... 6. ....

1b. A coppie. Osservate le foto.

- Ci sono due piazze per ogni epoca artistica: Medievale, Rinascimentale o Barocca.
- Provate a individuare le coppie.
- Da cosa lo capite?
- Quali sono gli elementi comuni, quali le differenze?

1c. Leggete le seguenti descrizioni di tre piazze italiane. A quali foto della pagina precedente corrispondono?

Medioevo

La piazza IV Novembre, centro della vita pubblica, civile e religiosa della città, è una delle piazze più suggestive d'Italia. Si apre tra il palazzo dei Priori da un lato e il fianco della Cattedrale, con la quattrocentesca loggia di Braccio Fortebraccio dall'altro.

La Fontana Maggiore è al centro della piazza, bellissima per l'eleganza delle linee, l'armonia delle forme e l'alto pregio delle decorazioni. Fu eretta nel 1278 forse su disegno di Fra Bevignate, è costituita da due vasche marmoree poligonali concentriche, sormontate da una tazza bronzea.

Negli specchi delle due vasche e negli spigoli di quella superiore, stupendi bassorilievi e statue di Nicola e Giovanni Pisano rappresentano personaggi, santi, simboli e scene attinenti alla città e alla fantasia medievale.

- A quali piazze si riferiscono le descrizioni?
- Ritrova nelle foto gli elementi di cui si parla.
- Per ogni piazza pensate tre aggettivi che caratterizzano lo stile del tempo:
  Medievale: *elegante*...
  Rinascimentale: *equilibrato*...
  Barocco: *dinamico*...

Rinascimento

La piazza ducale, il cuore della cittadina, è forse il più tipico esempio di piazza rinascimentale. Voluta nel 1494 da Ludovico il Moro come nobile ingresso al Castello, che era la residenza estiva della corte Sforzesca. È un vasto rettangolo chiuso circondato per tre lati da uniformi, bassi palazzetti a portici, tutti rivestiti di una vivace decorazione pittorica. Dietro il lato sud della piazza si leva la torre del castello, a più piani rientranti e merlati dovuta al Bramante. Ordine, misura e semplicità determinano l'incanto di questo incomparabile ambiente, così tipicamente lombardo, così fatto su misura umana, privo di retorica, di spettacolare monumentalità, come si conveniva a una residenza di campagna.

Barocco

Domina la piazza centrale di Lecce la Basilica di Santa Croce, vero trionfo del Barocco del Sud. L'elemento di maggior pregio dell'ordine superiore è il raffinato rosone barocco, tra i più pregevoli ed eleganti che la storia dell'arte moderna possa ricordare. Un'esplosione di foglie d'acanto e cerchi finemente decorati sono affiancati da nicchie con le statue di San Benedetto e San Celestino. Solo la sua presenza valorizza ed esalta l'intero organismo architettonico, innalzandosi a simbolo del Barocco di Lecce.

Attorno alla Basilica gli altri edifici creano un elegante movimento di spazi e luce con sporgenze e rientranze, creando un ambiente di sorprendente solennità e armonia.

esercizi
1-8

1d. Disegnate una piazza della vostra città o portate una cartolina e descrivetela al compagno.

• *La piazza della mia città ha una forma circolare, da un lato si può vedere un castello normanno, di fronte si erge una chiesa del XVII secolo...*

Descrivere dettagliatamente luoghi

In alto / in basso / a destra / a sinistra / dappertutto / di fianco / al centro / da un lato / dall'altro / dietro...
Si può vedere... / Si nota... /
Si leva... / Si apre...

esercizi
9-10

traccia
22 CD1

2a. Ascoltate più volte il dialogo tra i due amici e rispondete alle domande.

- Di quale artista parlano?
- Quali sono gli elementi caratteristici delle sue opere?
- Perché piace a Francesco e perché non piace a Riccardo?
- A quali piazze si è ispirato l'artista?

2b. A coppie. Osservate i dipinti e rispondete alle domande.

- Quali sono gli elementi caratteristici dell'artista?
  La luce,...
- Quali sensazioni vi procurano queste opere?
  Malinconia,...
- Pensate che l'artista si sia ispirato a piazze italiane? Da cosa lo deducete?

2c. Osservate! Quando si usa il congiuntivo passato e come si forma?

Penso che **abbia studiato** all'Accademie di Belle Arti.
Credo che si **sia ispirato** alle città in cui era stato.

esercizi
11-13

2d. A coppie guardate le foto. Sceglietene una e immaginate una storia. Presentatela poi alla classe.

- Dove pensate si trovino i personaggi?
- Con chi pensate che siano?
- Perché pensate che si trovino lì?
- Cosa pensate sia successo?
- Che cosa credete che abbiano fatto?

Fare un'ipotesi

Penso che / Credo che
abbia visto, fatto, detto…
sia andato, tornato, partito…

- *Credo che la ragazza sia andata a Roma per un concorso al Ministero come interprete parlamentare. Penso abbia fatto l'esame e poi abbia deciso di fare un giro per Roma. Forse si è fermata a prendere un gelato e poi voleva visitare la Basilica di San Pietro. In piazza si è accorta che…*

 esercizi
14-15

3a. Le feste di piazza: il sapore della storia. Leggete i titoli e guardate le foto.

Quali di queste feste avete già visto o vorreste vedere?
Perché? Cosa hanno in comune? Cosa le caratterizza?
Ci sono feste analoghe nel vostro Paese?
Dividete la classe in gruppi di tre. Ciascuno legge il testo
e presenta una festa al proprio gruppo.

Carnevale di Venezia

Quest'anno il carnevale di Venezia, il più famoso d'Italia, si è completamente rinnovato. L'attenzione è concentrata sui sensi, più precisamente i cinque sensi, più uno: la mente, la sede dell'anima, quindi questo carnevale sarà un concentrato di emozioni.

L'obiettivo è quello di far sentire la festa e soprattutto di far sentire e vivere Venezia, dando cioè un'immagine forte che rimanga impressa nella mente e nel cuore.

QUATTRO GIORNI DI PALIO

IL PALIO DURA *QUATTRO GIORNI*: QUALCHE GIORNO PRIMA DELL'INIZIO DELLA GARA VIENE ASSEGNATO UN CAVALLO A CIASCUNA DELLE CONTRADE PARTECIPANTI A QUEL PALIO. QUESTA È *LA TRATTA*.

Ci sono complessivamente *6 prove*, tre la mattina alle 9 e tre la sera alle 19.45.
L'ultima delle prove di sera è chiamata Prova Generale mentre l'ultima prova in assoluto – corsa la mattina del Palio – è detta *Provaccia*.
La corsa del Palio consiste in *tre giri* della Piazza del Campo. Si parte dalla *Mossa*, cioè due corde dietro le quali si dispongono 9 contrade in ordine stabilito per sorteggio. Quando entra l'ultima, si abbassa la corda anteriore e comincia la gara. Vince la contrada il cui cavallo, *con o senza fantino*, compie per primo i tre giri.
La contrada vincitrice riceve il Palio, o *Drappellone*, che resterà per sempre conservato nel suo museo.

Il Palio delle Contrade di Vigevano

È nato nel 1981 al fine di coinvolgere l'intera città riproponendo valori autentici e storici. La manifestazione si è via via arricchita come immagine, come numero di figuranti (ormai oltre quattrocento), come iniziative collaterali.

Tutti i giornali, anche quelli nazionali, hanno parlato e parlano del Palio, inserendolo ormai negli appuntamenti da non perdere dei mesi di maggio ed ottobre. Accanto ai personaggi del Corteo Ducale, raffiguranti le antiche famiglie nobili del borgo vigevanese, oggi si possono ammirare i popolani, riuniti nelle differenti corporazioni, che animano il borgo medievale ricreato nel cortile del Castello Sforzesco.

traccia
23 CD1

3b. Ascoltate il brano e rispondete alle domande.

- Quale periodo storico rievoca il Palio di Oria?
- Per quale occasione speciale Federico II volle fare dei festeggiamenti?
- In cosa consiste il Torneo?
- Quante prove dovranno affrontare gli atleti?
- Da quanti anni si ripete questo spettacolo e perché è un evento speciale?

traccia
24 CD1

3c. A coppie. Ascoltate ancora una volta il brano e ricostruite liberamente il testo.

Oria la città tra i due mari di Puglia. Una città

_____

_____

_____

Dame e cavalieri, re e regine, musici,

sbandieratori, ad Oria _____

_____

_____

Senza che si debba studiare nei libri di storia, qui il Medioevo si vive ogni giorno.

_____

Ad Oria l'intera _____

_____

_____

esercizi
16-17

3d. Osservate le frasi. Perché si usa il congiuntivo?

Nonostante siano passati otto secoli, basta chiudere gli occhi per fare un salto nel passato.
Senza che si debba studiare nei libri di storia, qui il Medioevo si vive ogni giorno.
Atleti e cavalieri si cimentano in durissime prove di stampo medievale **perché** il loro rione possa conquistare l'ambito Palio.
Certo! **A condizione che** ci si vesta da dame o cavalieri medievali!

3e. Dialogate seguendo il modello.

- *Andiamo a vedere il palio?*
- *Solo a patto che prima mi aiuti a pulire casa!*

- vestirsi in costume medievale
- partecipare al Torneo
- recitare la parte di Federico II e sua moglie
- suonare la cornamusa
- andare a vedere gli sbandieratori

Esprimere condizioni

A condizione che... /
A patto che... /
Purché...

esercizi
18-20

4a. Sapete cos'è una sagra? Leggete in gruppi le descrizioni seguenti.

La sagra del pesce fritto

Camogli Nata nel 1952 per volontà di una ventina di pescatori locali, ritorna a Camogli la tradizionale e amatissima **Sagra del Pesce**. Famosa per dispensare gratuitamente pesce fritto di qualità e per l'impressionante **maxi padella** impiegata (pesa ben 26 quintali e ha un diametro di tre metri e ottanta centimetri), si riconferma ancora una volta come uno degli appuntamenti gastronomici più attesi dell'anno. Organizzata dal Comune, dalla Pro loco di Camogli e sponsorizzata da Friol, assicura festa, spettacolo e una bella "scorpacciata" di pesce saporito e croccante per tutti.

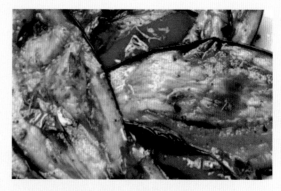

La sagra della melanzana
La manifestazione "Marangiane in festa" (Festa della Melanzana) si svolge a Castri in luglio.

Alla sagra vengono proposte le melanzane preparate in varie maniere, come ad esempio: parmigiana rossa, melanzane alla poverella, polpette di melanzane, melanzane fritte, pasta al forno con melanzane, involtini di melanzane, bruschette, il tutto accompagnato da buon vino locale. Tutte le serate saranno allietate dalla musica della Taranta, le pizziche e i tamburelli.

La sagra del tartufo

Nella terza e nella quarta domenica del mese di ottobre si festeggia il re della tavola con una grande sagra gastronomica, con piatti a base del prezioso tubero che nasce spontaneo nelle verdi colline attorno alla cittadina di Dovadola.

Stand gastronomici con tagliatelle, polenta, crostini, panzerotti, uova al tartufo, piadina, salsiccia, che possono essere degustati comodamente seduti a tavola nei due tendoni da circa 400 posti messi a disposizione dalla Pro Loco.
Grande mercato ambulante con le merci più svariate, produttori con miele, castagne, frutti del sottobosco, olio, formaggi.
Mostre di pittura, mostre fotografiche. Spettacoli musicali con orchestre folk romagnole.

La Sagra della porchetta

La sagra oggi è un appuntamento che negli ultimi 10 giorni del mese di agosto attira a Costano eserciti di buongustai provenienti da tutte le regioni del centro Italia. Migliaia e migliaia di persone che riempiono le strade di questa piccola comunità immersa nel verde per gustare la fragranza della porchetta costanese. E anche per assaporare gli antichi aromi dei piatti tradizionali. Tutta la comunità e le varie associazioni del paese collaborano per la realizzazione della sagra. L'evento rappresenta per il paese un momento importante di aggregazione e soprattutto di recupero della memoria storica e delle nostre tradizioni che fanno da cornice alla festa, durante la quale viene realizzata una mostra fotografica sul tema "Un paese un mestiere: Costano e i porchettai", in cui si possono ammirare foto e oggetti della tradizione contadina e di un mestiere antico tramandato di padre in figlio.

4b. A coppie. Completate il programma delle sagre.

Sagra del pesce fritto

Località:

Periodo:

Organizzatori:

Piatti:

Eventi:

Curiosità:

Sagra del tartufo

Località:

Periodo:

Organizzatori:

Piatti:

Eventi:

Curiosità:

Sagra della melanzana

Località:

Periodo:

Organizzatori:

Piatti:

Eventi:

Curiosità:

Sagra della porchetta

Località:

Periodo:

Organizzatori:

Piatti:

Eventi:

Curiosità:

4c. In piccoli gruppi parlate dei seguenti punti.

- In quali regioni d'Italia pensate si svolgano le manifestazioni?
- Quali sono i prodotti tipici caratteristici di ogni regione?
- Quali sagre italiane avete visto?
- Qual è la sagra più curiosa che conoscete?
- Quale sagra si dovrebbe fare?
- Ci sono sagre nella vostra città?

4d. A coppie. Completate il sito internet per la sagra della vostra città.

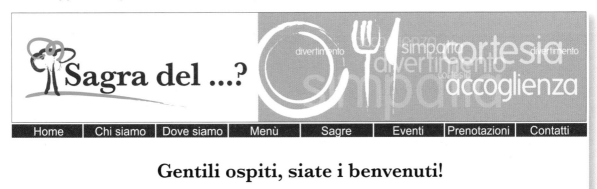

esercizi
21-22

Struscio, vasca, passeggiata...
Un fenomeno tipicamente italiano?

Cari amici vi ricordate di quel fenomeno sociale tutto italiano che ha caratterizzato l'adolescenza e la giovinezza di tutti noi: "lo struscio"? Per chi non sa cos'è, il termine "struscio" indica il passeggio della sera nei giorni di festa, per la strada principale dei comuni di provincia. È un fenomeno che si differenzia da tutti gli altri "passeggi" nelle grandi città, per la sua caratteristica di circolarità: andare e tornare sulla stessa strada o corso o viale per decine di volte seguendo delle regole di gruppo assai rigide.

Occorre in primis distinguere tre tipi di struscio: lo struscio della festa patronale, lo struscio di agosto, lo struscio domenicale. Farò espressamente riferimento allo struscio domenicale. Il Corso era suddiviso in tre boulevard e poteva contare per lo struscio domenicale del più grande vialone centrale, oggi riservato al passaggio delle automobili e solo in casi eccezionali (festa patronale, eventi estivi) chiuso al traffico. Lo **struscio centrale** era perlopiù composto da famiglie, coppie adulte, bambini e ragazzini in libera uscita.

Lo **struscio della parte destra**, oggi composto da piccole minoranze o gruppi di amici che non lo praticano, era negli anni Ottanta la location dello struscio adolescenziale; lì vi nascevano i primi amori, le grandi comitive e l'immancabile appuntamento fisso con il chiosco di Giovanni Maffei, famoso per i suoi gustosissimi gelati.

La **parte sinistra** della piazza era frequentata da ragazzi più adulti. Qui lo struscio seguiva ritmi più blandi ed aveva come punto di riferimento il mitico Bar Cin Cin.

Negli anni Novanta abbiamo assistito ad un ribaltone. La parte più giovane della popolazione (attratta dai numerosi bar) si è trasferita sulla parte sinistra della piazza, lasciando la parte destra ai ragazzi più adulti e ad alcune comitive di amici che si ritrovano sulle panchine accanto alla fontanella.

Il su e giù ripetuto decine di volte è un fenomeno che sta via via scomparendo.

Tra le cause individuiamo i tanti intrattenimenti tecnologici (play station, computer, dvd) che inducono i ragazzi a segregarsi in casa, i numerosi locali che ultimamente sono sorti dappertutto e che costituiscono la versione moderna del punto di ritrovo e soprattutto gli orari di uscita delle giovani generazioni, spinti sempre più verso la mezzanotte e che rendono inutile l'esigenza della passeggiata.

5b. Il valore e significato della piazza.

- Quali sono nel vostro Paese i punti di incontro?
- Esiste un fenomeno analogo allo struscio italiano?
- Sono cambiate secondo voi le abitudini dei giovani d'oggi rispetto alla generazione precedente?
- Esiste nel vostro Paese l'idea di piazza come luogo di incontro e di festa?

Scrivere sul web.

a. A coppie. Fate delle ipotesi su quali sono, secondo voi, le differenze fondamentali tra il testo scritto su carta e il testo per il web.

b. Leggete i seguenti paragrafi su come scrivere su web e assegnategli i titoli in fondo.

L'80% dei navigatori del web non legge riga per riga, piuttosto "scorre" la pagina, cercando rapidamente, come su una **mappa visiva**, quello che più gli interessa.

Quando si scrive per il web, il design è parte integrante del processo della scrittura. E anche il vuoto e lo spazio bianco acquistano la loro importanza: indirizzano e fanno fermare lo sguardo.

Sul web il testo acquista una nuova dimensione: cresce e si espande **in profondità invece che in lunghezza**. Scrivere un documento ipertestuale significa invece chiedersi chi è il nostro lettore, cosa vuole sapere prima, cosa dopo, cosa considera più importante e cosa invece un dettaglio.

Cominciare dalla conclusione per scendere via via verso maggiori dettagli. Dimenticate quindi l'ordine che vi hanno insegnato a scuola per svolgere al meglio i vostri temi e prendete piuttosto spunto dai giornali.

Leggere su schermo è il 25% più lento che leggere su carta. Alcuni consigli: 1. scrivere testi lunghi la metà di quelli concepiti per la carta, 2. scrivere periodi semplici e brevi, 3. scrivere pagine che non obblighino il lettore a scrollare troppo, 4. una sola idea, un solo tema, per ogni paragrafo.

Su una pagina web si può arrivare nei modi e attraverso gli itinerari più impensati, ma bisogna capire subito dove ci si trova, perché ogni pagina è indipendente da tutte le altre.

È uno stile più asciutto, più personale e diretto, più quotidiano, più vicino al dialogo e alla conversazione, che dice "io" e "noi" e che si rivolge direttamente all'interlocutore, spesso dandogli del tu.

1. con l'ipertesto il testo sprofonda
2. diamoci del tu
3. siate brevi
4. una bussola per ogni pagina
5. la piramide invertita
6. come si legge sul web
7. testo versus design

c. Fate un decalogo a partire dai testi indicando le regole per scrivere sul web.

d. Scegliete un sito internet e analizzatelo. Osservate se rispetta le indicazioni che avete letto.

e. A coppie o in piccoli gruppi, create un sito internet per la vostra città, la vostra università, il vostro dipartimento, il vostro gruppo musicale o la vostra squadra di calcio. Presentatelo poi alla classe.

Descrivere dettagliatamente luoghi	• In alto / in basso / a destra / a sinistra / dappertutto / di fianco / al centro / da un lato / dall'altro / dietro... • Si può vedere... / Si nota... / Si leva... / Si apre...
Fare un'ipotesi	• Penso che / Credo che abbia visto, fatto, detto... sia andato, tornato, partito...
Esprimere condizioni	• A condizione che... / A patto che... / Purché...

Ricapitolando!

Portate in classe una cartolina o una foto presa da una rivista. Sceglietela molto ricca di particolari e lavorate a coppie. A fa domande precise del tipo: Cosa c'è in centro, a destra, in alto...? E cerca di riprodurre la cartolina in base alle risposte di B. Confrontate poi il risultato con l'originale.

Chiedete ad un compagno informazioni su una festa tradizionale della sua città, regione o paese. Volete sapere a quale avvenimento si rifà, a quale secolo o epoca risale, con quale frequenza si festeggia, quanto dura, se sono previste sfilate, gare, se c'è un cerimoniale o regolamento preciso ecc.

Martedì grasso, Lunedì dell'Angelo, Regata Storica, Notte di San Lorenzo... Il calendario italiano è pieno di feste tradizionali. Com'è da voi? Preparate un calendario in cui riportate le vostre feste tradizionali descrivendone brevemente:

- l'origine
- la durata
- le caratteristiche

unità 07
creatività italiana

In quali settori gli italiani sono creativi?

moda

design

arte

1a. In classe. Abbinate le marche ai vari prodotti. Ne conoscete altri?

Barilla

Lavazza

San Benedetto

Gallo

Baci

Piaggio

Algida

Bialetti

Acqua - Cioccolatini - Caffè - Riso - Motocicletta - Caffettiera - Gelato - Pasta

1b. A coppie. Osservate le pubblicità e rispondete.

- Quale tipo di azienda ha prodotto questa pubblicità?
- Chi sono i personaggi?

- Quale aspetto è comune a tutte le immagini?
- Su cosa si gioca?

Elogio alla creatività

Bufala Bill
ESSELUNGA
Famosi per la Qualità

Al Cacone
ESSELUNGA
Famosi per la Qualità

Cappelletto Rosso
ESSELUNGA
Famosi per la Qualità

Finocchio
ESSELUNGA
Famosi per la Qualità

Insalattila
ESSELUNGA
Famosi per la Qualità

Melanzana Jones
ESSELUNGA
Famosi per la Qualità

1c. Ascoltate le pubblicità e rispondete alle domande.

traccia
01 CD2

- Quali prodotti si pubblicizzano?
- Immaginate le situazioni dei dialoghi: chi parla, dove sono, come sono vestiti, come si muovono, cosa succede?

1d. A coppie e poi in classe. Discutete sul seguente punto:

La pubblicità si serve di strategie linguistiche diverse per attirare l'attenzione del pubblico.
Quali sono le strategie usate nelle pubblicità che avete ascoltato? Musica, parole, testo…
Quali altre possibilità conoscete? Esempio: uso di prefissi e suffissi come *stra*, uso di figure
retoriche come *il paragone*, uso di…

esercizi
1-3

1e. Guardate le immagini: chi sono i personaggi rappresentati e cosa significano per l'Italia? Leggete il testo della pubblicità che accompagnano. Che cosa si pubblicizza secondo voi?

La vita è un insieme di luoghi e di persone che scrivono il tempo.
Il nostro tempo.
Noi cresciamo e maturiamo collezionando queste esperienze.
Sono queste che poi vanno a definirci.
Alcune sono più importanti di altre, perché formano il nostro carattere.

Ci insegnano la differenza tra ciò che è giusto e ciò che è sbagliato.
La differenza tra il bene e il male.
Cosa essere e cosa non essere.

Ci insegnano chi vogliamo diventare. In tutto questo, alcune persone e alcune cose si legano a noi in un modo spontaneo e inestricabile.

Ci sostengono nell'esprimerci e nel realizzarci.
Ci legittimano nell'essere autentici e veri.

E se significano veramente qualcosa, ispirano il modo in cui il mondo cambia e si evolve.
E allora, appartengono a tutti noi e a nessuno.

1f. Confrontate le vostre ipotesi con la soluzione a pag. 231. Dialogate poi secondo il modello.

- *Pensavo che fosse lo spot di un'assicurazione.*
- *Io invece credevo fosse lo spot di una banca.*

> **Correggere un'ipotesi**
>
> Pensavo che fosse… /
> Mi sembrava proprio…

2a. Cosa sapete del design italiano? Fate delle ipotesi e poi leggete il testo che segue per verificarle.

- Che cos'era *Carosello*?
- Qual è l'oggetto più famoso d'Alessi?
- Di che nazionalità è Philippe Starck?
- Di quale marca è la prima caffettiera?

- Quando è nato il design italiano?
- Qual è la città in cui si è sviluppato?
- In che anni la Fiat ha prodotto la prima 500?
- A che anni risale il boom economico per l'Italia?

2b. Leggete il testo e rimettetelo in ordine. Attribuite un titolo a ogni paragrafo.

DESIGN ITALIANO

A ....

Questa specie di rivoluzione industriale inizia la sua parabola discendente verso la seconda metà degli anni Sessanta, in seguito alla crisi economica e al calo della produzione. Il calo della produzione determina la frattura tra industria e design e la produzione industriale va sempre più verso la specializzazione ingegneristica, mentre il design verso una forma di creatività più artistica e sperimentale. Nasce una cultura dell'abitare opposta alla razionalizzazione dello standard industriale o ai principi di funzionalità, rigore e sobrietà. Si ritorna a materie più tradizionali come il legno e il vetro. La ricerca si indirizza sullo studio degli effetti e delle sensazioni che un ambiente provoca nell'utente: il corpo e i canali sensoriali, ma anche il fattore antropologico diventano il centro nella progettazione degli spazi.

B ....

Il decennio dal 1947 al 1957 è per l'Italia il momento della ricostruzione: sono gli anni nei quali si producono i beni di consumo, si diffondono l'automobile, la televisione e gli elettrodomestici nelle case, e si assiste alla rapida evoluzione del tenore di vita di molti italiani. L'iniziale arretratezza industriale ed economica dell'Italia del dopoguerra si supera grazie all'atteggiamento pionieristico e sperimentale di molti imprenditori.

La progettazione si diffonde in tutte le sfere del quotidiano - la casa e le attività domestiche, la mobilità e gli spazi del lavoro - ricercando negli oggetti la qualità, la quantità, e accessibilità del prezzo. Sono questi gli anni in cui nascono la Vespa e la mitica 500 e per la casa la famosa caffettiera Bialetti.

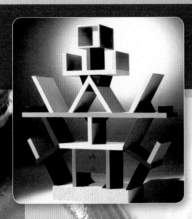

C

**Fissare all'inizio degli anni Cinquanta del XX secolo
la nascita in Italia del design dell'arredo è un dato
storicamente accettato. Sono gli anni in cui appaiono
i primi arredi "progettati" grazie ai quali il design entra
a fare parte della vita degli italiani, influenzando il gusto
e le abitudini.**

L'acquisto e l'uso di questi prodotti, diventeranno, in poco tempo, il desiderio di possedere oggetti capaci di esprimere la modernità del tempo in cui si vive. Milano per ragioni storiche e geografiche è lo sfondo di tali vicende. Nel 1954 nascono *La Rivista dell'Arredamento* e poco dopo *Abitare*. Allo stesso modo *Carosello* il programma in cui venivano mostrate le *réclame* in TV, contribuisce in modo incisivo alla diffusione del design.

D

**Uno dei fenomeni del design contemporaneo,
non solo italiano, è l'evidente risonanza
mediatica dei progettisti. Talvolta il designer, si
pensi a Philippe Starck, è conosciuto dal grande
pubblico a prescindere dalla familiarità con gli
oggetti creati. Il designer costruisce il proprio
personaggio e viene consumato all'interno dei
meccanismi della comunicazione di massa.**

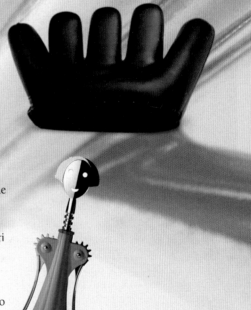

Il consumo sociale degli oggetti non riguarda più soltanto le questioni tecnologiche legate alla produzione ma anche la comunicazione legata agli artefatti. Il caso Alessi, per esempio, rappresenta una rivoluzione nell'ambito dei casalinghi perché trasforma degli oggetti d'uso in gadget di consumo che vengono acquistati per il loro valore iconico. L'azienda diventa promotore del designer creativo, instaurando un processo più simile al mecenatismo del Rinascimento che al rapporto progettista/pionere dell'industria degli anni Settanta.

Il primato di Milano

La produzione in serie

La fase sperimentale del design

Il designer-star

2c. A coppie. Confrontate le risposte date al punto 2a e correggete le ipotesi sbagliate.

- *Carosello è un programma TV!*
- *Pensavo che fosse un gioco per bambini!*

- *La Fiat ha prodotto la 500 negli anni Cinquanta!*
- *Pensavo l'avessero prodotta prima!*

- *Pensavo che fosse…*
- *Credevo l'avessero prodotto…*

Correggere un'ipotesi

2d. Osservate i dialoghi. Quando si usano le forme del congiuntivo imperfetto e trapassato?

• Sai che Phillipe Starck è un designer francese? • Davvero? Credevo che **fosse** svizzero.	• Sai che la Fiat ha prodotto la mitica 500 negli anni Cinquanta? • Sul serio? Credevo l'**avessero prodotta** dopo!
• Sai che la prima caffettiera è della Bialetti? • Veramente? Pensavo che **fosse** della Gaggia.	• Il design italiano è nato negli anni '40. • Credevo **fosse nato** prima.

esercizi 4-9

2e. Osservate l'uso dei pronomi relativi. Quali differenze notate?

Sono gli anni **nei quali** si producono beni di consumo.
Sono questi gli anni **in cui** nascono la Vespa e la mitica 500.

esercizi 10-12

2f. In piccoli gruppi parlate dei seguenti punti e poi confrontate in classe.

- Quali sono i designer famosi del vostro Paese?
- Quali altri nomi di designer del presente o del passato conoscete?

- Per voi il design è importante?
- C'è secondo voi una differenza tra moda e design?

traccia 02 CD2

2g. Ascoltate cosa dice Munari a proposito e rispondete alle domande.

Design o stile?

- Che differenza c'è tra design e styling?
- Che cosa implica la componente moda di cui parla Munari?
- Che cos'è propriamente il design?
- Quali esempi di vero design fa Munari?

Bruno Munari (Milano, 1907 - 1998)

È stato uno dei massimi protagonisti dell'**arte**, del **design** e della **grafica** del **XX secolo**, dando contributi fondamentali in diversi campi dell'espressione visiva (**pittura, scultura, cinematografia**, design industriale, grafica) e non visiva (scrittura, poesia, didattica) con una ricerca poliedrica sul tema del movimento, della luce e dello sviluppo della creatività e della fantasia nell'infanzia attraverso il gioco. Bruno Munari è una delle figure *leonardesche* tra le più importanti del Novecento italiano.

3a. Leggete le frasi. Con quali di queste frasi siete d'accordo e perché?

La moda eleganza o provocazione?

C'è una sola grande moda: la giovinezza.
(Leo Longanesi)

Le mode nascono e muoiono troppo in fretta perché qualcuno possa imparare ad amarle. (Bettina Ballard)

Lo stile è l'abito dei pensieri, e un pensiero ben vestito come un uomo ben vestito, si presenta molto meglio.
(Lord Chesterfield)

Ogni generazione ride delle vecchie mode, ma segue religiosamente le nuove.
(Henry David Thoreau)

L'uomo può indossare ciò che vuole. Rimarrà sempre un accessorio della donna.
(Gabrielle Coco Chanel)

I briganti ti chiedono la borsa o la vita; le donne le vogliono tutt'e due.
(Samuel Butler)

La moda è ciò che uno indossa. Ciò che è fuori moda è ciò che indossano gli altri.
(Oscar Wild)

La moda passa, lo stile resta.
(Gabrielle Coco Chanel)

3b. Scrivete voi una frase: cosa sono per voi la moda e lo stile?

---

esercizi 13-18

3c. Pro e Contro.

Dividere la classe in due gruppi.
Ogni gruppo concorda almeno cinque argomentazioni pro e contro.
Inizia il dibattito gestito da un moderatore.

- *Penso non sia necessario seguire la moda.*
  Uno la moda se la crea.
- *Sì, ma d'altra parte se quando vai nei negozi, tutti hanno lo stesso colore di vestiti, è chiaro che sei costretto a seguire la moda di quell'anno.*
- *No, scusa. Puoi anche decidere di comprare nei mercatini.*
- *Naturalmente, ma attenzione che anche questa è una specie di moda: una moda alternativa, ma sempre moda…*

Puntualizzare

- Vorrei chiarire/sottolineare/ricordare/richiamare l'attenzione su…
- Si deve tener presente che…
- Bisogna tener conto di/che…

Esprimere certezza

Sono convinto che… / Ormai tutti sanno che… / È chiaro che… / È ovvio che… / Nessuno metterebbe in dubbio che… / dubiterebbe che…

Continuare un discorso

D'altra parte bisogna considerare che…/ Non dobbiamo dimenticare infine che…/ Se consideriamo anche questo aspetto, bisogna aggiungere che…

esercizi 19-20

4a. Leggete il testo e dite la vostra opinione.

Test e studi dimostrano che alcune forme, nomi e colori suscitano emozioni positive e favoriscono gli acquisti

Così l'immagine induce a comprare

Negli anni '80 andavano di moda i messaggi subliminali: pochissimi fotogrammi inframmezzati a un film o a una trasmissione tivù, impercettibili per l'occhio umano ma ugualmente efficaci sul subconscio dello spettatore al fine di accentuare in lui alcune sensazioni o condizionarne le scelte. Le ricerche successive ne hanno dimostrato l'inefficacia. Nondimeno, ci sono immagini e colori che evocano nella maggior parte di noi, senza che ne capiamo il perché, particolari emozioni. E oggi lo sanno bene i pubblicitari, che hanno imparato a sfruttare questi stimoli visivi a scopo commerciale. L'acquisto di un prodotto, infatti, dipende per il 70% da fattori emotivi. Ecco alcuni esempi.

Il profumo? È coppia
Per il profumo Emporio Armani i pubblicitari si sono affidati al gioco di coppia. Le due confezioni per lui e per lei giocano sull'opposizione di colori: scuro per lui chiaro per lei, entrambi richiamano l'idea di eleganza ed esclusività. Anche la forma della confezione allude chiaramente a un bacio di coppia.

Sfilate

Il blu che esprime non solo freschezza ma anche esclusività ricompare nel marchio della Barilla, che ha scelto di virare sull'arancione per la pasta all'uovo tipo Le Emiliane. Perché? L'arancio dà l'idea di qualcosa di rustico, fatto in casa.

La scritta si inclina e fila via

Nell'arco di pochi decenni la Fiat ha completamente trasformato i caratteri del logo aziendale che, da spigolosi e austeri, sono diventati più morbidi e orientati verso destra. Velocità. Le linee inclinate in questa direzione, infatti, comunicano dinamismo senza intaccare l'idea di affidabilità, garantita dallo sfondo blu. I tratti arrotondati dei caratteri, invece, comunicano comfort, calore e senso di protezione.

Il marketing e l'acqua santa

Stessa fonte e stessa azienda (la San Benedetto Spa di Scorzè) per due prodotti dal costo assai diverso: l'acqua Guizza e la San Benedetto.
"Glu Glu". Il packaging ne avvalora il posizionamento in distinte fasce di prezzo, e se l'economicità della seconda etichetta è suggerita dal colore aranciato (il più 'casalingo') e

dal nome (che comprende la U, la vocale meno gradevole, e richiama il semplice sgorgare dal rubinetto di casa), la San Benedetto presenta caratteri opposti. Accompagnata da rasserenanti sfumature di rosa e azzurro, quest'acqua - che non a caso porta il nome di un santo - vorrebbe suggerire purezza paradisiaca e freschezza primaverile (la rondine).

4b. Quanto ti fai influenzare dalla pubblicità? Discutetene in classe.

	Sì	No
- Scegli piccoli supermercati?	☐	☐
- Ti piacciono i grandi centri commerciali dove c'è tutto?	☐	☐
- Compri sempre gli stessi prodotti?	☐	☐
- Guardi con attenzione il prezzo e la composizione dei prodotti?	☐	☐
- Per te è importante anche la confezione del prodotto?	☐	☐
- Per te la marca è una garanzia?	☐	☐
- Guardi volentieri la pubblicità?	☐	☐
- La pubblicità oggi è diversa da quella del passato?	☐	☐
- La pubblicità è diversa nei vari Paesi?	☐	☐

esercizio 21

4c. Quali immagini associate ai seguenti colori e cosa rappresentano per voi?

natura

orgoglio
certezza
candore
purezza
passione
estroversione
energia
ottimismo
allegria
speranza
tranquillità
calma
pace
estinzione
passaggio
negazione
indecisione

4d. Chi ne sa di più? Rispondete a gruppi alle domande.

Per quale motivo uno diventa "rosso come un peperone"?
Per quale motivo si diventa rosso come un gambero?
Quando si dice che qualcuno è bianco come il latte o come una mozzarella?
Per quale motivo uno diventa bianco come un lenzuolo?
Quando si dice che uno è bianco e rosso come una mela?
Quando si dice che qualcuno è giallo come un limone?
Per quale motivo uno diventa viola?
Di che colore si diventa per l'invidia?

4e. Da quali parole derivano i seguenti sostantivi?

tranquillità	→	*tranquillo*
estroversione		
purezza		
allegria		

speranza	→	*sperare*
negazione		
estinzione		
passaggio		

esercizio 22

5a. La percezione del colore nel mondo.

colori e culture

Sebbene, come detto, la sensibilità ai colori sia in parte soggettiva, c'è però una corrispondenza psicologica tra colori e stati d'animo che è piuttosto condivisa e scientificamente motivata. Ogni colore possiede, insomma, un suo influsso sulla nostra psiche che trova origine nell'ambiente naturale nel quale viviamo e nella storia antropologica del genere umano.

Il rosso evoca il sangue, la carne, il fuoco e possiede per questo una carica eccitante e vitale. Il verde è al contrario il colore della vegetazione, della natura e possiede una forza normalmente rilassante. Il giallo è il colore segnaletico per eccellenza, il colore dell'orientamento e dell'allerta: questo anche perché il nostro sistema visivo ha una particolare sensibilità per le lunghezze d'onda dell'area del giallo. La nostra memoria antropologica ha perciò un codice interpretativo dei colori che può avere grande influsso sulle nostre reazioni psicologiche. Corteggiare una persona sotto un lampione giallo può essere più rischioso che farlo a fianco di un bell'abat-jour rosso. Anche se, si dice che, l'amore è cieco!

È anche vero, però, che la percezione o l'interpretazione dei colori può variare da cultura a cultura: ad esempio nei paesi orientali è il bianco il simbolo della morte e non il nero come in Italia.

Alla componente biologica si aggiunge quindi una componente di tipo culturale. Ecco alcuni esempi:

	rosso	blu	verde	giallo	bianco
USA	pericolo	mascolinità	sicurezza	codardia	purezza
FRANCIA	aristocrazia	libertà/pace	criminalità	temporaneità	neutralità
EGITTO	morte	virtù/verità	fertilità/forza	felicità/prosperità	gioia
INDIA	vita/creatività		prosperità/fertilità	successo	morte/purezza
GIAPPONE	rabbia/pericolo	villania	futuro/giovinezza/energia	nobiltà	morte
CINA	felicità	nuvole/paradiso	dinastia/paradiso	nascita/potere	morte/purezza
Nel tuo Paese?					

5b. Riflettete in classe sui seguenti punti.

- Di che colore sono le case nel vostro Paese?
- Qual è il colore dell'eleganza?
- Di che colore è appropriato vestirsi per un matrimonio o un funerale?
- Quali sono i colori invernali e i colori estivi?
- Quali sono i colori maschili e i colori femminili?
- Di che colore vi vestireste per un appuntamento romantico, un colloquio di lavoro, una conferenza con colleghi?

Scrivere un testo pubblicitario.

a.

IL LINGUAGGIO DELLA PUBBLICITÀ: L'ARTE DEL COMUNICARE

Il linguaggio ha un ruolo primariamente funzionalistico, che è quello di trasmettere gli elementi del contenuto. La parola del linguaggio pubblicitario, invece, deve essere "bella", "efficace", deve assumere un significato che deve essere percepito attraverso i sensi oltre che dall'intelletto. Il messaggio deve colpire l'attenzione dell'ascoltatore, farsi percepire, risultare allettante e persuadere. Come? Ecco alcune strategie:

- Uso del linguaggio comune o delle diverse varietà settoriali, ora ricercato e accurato, ora tecnico-scientifico.
- Uso dell'imperativo, uso della frase nominale.
- Allusione alle aspirazioni e desideri anche inconsci del pubblico richiamando idee-forza come il successo, la bellezza, la ricchezza, la forza, il potere, il fascino, il prestigio.
- Alterazione della parola attraverso forme nuove o strane, ripetizione di parole, uso di prefissi, suffissi, assonanze.
- Uso di parole straniere.
- Uso di allusioni letterarie tramite parole o immagini.
- Uso di parole che rappresentano anche graficamente il concetto.

b. Guardate le seguenti pubblicità: quali strategie usano? Provate poi a gruppi a scrivere uno slogan per un prodotto.

linguaggio familiare	linguaggio tecnico	idee-forza	lessico	allusioni	grafia

Correggere un'ipotesi	• Pensavo che fosse… / Mi sembrava proprio… • Pensavo che fosse nato… • Credevo l'avessero prodotto…
Puntualizzare	• Vorrei chiarire / sottolineare / ricordare / richiamare l'attenzione su… • Si deve tener presente che… • Bisogna tener conto di/che…
Esprimere certezza	• Sono convinto che… / Ormai tutti sanno che…/ È chiaro che… / È ovvio che…/ Nessuno metterebbe in dubbio che… /dubiterebbe che…
Continuare un discorso	• D'altra parte bisogna considerare che…/ Non dobbiamo dimenticare infine che…/ Se consideriamo anche questo aspetto, bisogna aggiungere che…

Ricapitolando!

Nel vostro Paese c'è un prodotto o un oggetto paragonabile alla Moka Bialetti o alla Vespa?
Raccontatene la storia:

- data di nascita
- ideatore
- materiale, forma, colore
- si tratta di un oggetto di uso quotidiano
- altro

Per me è cult.

Fate una breve lista di oggetti del design internazionale, che secondo voi sono particolarmente rappresentativi, motivando il perché delle vostre scelte.

I LOVE ITALY - Moda, design, arte.

Preparate una pagina con foto di ciò che più amate dell'Italia e poi presentatela ai vostri compagni motivando le vostre scelte.

unità 08
da dove veniamo

Conoscete qualche fatto storico italiano?

personaggi

fatti

periodi

1a. A quali date si abbinano le immagini e le biografie?

753 a.C.
Fondazione di Roma

800 d.C.
Carlo Magno

1321 d.C.
Dante Alighieri

100-44 a.C.
Giulio Cesare

1271 d.C.
Marco Polo

1633 d.C.
Galileo Galilei

1	**2**	**3**
Nel 1919 Benito Mussolini fondò a Milano i Fasci di combattimento. Dal 1925 fino alla sua morte il "Duce" governò l'Italia con un sistema dittatoriale.	Secondo la leggenda i due gemelli, Romolo e Remo, erano figli di Marte e di Rea Silvia. Una lupa li trovò abbandonati in una cesta in riva al fiume Tevere. Li prese con sé e li allevò come figli.	Nacque a Firenze nel 1265. In giovane età si innamorò di Beatrice. Scrisse la "**Divina Commedia**" in italiano volgare. Si può considerare il padre della lingua italiana. Morì a Ravenna nel 1321 - in esilio.

4	**5**	**6**
Grande scienziato, si ribellò all'oscurantismo della Chiesa che lo condannò come eretico a causa delle sue teorie e lo costrinse, il 22 giugno 1633, a ritrattare le sue concezioni astronomiche. Inventò il cannocchiale.	Ancor ragazzino nel 1271 partì per la Cina insieme al padre Nicolò e allo zio Matteo e rimase in estremo oriente per circa diciassette anni prima di tornare a Venezia. Nel libro "**Il Milione**" descrisse le sue avventure.	Fu una persona di rilievo nel periodo del Risorgimento italiano: generale, condottiero e patriota italiano. Con mille soldati partì verso il Sud nel tentativo di unificare l'Italia.

1b. A coppie create dei dialoghi come nell'esempio scegliendo due dei personaggi al punto 1a.

- *Sai dirmi qualcosa su Giulio Cesare?*
- *Dunque... fu un importante imperatore romano che conquistò gran parte...*

Chiedere e dare informazioni su fatti storici

- Sai chi fu... / Sai dirmi qualcosa su...
- Fu un importante.../ governò.../ conquistò... / inventò.../ viaggiò...

1725 d.C.
G. Casanova

1861 d.C.
Unità d'Italia

1940 - 44 d.C.
Seconda Guerra
Mondiale

1831 d.C.
Mazzini

1915-18 d.C.
Prima Guerra
Mondiale

1992 d.C.
Crisi della Prima
Repubblica

A.   B.   C.   D.   E.   F.

traccia
03 CD2

1c. Ascoltate una parte di una trasmissione radiofonica. Riconoscete il personaggio di cui si parla? Soluzione a pag. 236.

1d. Leggete il brano e fate attenzione alle informazioni mancanti. Riascoltate e completate il testo.

traccia
04 CD2

Gian Giacomo xxxxxx nacque a .... nel 1725, venne ritenuto il più grande seduttore di tutti i tempi, e ancor oggi nella lingua italiana il suo nome è sinonimo di ".............................". Fu un brillante letterato, un instancabile viaggiatore, coraggioso avventuriero, operò forse come spia al servizio dei .... e fu soprattutto noto libertino. Amò molto le donne, e pare che le sue armi "segrete" fossero il cacao presente nella cioccolata e lo zinco contenuto nelle ostriche, delle quali fu smodato consumatore. Se Venezia era ai suoi piedi, non meno successo ebbe in ...., dove fu ospite di

regnanti e introdusse giochi e lotterie. Occultista di grande fama si arricchì, secondo la moda del tempo, sulla credulità dei vecchi aristocratici, convinti di poter riottenere col suo aiuto medianico la perduta giovinezza. Tanto furono avventurose la sua giovinezza e maturità (fino alla reclusione nella prigione lagunare dei ....), tanto fu grigia e decadente la vecchiaia. Rimasto povero, ignorato dalla bella società, trascorse gli ultimi anni della vita ospite in un castello in ...., lamentandosi con i poveri camerieri perché non gli preparavano la polenta o l'amata pasta.

tratto da http://www.taccuinistorici.it

1e. Rileggete il testo al punto 1d e completate le frasi con il passato remoto.

Fu un brillante letterato, ... forse come spia al servizio dei dogi.
.... molto le donne.
Occultista di grande fama ....
Gian Giacomo xxxxxx .... nel 1725.
.... soprattutto noto libertino.
Se Venezia era ai suoi piedi, non meno successo .... in Francia.

esercizi
1-10

2a. A coppie. Chi sono queste donne?

A.

B.

C.

D.

E.

2b. Leggete le biografie e abbinatele alle foto.

1. Lucrezia Borgia: nacque a Roma nel 1480 e morì a Ferrara nel 1519. Figlia di Alessandro VI sposò per volere del padre Giovanni Sforza e, in seconde nozze Alfonso d'Aragona, che morì per mano del fratello Cesare. Infine sposò Alfonso I d'Este, duca di Ferrara, nel 1501. Era una delle donne più belle del suo tempo.

2. Caterina de' Medici: nacque a Firenze nel 1519 e morì in Francia nel 1589. Sposò Enrico II e alla sua morte, nel 1560, assunse la reggenza in nome del secondogenito Carlo IX.

3. Monna Lisa: l'identità della donna ritratta nel dipinto non è del tutto certa, anche se recentemente uno studioso conferma le testimonianze del Vasari che riconosceva in Lisa Gherardini la modella del celebre quadro. È uno dei dipinti più famosi del mondo.

4. Elsa Morante: nacque a Roma nel 1912 dove morì nel 1985. Scrittrice, esordì con dei racconti cui seguirono vari romanzi. Nel 1936 conobbe lo scrittore Alberto Moravia che sposò nel 1941 e da cui si separò nel 1961. Il suo libro *L'isola di Arturo* uscì in Italia nel 1957 riscuotendo grande successo di pubblico e di critica (Premio Strega). Si può a ragione definire una delle maggiori scrittrici del XX secolo.

5. Rita Levi Montalcini: nacque a Torino nel 1909. Ricevette il Premio Nobel nel 1986 per la medicina e la fisiologia. Senatrice a vita dal 2001. È da sempre molto attiva in campagne di interesse sociale, per esempio contro le mine anti-uomo o per la responsabilità degli scienziati nei confronti della società.

2c. Osservate l'uso dei numerali romani.

Figlia di Alessandro **VI** sposò Giovanni Sforza.
Una delle maggiori scrittrici del **XX** secolo.

esercizi
11-14

2d. A coppie. Scegliete una biografia e preparate delle domande.

- *Quando è nata Rita Levi Montalcini?*
- *È nata nel...*
- *Cosa ha fatto?*

- Quando è nata / vissuta...?
  Cosa... / Dove... / Perché...?
- È nata nel... a...

Riportare fatti storici in modo colloquiale

2e. Osservate il diverso uso del passato remoto e del passato prossimo.

Passato prossimo: legato al presente	Passato remoto: scritto/fatto lontano
È nata e vissuta a Roma. Ha vinto le elezioni.	Nacque e visse a Roma. Conquistò il Mediterraneo.

esercizio 15

2f. In classe. Fate due classifiche con i personaggi al punto 2b: le donne più popolari e le più interessanti. Discutetene in classe.

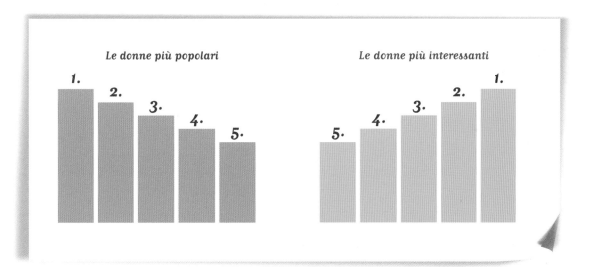

Le donne più popolari

Le donne più interessanti

- *Al primo posto ho messo Lucrezia Borgia per la sua bellezza e intelligenza. E tu perché hai scelto la Morante?*
- *Perché...*

Motivare

- Perché hai scelto...?
- Poiché ha fatto cose così interessanti... / Si merita il primo posto perché... / Dal momento che non ha fatto nulla di importante...

esercizio 16

3a. Osservate il quadro e descrivetelo seguendo la traccia sotto.

Effetti del Buon Governo in città di Ambrogio Lorenzetti

- Quale epoca raffigura?
- Quale tipo di paesaggio?
- Quali personaggi presenta?
- Quali "professioni" o negozi riconoscete?

traccia
05 CD2

3b. Ascoltate una trasmissione radiofonica e prendete appunti.

- Chi sta parlando?
- Di quale tipo di cambiamento sta parlando?
- Quali erano i problemi principali in quel periodo?

traccia
06 CD2

3c. Riascoltate e segnate le affermazioni corrette.

	V	F
1. Il tema è lo sviluppo delle città italiane nel periodo del Rinascimento.	☐	☐
2. Gli abitanti in città dovettero abituarsi alla convivenza diversa da quella nelle campagne.	☐	☐
3. Nacque il problema dell'integrazione di persone, di lingue e costumi diversi.	☐	☐
4. Nelle città l'igiene non rappresentava un grande problema.	☐	☐
5. La violenza civica prende piede nelle città diventando un problema quotidiano.	☐	☐
6. Lo sviluppo dei quartieri nasce dalla necessità di solidarietà e difesa dei cittadini.	☐	☐
7. La formazione scolastica resta in mano alle istituzioni religiose, anche nelle città.	☐	☐

3d. A gruppi. Dovete annunciare la trasmissione appena ascoltata. Scrivete una breve presentazione. Confrontate in classe.

esercizio
17

3e. Guardate le cartine d'Italia. Fate ricerche seguendo gli spunti.

- Quali popoli si successero in Italia nei diversi periodi?

  Popolazioni germaniche - Svevi - Spagnoli - Francesi - Austriaci...

- Quali influssi hanno lasciato queste popolazioni nel Paese?
  - *Piatti tipici: riso (Arabi), baccalà (Svedesi)...*
  - *Parole: abat-jour (francese), sforzo (spagnolo), alcool (arabo)...*
  - *Toponimi: Lombardia, Guastalla (germanismi)...*
  - *Abitudini:...*
  - *Altro...*

- Cercate delle cartine storiche del vostro Paese.
- Presentatele alla classe spiegando:
  - popoli che si sono succeduti
  - influenze straniere
  - sviluppo della lingua
  - abitudini, tradizioni
  - altro...

4a. In gruppi. Leggete la trama del film e completate la scheda.

La vicenda si svolge in Sicilia a partire dal 1860, l'anno dello sbarco dei rivoluzionari garibaldini, e narra la storia di una nobile famiglia siciliana, il cui simbolo è il gattopardo. Il personaggio principale è Don Fabrizio, principe di Salina, rappresentante della vecchia nobiltà siciliana. Il nipote Tancredi Falconieri si arruola con i Garibaldini nella speranza di poter controllare gli eventi in caso di vittoria. Tancredi si innamora di Angelica, figlia di Don Calogero Sedàra, il sindaco del paese, un borghese arricchito, privo di gusto e di stile. Durante il plebiscito Don Fabrizio vota a favore dell'annessione del Sud al regno sabaudo, ma senza veramente credere in un reale cambiamento della Sicilia.

periodo storico: ....

personaggi principali: ....

ambiente sociale: ....

luogo: ....

regia: ....

4b. A coppie. Interpretate un breve dialogo tratto dal film.

Chevalley: Principe, non posso crederlo. Ma proprio sul serio Lei rifiuta di fare il possibile per alleviare lo stato di povertà materiale e di cieca miseria morale in cui giace il Suo stesso popolo?

Principe: Siamo vecchi Chevalley, molto vecchi. Sono almeno venticinque secoli che portiamo sulle spalle il peso di magnifiche ed eterogenee civiltà. Tutte venute da fuori, nessuna fatta da noi, nessuna che sia germogliata qui. Da 2500 anni non siamo nient'altro che una colonia, non lo dico per lagnarmi, è colpa nostra, ma siamo molto stanchi, svuotati, spenti.

Chevalley: Ma... Principe, tutto questo adesso è finito, la Sicilia non è più terra di conquista ormai, ma è libera parte di un libero Stato.

Principe: L'intenzione è buona, però arriva tardi. Il sonno, caro Chevalley, un lungo sonno... questo è ciò che i siciliani vogliono ed essi odieranno sempre tutti quelli che vorranno svegliarli, sia pure per portar loro i più meravigliosi doni e, detto tra noi, io dubito sinceramente che il nuovo regno abbia molti regali per noi nel suo bagaglio. Da noi ogni manifestazione, anche la più violenta, è un'aspirazione all'oblio. La nostra sensualità è desiderio di oblio, le schioppettate e le coltellate nostre sono desiderio di morte. La nostra pigrizia, la penetrante dolcezza dei nostri sorbetti, desiderio di voluttuosa immobilità, cioè ancora di morte...

- A che cosa si riferisce il Principe? Quali speranze ha? Cosa intende per sonno?

- Chi potrebbe essere Chevalley?

4c. Osservate. Quale tempo verbale si usa per riportare fatti passati?

Il nipote Tancredi Falconieri **si arruola** con i Garibaldini nella speranza di poter controllare gli eventi in caso di vittoria.

esercizio
18

4d. Leggete il brano e completate la tabella.

Risorgimento. Questo termine indica il periodo di storia italiana tra il 1820 e il 1870 circa in cui nacquero i movimenti d'indipendenza che portarono all'unificazione dell'Italia.

Dalla Restaurazione al 1848 - Fin dagli inizi il programma dell'indipendenza si legò con lo sviluppo dei ceti borghesi, commerciali e manifatturieri, delle regioni più sviluppate nel periodo delle riforme e del dominio napoleonico. La *Carboneria* sostenne i moti nel '20 - '21 in diverse parti d'Italia. Questo raggruppamento aveva un carattere di setta che le impedì di estendersi fuori dei gruppi aristocratici, intellettuali e militari.

Giuseppe Mazzini viene considerato l'iniziatore di una più moderna forma di azione politica in Italia, fondata sulla necessità di un programma nazionale. Egli fondò la *Giovine Italia* - il primo partito politico democratico nella storia italiana - che chiamò alla lotta contro l'Austria.

Lo sviluppo delle forze produttive tendeva alla creazione di un mercato nazionale, la cui realizzazione richiedeva l'esclusione dell'Austria dall'Italia e l'inserimento dello Stato Pontificio nel processo di sviluppo comune. Anche i Savoia - prima Carlo Alberto e poi il figlio, Vittorio Emanuele II - sostennero questi progetti.

La rivoluzione del 1848-49 fino al 1860 - Questi anni videro il Piemonte impegnato nella guerra contro l'Austria. La partecipazione degli strati cittadini ai moti rivoluzionari era elevata. Cavour, diplomatico di spicco dei Savoia, mirava ad un'unificazione italiana come un processo di successive aggregazioni delle diverse regioni italiane, a questo scopo non esitò a servirsi di Garibaldi. In questo senso si mosse la sua politica internazionale, culminata con l'alleanza con la Francia di Napoleone III e con la guerra contro l'Austria del 1859. La Lombardia è conquistata ma il Tri-Veneto resta austriaco. Il meccanismo ormai è inarrestabile e i ducati del Centro-Nord si ribellano creando Repubbliche e nei primi mesi del 1860 votano la richiesta di essere accolti nel regno dei Savoia.

Nel maggio del 1860 Garibaldi partì in nave da Genova alla testa di un migliaio di uomini raccolti in tutt'Italia, per arrivare in Sicilia sconfiggendo i Borboni e così accelerando il processo di unificazione.

Roma capitale d'Italia - Nel 1861 si dichiarò il Regno d'Italia il cui re divenne Vittorio Emanuele II. Nel 1866 si condusse la "terza guerra d'indipendenza", per la conquista di Roma invece si dovette aspettare fino al 1871. La prima capitale italiana fu Torino, poi Firenze per alcuni anni per diventare infine Roma.

Personaggio	Ruolo	Data importante	Fatto importante
Mazzini			
Vittorio Emanuele II			
Cavour			
Garibaldi			

4e. Abbinate le frasi ai personaggi della tabella.

esercizio 19

a. Uomo d'avventura e d'azione, che favorì il processo di unificazione.
b. Di grandi capacità diplomatiche fu il vero "creatore" dell'unificazione.
c. Politico con una visione futura nella quale la nazione unitaria aveva il ruolo principale.
d. Fu il primo sovrano dell'Italia unificata.

4f. Osservate l'uso dei pronomi personali.

Egli fondò la Giovine Italia.
L'unificazione durò molti anni. **Essa** fu uno sviluppo molto lento e doloroso.

esercizio 20

5a. Il sistema politico italiano. Leggete e confrontate con il sistema politico del vostro Paese.

Il Presidente della Repubblica italiana
massima carica dello Stato, rappresenta l'unità della Nazione
eletto ogni 7 anni dal Parlamento in seduta comune
funzione soprattutto rappresentativa

Il Governo - potere esecutivo
Presidente del Consiglio: Capo del Governo
nominato dal Presidente della Repubblica che conferisce il titolo
in seguito alle elezioni parlamentari
dirige la politica generale del Governo
promuove e coordina le attività dei suoi ministri

I Ministri e il Consiglio dei Ministri
nominati dal Presidente della Repubblica su esplicita indicazione
del Presidente del Consiglio
responsabili collegialmente del Consiglio dei Ministri
e individualmente delle azioni del proprio ministero

Il Parlamento - potere legislativo
struttura bicamerale: la Camera dei Deputati e il Senato
(della Repubblica)

La Camera dei Deputati	Il Senato della Repubblica
formata da 630 deputati, eletti per 5 anni	formato da 315 senatori, eletti per 5 anni, e i senatori a vita
elezioni a base nazionale sistema proporzionale: i seggi vengono distribuiti in base ai voti ricevuti dal 2005: "premio" per la lista o coalizione di liste di maggioranza relativa: riceve la maggioranza dei seggi (il 55% = 340 seggi) sbarramenti: il 4% per le singole liste, il 10% per le coalizioni, il 2% per la lista di una coalizione	elezioni a base regionale sistema proporzionale: i seggi vengono divisi tra le regioni in base alla popolazione corrispondente (ogni regione almeno 7 seggi, Valle d'Aosta 1, Molise 2) dal 2005: "premio" per la lista di maggioranza relativa: ottiene il 55% dei seggi sbarramenti: l'8% per le singole liste, il 20% per le coalizioni, il 3% per la lista di una coalizione
Sede: Palazzo Montecitorio	Sede: Palazzo Madama

5b. Sistemi politici a confronto.

- Quale sistema politico esiste nel vostro Paese?
- Ci sono sistemi politici migliori di altri?
- Cosa cambiereste del sistema politico italiano e in quello del vostro Paese?

Una pagina di storia.

a. Leggete il brano di storia.

Illustrazione
da *Il Milione*
di Marco Polo

I viaggi di Marco Polo
Marco Polo nacque a Venezia nel 1254 e fu mercante e viaggiatore per tradizione di famiglia. Il padre Niccolò e lo zio Matteo avevano infatti compiuto dal 1260 al 1269 un lunghissimo viaggio in Cina, seguendo la via delle carovane mongole.
Nel 1271 essi decisero di condurre con sé, in una nuova avventura, il giovane Marco, che aveva appena quindici anni.
Dopo un lunghissimo viaggio, che durò ben quattro anni, raggiunsero Pechino e furono ospiti alla corte del gran khan *Kubilai*. Marco Polo restò presso la corte cinese mentre il padre e lo zio dopo alcuni anni ritornarono in patria.
Per conto dell'imperatore Marco Polo svolse per ben diciassette anni numerosi incarichi diplomatici e amministrativi, apprese la lingua locale, si adattò agli usi e costumi del posto e si meritò un posto influente a corte. Nel 1292 egli...

b. Quali sono gli elementi tipici di un saggio storico?

Tempi verbali: ....

Uso degli avverbi: ....

Lessico: ....

Pronomi: ....

c. Ora continuate voi. Completate il testo nello stesso stile. Di seguito le informazioni mancanti.

- padre, zio e Marco Polo - ritorno a Venezia dura fino al 1295
- 3 anni dopo - Marco è prigioniero dei Genovesi
- in prigionia - detta un libro al compagno di cella con il resoconto dei suoi viaggi in Oriente - Il Milione
- 1299 liberato, ritorno a Venezia
- muore nel 1324

Chiedere e dare informazioni su fatti storici	• Sai chi fu... / Sai dirmi qualcosa su... • Fu un importante.../ governò.../ conquistò... / inventò.../ viaggiò...
Riportare fatti storici in modo colloquiale	• Quando è nata / vissuta...? / Cosa... Dove... Perché...? • È nata nel... a...
Motivare	• Perché hai messo al primo posto... / hai scelto...? • Poiché ha fatto cose così interessanti / Si merita il primo posto perché... / Dal momento che non ha fatto nulla di importante...

Ricapitolando!

Scegliete due personaggi storici del vostro Paese, prendete brevi appunti sulla loro biografia e poi rispondete alle domande dei vostri compagni che si informeranno su:

- data e luogo di nascita
- famiglia
- avvenimenti particolari della loro vita
- opere
- invenzioni o scoperte

unità 09
in giro per musei

Arte italiana

opere

artisti

correnti

generi

traccia
07 CD2

1a. Ascoltate. È arte o no? Cosa pensano Claudio e Valeria dell'esposizione? Quali motivazioni portano per sostenere le loro opinioni?

Valeria contro	Claudio pro

traccia
08 CD2

1b. Completate una parte del dialogo con le seguenti espressioni. Poi ascoltate di nuovo e verificate.

Sarebbe a dire
A dire il vero
Come ho già detto
Ma che c'entra
E poi se la pensi così
E allora perché
D'altra parte

Claudio: .... ci sono persone disposte a pagare cifre da capogiro per foto del genere?

Valeria: ....?! Il fatto che ci siano persone disposte a pagare non significa che sia arte. Io comunque non comprerei una cosiddetta foto artistica neanche se avessi soldi da buttare.

Claudio: Non ti sembra di esagerare!? ...., perché sei venuta?

Valeria: Beh, ..., se avessi saputo che si trattava solo di foto, forse non sarei venuta; .... non mi interessano più di tanto, preferisco l'arte, l'arte vera, quella con la A maiuscola.

Claudio: ...., scusa?

Valeria: Beh, dai grandi come Michelangelo, Leonardo... a Picasso, Modigliani, Guttuso...

Claudio: Certo, su questo non ci piove. È arte, certo, ma .... si deve essere aperti anche al nuovo. Anche i grandi del passato a volte non sono stati capiti e accettati subito.

esercizi
1-2

1c. Secondo voi cosa esprimono le frasi?

Se posso, ti **chiamo**. Non **comprerei** una foto artistica neanche se **avessi** soldi da buttare. Se **avessi saputo** che si trattava di foto, forse **non sarei venuta**. Se **puoi** venire, **telefonami**! Se non **fossi** tu, mi **sarei** già incavolato.	IPOTESI: REALE POSSIBILE IMPOSSIBILE

1d. A coppie. Formulate delle ipotesi reali, possibili, impossibili. Ispiratevi alle situazioni proposte e cercatene altre.

- *Hai visto che c'è la mostra su Marinetti? Ci andiamo?*
- *Non so, se è aperta anche la sera possiamo andarci.*

Catalogo della 9ª Mostra di Aeropitture di guerra, Ferrara 1941

Ipotesi reale

Se ho tempo, ti chiamo /
Se non devo studiare va bene /
Se non costa troppo, volentieri.

Ipotesi possibile

Non lo vorrei neanche se me lo regalassero / Se avessi i soldi me lo comprerei.

- *Sai quanto costa un quadro di Warhol?*
- *Non lo so, ma non lo vorrei neanche se me lo regalassero.*

- *Ieri sono andato a vedere la mostra sugli Etruschi.*
- *Peccato! Se me l'avessi detto ci sarei venuta anch'io.*

Ipotesi impossibile

Se me l'avessi detto prima ci sarei venuta anch'io. / Se l'avessi saputo non ci sarei venuta.

esercizi 3-7

2a. Dividete la classe in sei gruppi. Ogni gruppo legge la descrizione di un museo e poi riferisce agli altri le informazioni più importanti: tipo di museo e reperti esposti - riduzioni - servizi offerti:

I templi della cultura

MUSEO DEI RAGAZZI
PALAZZO VECCHIO, PIAZZA DELLA SIGNORIA 1, FIRENZE

All'interno di Palazzo Vecchio, il Museo dei Ragazzi restituisce voce a luoghi, oggetti e protagonisti della corte di Cosimo I de' Medici e di sua moglie Eleonora di Toledo. Adatto "ai ragazzi curiosi dagli 8 agli 88 anni". Il museo utilizza i saloni e i vestiboli del palazzo per proporre dei percorsi che fanno rivivere il passato. Migliaia di visitatori possono così ammirare i mobili, gli affreschi, i vestiti, i macchinari d'epoca e partecipare in prima persona alla vita rinascimentale. Nel Teatro del Museo, per esempio, gli spettatori vengono coinvolti in un gioco di ruolo dagli animatori e dagli attori, e lo fanno indossando splendidi abiti cinquecenteschi. Il museo offre anche una serie di laboratori-atelier (solo su prenotazione) dove sperimentare in prima persona divertimenti e attività tipici nella Firenze dei Medici. Uno di questi, La Stanza dei giochi di Bia e Garcia, è dedicato ai più piccoli (dai 3 ai 7 anni) e prevede un cantastorie e un teatro delle ombre che fanno rivivere storie realmente accadute. Gli altri atelier permettono, invece, di realizzare un piccolo affresco utilizzando le tecniche rinascimentali oppure di scoprire la prospettiva camminando in mezzo a grandi apparati scenografici. Abiti in città o poco distante? Allora puoi fare un regalo veramente speciale a tuo figlio: organizzare in questo museo la sua festa di compleanno, prenotandola in segreteria.

Auditorium Parco della Musica
Viale Pietro de Coubertin 15/30, Roma.
Riduzioni e gratuità: chiedere alla cassa.

Progettato da Renzo Piano, l'enorme complesso dell'Auditorium sorge all'interno di un grande parco (30 mila mq) aperto al pubblico. E si fa notare per la bellezza e l'originalità dei tre edifici che lo compongono, la cui linea ricorda quella delle casse armoniche di liuto. Il centro è attivissimo prima di tutto sul fronte della musica, con le sale concerto e il teatro all'aperto che può accogliere 3.000 persone. Per l'arte c'è lo Spazio risonanze, una galleria dove sono esposti violini, viole e liuti, gli antichi strumenti dell'Accademia di Santa Cecilia, appesi al soffitto e fluttuanti nell'aria. L'Auditorium Arte, invece, è una galleria dedicata alle esposizioni temporanee, cui si affianca un museo archeologico con i reperti di una villa patrizia e di un edificio di età arcaica venuti alla luce nel corso dei lavori di costruzione dell'Auditorium. Lo spazio è in grado di proporre anche sfilate di moda, prime cinematografiche e incontri con scrittori e poeti. Non mancano, infine, il bookshop, la caffetteria, elegantissima, e il ristorante Red (Restaurant & design), in cui la cucina tradizionale romana si fonde con le tendenze più attuali. Qui, a fine concerto, è facile incontrare gli artisti.

Mart
Corso Bettini 43, Rovereto
Infoline: 800397760

«Benvenuti su Mart», recita lo slogan promozionale del museo. E, varcando l'ingresso, i visitatori entrano nella più imponente operazione museale italiana, voluta dalla Provincia di Trento e realizzata dall'architetto svizzero Mario Botta. 70 milioni di euro per uno spazio di 12.000 mq di superficie divisa su quattro piani; un'imponente cupola vetrata (nella foto sopra), alta 25 metri e con un diametro di 40 metri; 5.000 mq dedicati ad aree per lo studio, la ricerca, la didattica. E poi: il bookshop, la mediateca (una biblioteca multimediale audio e video), l'archivio fotografico e una biblioteca con oltre 60.000 volumi. La collezione permanente di questo museo ripercorre la storia artistica del Novecento. Il nucleo principale è rappresentato dal Futurismo, con opere di Balla, Depero (che visse e morì proprio a Rovereto), Severini, Carrà. Ma non mancano opere di De Chirico, De Pisis, Sironi, Morandi, Fontana, Burri, Vedova, Pistoletto, Kounellis e molti artisti della Pop Art. E, per chi vuole unire i piaceri del gusto a quelli dell'arte, sosta al ristorante del museo. Si chiama Le Arti e propone le specialità locali, fra cui i canederli e lo strudel, con un occhio alla cucina etnica. Il venerdì, serate di degustazione e spettacoli di musica.

CENTRO PER L'ARTE CONTEMPORANEA LUIGI PECCI
VIALE DELLA REPUBBLICA 277, PRATO.
Accessibile ai diversamente abili

Nato su idea dell'industriale Enrico Pecci per onorare la memoria del figlio, questo museo, tutto dedicato all'arte contemporanea, è uno tra i più attivi del nostro Paese. E merita una visita per il valore dell'edificio, progettato da Italo Gamberini, l'architetto razionalista che nel 1933 firmò, con Michelucci, il progetto della stazione di Santa Maria Novella di Firenze. Superato il parco delle sculture (foto sopra) l'edificio del museo si presenta come una costruzione bassa, a forma di U, con tunnel sotterranei che mettono in collegamento le ali dell'edificio. Il Pecci, oltre alla prestigiosa collezione permanente, con opere che vanno dal 1960 a oggi, è un vero e proprio centro studi di concezione modernissima. In grado di proporre concerti e spettacoli teatrali, grazie al grande auditorium e a un teatro all'aperto. Ma anche mostre temporanee, laboratori didattici e concorsi per giovani artisti. Non mancano, infine, una super biblioteca, con 40.000 volumi sull'arte contemporanea e un catalogo consultabile anche online, la caffetteria-ristorante e il bookshop specializzato. Non solo. Chi diventa socio ordinario (costa da 15 a 30 euro l'anno), ha diritto all'ingresso gratuito a tutte le mostre e agli sconti del 10 per cento sui cataloghi in vendita.

MUSEO E CERTOSA DI SAN MARTINO
LARGO SAN MARTINO 8, NAPOLI.
BIGLIETTO RIDOTTO PER I VISITATORI FRA I 18 E I 25 ANNI, GRATUITO PER I VISITATORI DI ETÀ SUPERIORE AI 65 ANNI, PER MINORENNI, SCOLARESCHE, STUDENTI UNIVERSITARI DELLE FACOLTÀ DI ARCHITETTURA, CONSERVAZIONE DEI BENI CULTURALI E LETTERE.
L'impatto è di quelli che non si dimenticano: dal piazzale di questo museo si gode la più bella vista sul golfo di Napoli. In più, dopo un restauro esemplare, la trecentesca Certosa si presenta oggi come uno spazio molto più funzionale e gradevole. La cornice ideale per visitare al meglio le straordinarie collezioni del museo: statue barocche, ceramiche, dipinti, immagini votive e la suggestiva sezione che raccoglie i più antichi presepi napoletani, fra cui spicca il Presepe Cuciniello con centinaia di figurine che risalgono al Settecento. I nuovi spazi creati al secondo livello ospitano la sezione Arti decorative e quella dedicata al Teatro. I sotterranei gotici, invece, suggestivi e imponenti, sono stati scelti per accogliere sculture, bassorilievi ed epigrafi. All'interno del museo, infine, non mancano un fornitissimo bookshop, la libreria, l'archivio storico, il gabinetto dei disegni e le aule per i laboratori didattici studiati apposta per i giovanissimi. E per favorire i visitatori di passaggio, il museo ha aderito all'iniziativa artecard: spendendo 13 euro (8 euro per i giovani) si viaggia gratis sull'intera rete di trasporto, secondo itinerari di 3 o 7 giorni, e si entra liberamente in tutti i musei convenzionati.

Museo Archeologico Villa Sulcis
Via Napoli, Carbonia (Cagliari)
Biglietto ridotto fino a 12 anni.

Una volta era la residenza del direttore delle miniere carbonifere di Carbonia, circondata da un grande parco. Oggi, il bellissimo edificio costruito negli anni Trenta è la sede del museo archeologico dell'insediamento del monte Sirai. Un sito che risale al tempo dei fenici (750 a.C.) e che è in continua evoluzione: gli scavi in corso stanno portando alla luce testimonianze che farebbero pensare a una convivenza tra la civiltà fenicia e quella locale, la nuragica. Nelle sale del museo si possono vedere armi, vasellame, statue di dei e di varie divinità, e oggetti di culto che coprono un periodo di tempo piuttosto vasto, dal VI millennio a.C. fino al VII sec. d.C. Ma la cosa più interessante è che il museo è riuscito a diventare un polo culturale per tutto il territorio. Grazie alle visite guidate e, soprattutto, ai laboratori didattici per ragazzi che imparano a creare vasi e anfore secondo le tecniche più antiche. In più, alcune postazioni multimediali permettono interessanti visite virtuali al parco archeologico (in cui si trovano postazioni fisse di telecamere). E non mancano la libreria, il bookshop, la videoteca, un plastico dell'area e la vetrina tattile. Tutto il museo è accessibile ai disabili.

2b. Ogni gruppo prepara una domanda per ogni museo. Il gruppo che ha letto la descrizione risponde.

2c. Ogni gruppo completa lo schema in base al testo che ha letto. *In plenum* poi si completa con le informazioni estrapolate dagli altri gruppi.

nome	tipo di museo	servizi/extra	mostre	caratteristiche
Villa Sulcis	*archeologico*			

esercizi
8-9

2d. Volete passare alcuni giorni in Italia dedicandoli all'arte. Scegliete uno dei musei e cercate di convincere un compagno a venire con voi.

- *Ti andrebbe di venire con me a Prato e visitare il Centro per l'arte contemporanea?*
- *Che ne diresti invece di andare a Firenze a vedere...*
- *E se andassimo invece al Mart? Mi piacerebbe molto perché mi occupo di Futurismo.*
- *No, non mi interessa. Io preferirei piuttosto...*

Cercare un accordo

- Ti andrebbe di...
- Che ne diresti invece di...
- E se andassimo...
- Io preferirei piuttosto...

2e. Cercate nel testo il plurale dei seguenti sostantivi. Ne conoscete altri?

l'arma	→ --------	--------
il tempio	→ --------	--------
il dio	→ --------	--------
il migliaio	→ --------	--------
l'ala	→ --------	--------

esercizi
10-12

traccia
09 CD2

2f. Ascoltate l'intervista a Munari e sintetizzate la sua opinione.

Per Munari la differenza tra i musei italiani e quelli di altri Paesi è che...

2g. Inventate un museo. In gruppi di tre o quattro progettate il vostro museo ideale seguendo le indicazioni. Presentatelo alla classe.

- luogo
- dimensioni
- tipo di museo
- epoca a cui è dedicato

- destinatari
- disposizione e presentazione dei reperti
- prezzi, offerte speciali
- servizi: bar, ristorante, corsi...

Il nostro museo non è molto grande. È dedicato al cubismo e si concentra solo su questa corrente. Per invogliare il pubblico offriamo prezzi speciali per famiglie e giovani. Parte integrante sono anche corsi e attività didattiche.

Il nostro museo è destinato agli appassionati della civiltà etrusca. Oltre ai reperti storici offriamo materiale video e animazioni in modo da far scoprire al pubblico anche la vita quotidiana di questo affascinante popolo.

Il nostro museo è molto particolare. Si chiama Museo della bugia. Ci sono sale dedicate ai grandi bugiardi come Ulisse, Pinocchio, Arlecchino e mostre di libri che raccontano le loro storie. Si organizzano gare a chi la spara più grossa inventando insieme fantastiche storie...

Noi abbiamo progettato un museo particolare. È il Museo della cioccolata. Le sale sono arredate con oggetti di cioccolata. Si possono frequentare corsi per imparare come si lavora questo dolcissimo prodotto, e naturalmente non deve mancare un ottimo ristorante con piatti rigorosamente a base di cioccolata.

**3a. Ascoltate. Di quali artisti parla il critico d'arte? A quale periodo o corrente appartengono?
Quali delle loro opere vengono citate? Collegatele alle immagini.**

artista:	periodo/corrente:	opere:

3b. Riascoltate. Come vengono descritte le seguenti opere?

David: ....

Dedalo e Icaro: ....

Vocazione di San Matteo: ....

Il Giudizio Universale: ....

Sabrina Modigliani: ....

3c. Descrivete le seguenti opere seguendo le indicazioni e aiutandovi con le espressioni in basso.

Opera: scultura, dipinto, ritratto, natura morta, … - Particolari: ambiente, abiti, oggetti, gesti, espressione del viso - Tecniche: uso del colore, della luce - Composizione: staticità, dinamismo, simmetria, prospettiva…

Descrivere opere d'arte

Lo sguardo è triste/ironico… La testa è rivolta verso destra/sinistra/ verso l'alto/ il basso…
Le figure sono in piedi/sedute/distese…
Tra di loro c'è/non c'è contatto.

La scultura rappresenta…
È un ritratto/un paesaggio/ una natura morta…
In primo piano/sullo sfondo ci sono…
A destra/sinistra si vedono…
In alto/basso/centro…

I colori sono forti/decisi/delicati…
C'è un netto/chiaro contrasto fra…
La prospettiva è data dal colore/ le linee…

 esercizi 13-16

4a. Leggete e completate l'intervista con le domande scegliendole fra quelle proposte.

- Ma con la Grecia questo problema non sussiste, vero?
- A cosa è dovuto questo boom?
- Dunque lo scambio potrebbe diventare una valida alternativa alla restituzione?
- Ma l'Italia cerca di risolvere le questioni aperte?

Si rischia di rovinare le collezioni mondiali

Da qualche tempo si è assistito a una crescita di richieste di restituzione di tesori d'arte in tutto il mondo. E questo fenomeno sarà sempre più frequente. Questo è il parere del direttore generale del Ministero per i beni e le attività culturali.

....?

Il concetto di patrimonio culturale nazionale è una conquista dell'età moderna che in certe aree si sta facendo strada solo ora. Perciò sono convinto che anche i Paesi rimasti in silenzio faranno sentire la loro voce. Ma oggi le restituzioni di massa sono improponibili, i tesori giunti in Europa in passato sono ormai parte della storia del collezionismo. Bisogna valutare caso per caso e trovare le soluzioni più opportune.

....?

Certo. Siamo i leader mondiali per la tutela e il restauro dei beni culturali e non vogliamo perdere la fiducia che si è riposta in noi. In alcuni casi si sono fatti scambi a lungo termine, con la Grecia ad esempio, ma anche con la Germania e gli Stati Uniti.

....?

Sì, anche perché comporta molti vantaggi. Si sono siglate convenzioni per scambi e mostre itineranti che faranno circolare nel mondo tantissimi nostri tesori e ne porteranno altrettanti da noi. Ciò secondo me scoraggerebbe anche eventuali acquisti illegali da parte di Paesi che non hanno a disposizione una tale ricchezza di opere d'arte come la nostra.

....?

No, ma una volta attuata questa politica con Paesi importatori di opere d'arte, si è pensato di estenderla anche a Paesi che, come noi, sono invece esportatori. Vogliamo far circolare i nostri tesori nel mondo il più possibile. Favoriscono il dialogo e sono il miglior veicolo di promozione per il nostro Paese.

4b. Rileggete il testo e completate.

Si .... assistit.......... a una crescita.	Si .... fatt.......... scambi.
Si .... pensat.......... di estenderla.	Si .... siglat.......... convenzioni.

esercizi
17-21

4c. Di chi è l'arte? Qual è il suo ruolo?

- Gli scambi tra i musei sono una cosa positiva o negativa?
- L'arte favorisce veramente il dialogo fra i popoli?
- Il concetto di *bello* è uguale in tutti i Paesi?

Descrivere un'immagine.

a. Ecco la descrizione di una fotografia fatta dallo scrittore Antonio Tabucchi nel romanzo: *Il filo dell'orizzonte*. **Su quali elementi si sofferma?**

- *ambienti, volti, paesaggio...*

[...] È la veranda di una modesta casa di un sobborgo, gli scalini sono di pietra, avvolto all'architrave cresce un rampicante. Deve essere estate: la luce si indovina abbagliante e i fotografati vestono abiti leggeri. Il volto dell'uomo ha un'espressione sorpresa, e insieme indolente. Indossa una camicia bianca con le maniche arrotolate, siede dietro a un tavolino di marmo, di fronte a sé ha una brocca di vetro a cui è appoggiato un giornale piegato a metà. Stava certo leggendo, e l'improvvisato fotografo gli ha dato una voce per fargli alzare gli occhi. La madre sta sbucando sulla soglia, è appena entrata nella fotografia e non se n'è neppure accorta. Ha un piccolo grembiule a fiori, il volto magro. È ancora giovane, ma la sua gioventù sembra trascorsa. I due bambini sono seduti su uno scalino, ma discosti, estranei l'uno all'altro. La bambina ha due trecce bruciate dal sole, gli occhiali da vista cerchiati di celluloide, gli zoccoletti. Tiene in grembo un fantoccio di pezza. Il ragazzo porta i sandali e pantaloni corti. Ha i gomiti appoggiati sulle ginocchia e il mento appoggiato alle mani. Ha un viso tondo, i capelli con qualche ricciolo lustro, le ginocchia sporche. [...] Nell'angolo di destra, dove il terreno continua in un vialetto, si intravede il corpo acciambellato di un cane.

[Antonio Tabucchi, *Il filo dell'orizzonte*, Feltrinelli]

b. Scegliete una foto o un dipinto e descriveteli.

- A quando risale la foto o il dipinto?
- Che cosa o chi rappresenta?
- Ci sono persone?
- Come sono vestite?
- Qual è il loro aspetto fisico?
- Che cosa stanno facendo?
- Quali cose o persone sono vicine?
- In che relazione sono tra di loro?
- Che cosa si può capire circa:
  - il loro stato d'animo,
  - l'età,
  - il lavoro,
  - il carattere.

Ipotesi reale	• Se ho tempo, ti chiamo / Se non devo studiare va bene / Se non costa troppo, volentieri.
Ipotesi possibile	• Non lo vorrei neanche se me lo regalassero / Se avessi i soldi me lo comprerei.
Ipotesi impossibile	• Se me l'avessi detto prima ci sarei venuta anch'io / Se l'avessi saputo non ci sarei venuta.
Cercare un accordo	• Ti andrebbe di... • Che ne diresti invece di... • E se andassimo... • Io preferirei piuttosto...
Descrivere opere d'arte	• È un ritratto/un paesaggio/una natura morta... In primo piano/sullo sfondo ci sono... A destra/sinistra si vedono... In alto/basso/centro... La scultura rappresenta... • Lo sguardo è triste/ironico... La testa è rivolta verso destra/sinistra/ verso l'alto/il basso... Le figure sono in piedi/sedute/distese... Tra di loro c'è/non c'è contatto. • I colori sono forti/decisi/delicati... C'è un netto/chiaro contrasto fra... La prospettiva è data dal colore/le linee...

Ricapitolando!

Preparate un itinerario che includa i musei più importanti della zona in cui abitate o da cui provenite, descrivendone l'ubicazione, le caratteristiche, il tipo di reperti esposti, le offerte particolari, le opere famose in essi contenute. Presentatelo quindi in classe.

Cosa sai del cinema italiano?

film

attori

registi

1a. Chi sono i personaggi nelle foto e quale ruolo hanno avuto nel cinema italiano?

Federico Fellini - Sergio Leone - Roberto Benigni - Gabriele Muccino - Marcello Mastroianni - Alberto Sordi - Sofia Loren - Massimo Troisi - Stefano Accorsi - Ennio Morricone - Monica Bellucci - Anna Magnani

esercizio 1

1b. Quali dei personaggi...

È stata protagonista principale nel film *La ciociara*.

È un nuovo promettente giovane attore.

Dirige il film *La dolce vita*.

Interpreta Alberto ne *I vitelloni*.

Era di origine napoletana.

Inventa il genere Spaghetti Western.

Vince l'Oscar nel 1999.

Vive in Francia.

Musica il film *Per un pugno di dollari*.

È indimenticabile interprete in *Roma città aperta*.

esercizio 2

**traccia
12 CD2**

1c. Ascoltate l'intervista a Eugenio Scalfari sulla situazione del cinema italiano. Quali di questi punti sono veri, quali falsi?

	V	F
1. Alcuni mesi fa alcuni hanno detto che i prodotti italiani sono scarsi perché è una società priva di valori.	☐	☐
2. Scalfari è d'accordo in parte con questa affermazione.	☐	☐
3. Secondo Scalfari, proprio nelle società prive di valori, le forme d'arte si sviluppano maggiormente.	☐	☐
4. Scalfari porta come esempio la letteratura italiana medievale.	☐	☐
5. I grandi artisti italiani operano nelle corrotte corti del tempo.	☐	☐
6. Tutta la narrativa francese e russa si sviluppa in periodi bui e difficili.	☐	☐

**traccia
13 CD2**

1d. Ascoltate ancora e prendete appunti dettagliati.

- Scalfari non è d'accordo con l'idea che...
- Lui sostiene che... Porta come esempio...

 esercizio 3

1e. Riferite il contenuto dell'intervista a un compagno e discutetene.

- *Scalfari dice che non è vero, secondo lui, che società prive di valori sono anche prive di espressioni artistiche.*
- *Infatti afferma anche che in società antiche, come...*

L'intervistato dice / afferma / sostiene / replica / risponde che...

Capire e riferire il discorso altrui

1f. A coppie riscrivete il brano. Riferitelo e confrontate in classe.

Discorso diretto	Discorso indiretto libero
Tutta la fioritura artistica del Rinascimento avviene in corti e società totalmente corrotte, totalmente deturpate. Pensiamo a cos'è la corte pontificia in quell'epoca e non solo quella pontificia. Quali valori! Non esistevano valori! Esistevano disvalori. Eppure c'è una fioritura nella pittura, nella scrittura, nella poesia.	*Scalfari ricorda che tutta la fioritura artistica del Rinascimento avviene in corti e società totalmente corrotte. Dice che...*

 esercizi 4-6

2a. Storia del cinema italiano. Guardate le foto. Chi sono i personaggi? Li conoscete? Leggete i testi in gruppi di 4 e presentateli agli altri.

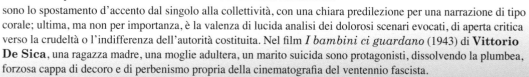

Il neorealismo

Il movimento fa la propria comparsa in Italia intorno alla seconda guerra mondiale: sua principale caratteristica è quella di rappresentare la quotidianità, usando una via di mezzo tra il reale ed il documentario e servendosi spesso di individui presi dalla strada in luogo di attori professionisti.

La scarsità di mezzi, l'indisponibilità di teatri dopo il 1944 obbliga a girare nelle strade, ad ambientare i lungometraggi nei luoghi autentici: ciò diviene una specificità stilistica del neorealismo. Altri tratti caratteristici sono lo spostamento d'accento dal singolo alla collettività, con una chiara predilezione per una narrazione di tipo corale; ultima, ma non per importanza, è la valenza di lucida analisi dei dolorosi scenari evocati, di aperta critica verso la crudeltà o l'indifferenza dell'autorità costituita. Nel film *I bambini ci guardano* (1943) di **Vittorio De Sica**, una ragazza madre, una moglie adultera, un marito suicida sono protagonisti, dissolvendo la plumbea, forzosa cappa di decoro e di perbenismo propria della cinematografia del ventennio fascista.

A rompere ancor più decisamente gli indugi, ci pensa **Luchino Visconti** con *Ossessione* (1943). Irrompe qui, finalmente, sugli schermi, un'Italia vera, abitata dalla miseria e dalla disoccupazione, vessata da una polizia occhiuta e persecutoria. Passione, tradimento, morte scandiscono una storia raccontata senza finzioni o timori: la censura reagisce ancora una volta, ed il film conosce - particolarmente nell'Italia del Nord - problemi di circolazione. Ma la strada per una svolta epocale, oramai, è stata aperta.

Il western all'italiana

C'era una volta il cinema di Sergio Leone.

"Ford era un ottimista. Io sono un pessimista. I personaggi di Ford, quando aprono una finestra scrutano sempre, alla fine, questo orizzonte pieno di speranza; mentre i miei, quando aprono la finestra, hanno sempre paura di ricevere una palla in mezzo agli occhi": sono parole di **Sergio Leone**, colui che nel 1964 inventa, con *"Per un pugno di dollari"*, il cosiddetto "spaghetti-western". All'eroe anomalo lanciato da Leone - che ritroveremo nel successivo *"Per qualche dollaro in più"* (1965) e nel *"Il buono, il brutto e il cattivo"* (1966) - mancano i tratti cavallereschi della tradizione: non combatte spinto da elevati motivi, ogni donna gli è indifferente ed i suoi ideali sono riassunti nel dollaro che campeggia sin dai titoli. Abitati più da maschere che da personaggi, su sfondi onirici che nulla conservano dell'ariosità di un tempo, i western indigeni sono percorsi interamente da un penetrante istinto di morte: il panorama si trasmuta in "un cimitero la cui superficie sembra quasi incommensurabile dall'occhio umano e i cui confini si spingono quasi oltre la linea dell'orizzonte, dove lo spazio è misurato e scandito da un numero indefinito di croci" (G. P. Brunetta).

Con l'ausilio di un montaggio nervoso e delle innovative colonne sonore di **Ennio Morricone** il regista romano crea un linguaggio del tutto inedito ed uno stile che si farà via via più raffinato, di pari passo con l'irrobustirsi della sua vena narrativa: alla trilogia del dollaro segue infatti l'epocale *"C'era una volta il West"* (1968), dove egli racconta la propria versione della nascita di una nazione.

Commedia all'italiana

In realtà, se vi è un genere che ha dato conto in maniera credibile dei cambiamenti in corso nella società italiana della seconda metà del '900, è stata proprio la commedia: i personaggi rappresentati sono presi da quella classe nascente che è la piccola e media borghesia. L'identificazione tra autori e spettatori e la conseguente indulgenza nei confronti dei personaggi rappresentati, se da un lato ha garantito il successo di massa, dall'altro non ha permesso di andare fino in fondo nell'intento satirico. All'interno di queste coordinate, tuttavia, la commedia ha conseguito risultati mirabili, sempre all'insegna d'un forte moralismo; dalla tradizione del neorealismo rosa, quello delle bersagliere di paese e dei poveri ma belli di suburbio, non a caso alimentata da alcuni cineasti (**Comencini**, **Risi**) che poi si adatteranno a meraviglia al "nuovo corso"; infine, dal Fellini di provincia, quello de *"Lo sceicco bianco"* (1952) e *"I vitelloni"* (1953), dove inoltre comincerà a definirsi il carattere ipocrita e mammista, furbetto e cialtrone incarnato magistralmente da **Alberto Sordi**, cui ben presto si uniranno altri attori (**Gassman**, **Tognazzi**), sceneggiatori (**Age & Scarpelli**) e registi (**Monicelli**, **Pietrangeli**).

Tra luci e ombre

I primi anni '80 portano nel cinema alcune novità di rilievo. Il moltiplicarsi delle tv private comincia, in maniera sistematica, a erodere spettatori alle sale e questo lento declino conduce alla scomparsa delle seconde e delle terze visioni, causata dall'enorme offerta di film del piccolo schermo. Un numero sempre minore di produttori sarà disposto a rischiare i propri danari e la cinematografia italiana finisce per chiudersi in due recinti: il comico-brillante ed il lavoro d'autore. Quest'ultimo scomparto brilla con grandi personalità registiche come Moretti e Amelio affiancate da alcuni cineasti capaci di far circolare la celluloide nostrana anche al di fuori dei confini patrii: Tornatore, Salvatores e Benigni (tutti vincitori di un Oscar), e di veterani ancora in ottima forma (Bellocchio, Bertolucci). Il comico-brillante invece include in rilevante misura cineasti capaci di ballare una sola estate o quasi: tramontata ogni ipotesi d'impegno civile, si dedicano a un cinema autoreferenzial-generazionale. Quanto al trionfante universo della comicità, esclusi Benigni e Verdone, che sanno ritagliarsi uno spazio originale, c'è, in effetti, ben poco da ridere. Va accennato Troisi, troppo presto scomparso, - dopo i convincenti esiti di "Ricomincio da tre" (1981) e "Scusate il ritardo" (1982) era calato di tono. E più che un cenno meriterebbe Paolo Villaggio, inventore di Fantozzi, maschera di italiano: irresistibile nelle prime puntate, scarso nelle ultime per scelte di contenuti e cinismo.

2b. Di ogni periodo sintetizzate i caratteri essenziali.

	Neorealismo	Spaghetti Western	Commedia all'italiana
Stile			
Attori			
Registi			
Periodo			
Ambientazione			
Personaggi			
Caratteristiche			

2c. Leggete le trame dei tre film e abbinate il titolo. Rispondete alle domande.

Il commendator Alberto Nardi è un piccolo industriale arrampicatore e opportunista. Deve la sua buona posizione sociale ai molti soldi della consorte, tanto ricca quanto soffocante. Un giorno riceve la notizia che aspettava da tutta una vita: la moglie è tra le vittime di un disastro ferroviario. Nardi pensa di aver risolto, grazie all'eredità, tutti i suoi problemi, ma la signora è più viva che mai.

Joe, un solitario pistolero, arriva a San Miguel, una cittadina al confine tra il Messico e gli Stati Uniti, dove due famiglie, i Rojo e i Morales, si fanno la guerra da anni per il monopolio del contrabbando di alcool e di armi. In un complicato gioco di delazioni, di colpi di mano, di indagini, Joe aizza gli uni contro gli altri, sperando che si eliminino a vicenda. Scoperto da uno dei Rojo, Joe viene torturato senza pietà. Riuscito a fuggire, tornerà a San Miguel per vendicarsi spietatamente dei Rojo, dopo che questi hanno massacrato l'intera famiglia dei Morales.

Un operaio disoccupato trova un posto d'attacchino municipale; ma ci vuole la bicicletta. L'operaio ne possiede una; ma è al monte di pietà. La moglie impegna le lenzuola e riscatta la bicicletta. L'attacchino incomincia il suo lavoro, ma dopo meno di un'ora, un ragazzaccio gli ruba la preziosa bicicletta. Tenta d'inseguirlo: ma è inutile. Denuncia il furto al Commissariato, ma non gli danno nessuna speranza. L'attacchino si aggira disperato tra i rivenditori di biciclette: non trova la sua, ma intravede il ladro e si dà ad inseguirlo, accompagnato dal figliolo, un bimbo di sei anni. L'inseguimento gli fa attraversare tutta Roma. Infine, esasperato, pensa di rubare una bicicletta incustodita; ma viene subito preso; e solo i pianti del bambino lo salvano dall'arresto.

a. Ladri di biciclette   b. Per un pugno di dollari   c. Il vedovo

Secondo voi a quale genere appartengono?
Da quali parole lo deducete?
   Neorealismo: *disoccupato…*
   Spaghetti Western: *solitario…*
   Commedia all'italiana: *piccolo industriale…*

2d. Dividete la classe in 3 gruppi. Ogni gruppo prepara il contenuto per un film italiano scegliendo tra: Neorealismo - Spaghetti Western - Commedia all'italiana.

periodo storico - musiche - personaggi - ambientazione - costumi - titolo del film

3a. Il cinema oggi. Guardate le locandine e abbinate la trama al film.

IL CINEMA ITALIANO LO TROVI QUI...

A Il film racconta la storia vera di Giuseppe Impastato, detto Peppino, nato a Cinisi, Sicilia, a pochi metri dal boss della mafia Tano Badalamenti. Fervente antimafioso, Impastato, fu ucciso dalla mafia lo stesso giorno in cui fu trovato il cadavere di Moro.

B La vita di Carlo, dermatologo trentenne, è sempre stata perfetta: genitori premurosi, una carriera avviata, buoni amici. Un'esistenza "regolare" la sua, quasi ovattata, con poco spazio per i sentimenti. Ma un evento improvviso la sconvolgerà e Carlo si troverà solo ad accudire sua figlia Sofia, una bimba di dieci mesi capace di assorbire tutte le sue energie fisiche e mentali e di far vacillare ogni sua certezza.

C Provincia del Nord Italia. Una landa desolata alle pendici di maestose montagne. Case sparse e costruite lungo una superstrada in mezzo a enormi depositi di legna, centri commerciali e neon. Qui vivono un padre e un figlio. Rino e Cristiano Zena. Rino è un disoccupato, meglio un lavoratore precario. Cristiano fa le scuole medie. Il loro è un rapporto d'amore tragico e oscuro. Soli combattono contro tutto. Rino educa suo figlio come può. Come sa. Cristiano lo ama, lo venera, lo considera la sua guida spirituale. Un amore sbagliato, ma potentissimo.

D Achille è il top manager di un'importante catena alberghiera di proprietà di sua moglie. Sembra avere tutto ciò che un uomo desidera. Ma ogni certezza nella sua vita viene travolta dall'odio che prova verso di lui un ragazzo di nome Orfeo. La disperata ricerca di sua figlia porta Achille a intraprendere un viaggio proprio con il suo peggior avversario.

E Antonia e Massimo sono sposati da più di dieci anni. Massimo muore all'improvviso in un incidente di macchina. Antonia sprofonda in un lutto totale, assistita dalla madre Veronica e dalla domestica filippina Nora. Antonia non riesce a riprendersi finché non scopre per caso che Massimo aveva da sette anni un'amante. Tramite l'unica traccia di un quadro dal titolo *La fata ignorante*, Antonia riesce ad arrivare a casa dell'amante di suo marito, che vive in un quartiere popolare della città e scopre che non è un'altra donna... ma un uomo, Michele.

esercizi
7-8

3b. Scegliete quale film andare a vedere e motivate.

- *Mi ispira il film "I cento passi" perché è una storia vera.*
- *Io andrei piuttosto a vedere "Le fate ignoranti".*
  Mi incuriosisce la trama e vorrei sapere come va a finire…

Mi ispira/mi attira/mi incuriosisce/
avrei voglia di vedere… perché
Non mi ispira affatto/ non mi attira proprio/
non mi incuriosisce per niente…

Esprimere impressioni positive e negative

esercizio
9

traccia
14 CD2

3c. Ascoltate il dialogo fra Antonia e la madre, tratto dal film *Le fate ignoranti*.

- Quale notizia dà Antonia a sua madre?
- A quale storia fa riferimento la madre di Antonia?
- Quale opinione la madre ha di sua figlia?
- Perché la madre è stata sempre contraria al matrimonio di Antonia e Massimo?
- Com'è il rapporto tra la madre e la figlia?

traccia
15 CD2

3d. Ascoltate ancora il dialogo e fate ipotesi a coppie. Cosa pensate sia avvenuto prima e cosa avverrà dopo?

- *Penso che Antonia abbia scoperto il tradimento di suo marito. Probabilmente è arrabbiata e triste nello stesso tempo.*
- *Credo che seguirà il consiglio di sua madre e incontrerà di nuovo l'amante di suo marito...*

Penso che abbia scoperto.../
Forse Antonia è... /
Credo che scoprirà...

> Fare ipotesi al passato, presente e al futuro

esercizi
10-11

3e. A chi si riferiscono gli aggettivi della lista?

Antonia	Madre

fragile - emancipata - malinconica - sicura - ironica - depressa - timida - distaccata - cinica

3f. Continuate la lettera che Antonia scrive a sua madre il giorno dopo.

Mamma ho pensato a lungo a quello che mi hai detto ieri. Sul momento credevo tu volessi solo ferirmi ma...

esercizio
12

3g. Leggete ora il dialogo e rimettete in ordine le battute. Confrontate con l'ascolto.

.... *Antonia:* Non mi ero mai accorta di niente.

.... *Madre*: Era un essere umano dopotutto.

.... *Antonia*: Bene?

.... *Madre*: Oh poverina!

.... *Antonia*: Mamma, per sette anni.

.... *Madre*: No, non dicevo a te, dicevo a quell'altra.

.... *Antonia*: Ti prego non mi compiangere adesso!

.... *Madre*: Ah sì? Bene!

.... *Antonia*: Ma non ti riesce proprio di stare dalla parte mia?

.... *Madre*: Hai idea di cosa significhi essere un'amante, sempre nell'ombra, sempre a raccogliere le briciole...

.... *Antonia*: Massimo non ti è mai andato giù vero?

.... *Madre*: Tu non sei mai stata molto curiosa della vita, tu hai sposato il tuo compagno di banco del liceo, dico meno avventurosa di così!

.... *Antonia*: Massimo aveva un'amante.

.... *Madre*: No questa è vita vera, il generale Sperelli, te lo ricordi quel bell'uomo alto, quello che abitava in quel villino giù... quel villino giù in fondo alla piazza, tuo padre se n'era già andato ma... i suoi figli no, nove anni è durata.

.... *Antonia*: Ti prego smettila con queste frasi tipo telenovelas!

.... *Madre*: No, ma non per lui, ma non mi piaceva che ti fossi fermata alla prima infatuazione, che rinunciassi a tutto per lui, alla specializzazione in medicina, ai tuoi amici... per accontentarlo non hai fatto nemmeno un figlio, mi piaceva che quello che avevi ti bastasse; e... pensi di incontrarla?

3h. Riferite il dialogo precedente a un compagno usando la terza persona.

• *Antonia ha rivelato a sua madre che Massimo aveva un'amante già da sette anni. La reazione di sua madre è stata del tutto inaspettata perché...*

Antonia ha detto/ha raccontato/
Sua madre ha risposto/ha
commentato/ha chiesto se...

Riferire in terza persona al passato

3i. Osservate! Come cambiano i tempi?

Discorso diretto	Discorso indiretto
Antonia: Massimo **aveva** un'amante. *Madre*: **Hai** idea di cosa **significhi** essere un'amante... *Antonia*: Ti prego **smettila** con queste frasi tipo telenovelas! *Madre*: Tu non **sei** mai **stata** molto curiosa della vita... *Madre*: [...] **pensi** di incontrarla?	*Antonia* ha confessato a sua madre che Massimo **aveva** un'amante già da sette anni. Sua *madre* le ha chiesto se **aveva** idea di cosa **significasse** essere un'amante. *Antonia* l'ha pregata **di smetterla** con quelle frasi tipo telenovelas. La *madre* ha rimproverato *Antonia* dicendole che non **era** mai **stata** curiosa della vita... La *madre* le ha chiesto se **pensava** di incontrarla.

esercizi
13-19

4a. Leggi le frasi tratte dalla scena in cui Antonia è a tavola con gli amici di suo marito, i quali le rivelano che Massimo era omosessuale e le mentiva. Con chi sei d'accordo e perché?

Io mento sempre con le persone che amo…
È pericoloso dire la verità, Antonia…
Non è giusto mentire a quelli che ami…
Ma se poi gli dici la verità, magari quelli poi non ti amano più…
Come fai ad amare un uomo che ti mente sempre?…

4b. Ecco alcuni proverbi italiani sulle bugie. A coppie provate a spiegarne il significato.

a) Le bugie hanno le gambe corte

----

b) Tutti i nodi vengono al pettine

----

c) Le bugie sono come le valanghe: più rotolano, più si ingrossano

----

----

d) La verità va a piedi e la bugia va a cavallo

----

e) Le bugie non invecchiano mai

----

f) Molte bugie sono più buone di una sola verità crudele

----

g) Credi poco a ciò che vedi e per nulla a ciò che senti

----

h) Una bugia non butta giù i denti

4c. Quali proverbi o modi di dire sulle bugie ci sono nel tuo Paese?

- Credi che ci siano culture in cui è più comune essere più o meno diretti?
- Quale valore hanno i complimenti anche non sinceri nella vostra cultura?
- Un commerciante che presenta un prodotto in modo non sincero per vendere dice una bugia secondo voi? O è parte del suo lavoro?
- Dire di non sapere o conoscere la risposta significa "perdere la faccia" secondo voi? E in altri Paesi?

Scrivere una sceneggiatura.

a. Per iniziare a scrivere una sceneggiatura bisogna avere un'idea dei personaggi, delle situazioni, dei luoghi.

Cercate di dar libero sfogo alla vostra fantasia. Visualizzate la locandina del vostro film. È interessante?
È originale? È comprensibile? Se non vi sembra abbastanza interessante cercatene un'altra. Se assomiglia a quella
di un altro film cercatene un'altra. Se non sapete come riassumere il film in una sola immagine cercatene un'altra.

Il modo migliore per dare un buon ritmo alla storia è dividere lo sviluppo dell'azione in tre parti:
- un'introduzione, in cui vengono presentati i personaggi principali, in cui si fa capire come e dove vivono e si inizia
  a presentare il problema;
- una parte centrale dell'intreccio, in cui questo problema si sviluppa, sconvolgendo la vita dei personaggi;
- un finale, in cui i personaggi risolvono (o forse no) la situazione in cui si erano venuti a trovare.

Non chiedetevi se una scena è realizzabile, quanto costerebbe o come bisognerebbe costruire il set in cui girarla, non
sono problemi vostri. Chiedetevi piuttosto se la scena è plausibile, se è importante all'interno del film, e soprattutto se è
interessante.

Se la vostra storia ha la possibilità di interessare qualcun altro al di fuori di voi e di vostra madre potete iniziare seriamente
a dar vita ai vostri personaggi.

b. Ecco la sceneggiatura della prima scena del film *L'ultimo bacio* di Muccino.

VOCE CARLO FUORI CAMPO
TRENT'ANNI TRA UN MESE. LAUREATO. LAVORO
INVIDIABILE. BELL'ASPETTO. A CASA TUTTI BENE.

1 - STRADA. AUTO CARLO. NOTTE.
Ci appaiono CARLO e GIULIA. Lui ha circa
trent'anni, lei è appena più giovane.
Sono in auto. È notte. Fuori sta piovendo
e i tergicristalli puliscono a fatica il
parabrezza.
GIULIA: (Lo guarda) A che pensi?
CARLO: (La guarda per un istante e quindi
torna a guardare avanti) Alla faccia che
faranno...

2 - VILLETTA ANNA. GIARDINO. ESTERNO. NOTTE.
Ci appare una bella villetta con giardino,
in un quartiere residenziale della città.
Continua a piovere. La m.d.p. parte alta e si
abbassa verso una delle finestre della casa.

VOCE CARLO FUORI CAMPO
...STATE INSIEME DA TRE ANNI.
HAI PENSATO CHE FOSSE LA DONNA DELLA TUA VITA
E LE HAI CHIESTO DI ANDARE A VIVERE INSIEME. E
ALLORA
SONO PASSATI I PRIMI TEMPI. CHE PASSANO
SEMPRE, PRIMA O POI.
Raggiungiamo una finestra ed entriamo in casa
attraversando il vetro. La m.d.p. percorre il
corridoio e avanza verso il soggiorno.

VOCE CARLO FUORI CAMPO
...AD UN CERTO PUNTO, NON È UN PENSIERO
CARINO, HAI INIZIATO AD ANNOIARTI. HAI
SENTITO CHE TI INIZIAVA A MANCARE QUALCOSA.
La m.d.p entra attraverso la porta nel
soggiorno della casa.
Ci appaiono CARLO, GIULIA e i rispettivi
genitori. Stanno cenando intorno al tavolo.

VOCE CARLO FUORI CAMPO
...MA COS'ERA?
La m.d.p. si ferma sui visi di Carlo e
Giulia.
GIULIA: Abbiamo una cosa da dirvi
I genitori li guardano.

VOCE CARLO FUORI CAMPO
...COS'ERA CHE HA INIZIATO A MANCARTI?
GIULIA: Aspettiamo un bambino...

Osservate:

- I movimenti della macchina da presa (m.d.p.).
- L'alternarsi di scene interne e esterne.
- La voce dei personaggi fuori campo e i dialoghi.
- Le frasi o elementi ad effetto per sorprendere
  e incuriosire.

- Le caratteristiche psicologiche dei personaggi, i loro
  movimenti.
- L'idea centrale.

c. Scrivete ora voi la sceneggiatura della prima scena del vostro film.

Capire e riferire il discorso altrui	• L'intervistato dice / afferma / sostiene / replica / risponde che...
Esprimere impressioni positive	• Mi ispira/mi attira/mi incuriosisce/ avrei voglia di vedere... perché
e negative	• Non mi ispira affatto/ non mi attira proprio/ non mi incuriosisce per niente...
Fare ipotesi al passato, presente e al futuro	• Penso che abbia scoperto... Forse Antonia è... Credo che scoprirà...
Riferire in terza persona al passato	• Antonia ha detto/ ha raccontato/ ha rivelato... • Sua madre ha risposto/ha commentato/ha replicato...

Ricapitolando!

Preparate un'intervista al regista, all'attore/attrice che vi piace di più o a un compositore di colonne sonore. Un vostro compagno o compagna ne assumerà il ruolo e risponderà alle vostre domande. Riferite poi ciò che vi è stato detto.

Formate coppie di diversa nazionalità e parlate del cinema dei rispettivi Paesi toccando i seguenti punti:

• breve storia del cinema
• generi cinematografici più amati
• registi importanti
• film cult

Ennio Morricone e Nino Rota hanno fatto la fortuna dei film per cui hanno scritto la colonna sonora. Conoscete altri compositori? Parlatene con un compagno e poi riferite ciò che siete venuti a sapere.

Fate un confronto fra i modi di fare cinema nei diversi Paesi. Vi sono cose in comune? Differenze?

unità 11
che danno in tv?

Cosa sai della TV italiana?

canali

programmi

personaggi

1a. A coppie. Rispondete e confrontate in classe.

Che cosa conoscete della TV italiana?

- In quale anno si è avuta la prima trasmissione?	1939	1945	1955
- In quale città si è avuta la prima trasmissione?	Milano	Roma	Napoli
- Come si chiamava la telecamera?	fotoscopio	iconoscopio	telescopio
- Quanto costava una televisione agli inizi?	500 lire	100 lire	12.000 lire
- Quando iniziò il servizio regolare?	1944	1954	1964
- Quale fu la prima trasmissione di successo?	telefilm	quiz	dibattito politico
- Quando viene legittimata la televisione locale?	1974	1980	1984

traccia
16 CD2

1b. Ascoltate e confrontate con le vostre risposte.

traccia
17 CD2

1c. Riascoltate e completate con le vostre parole.

Gli inizi della Televisione italiana ....

....

Le prime trasmissioni di successo ....

....

La televisione contribuì, dal punto di vista della lingua,

....

Le televisioni private ....

....

....

esercizi
1-2

 1d. In classe. Scambiatevi le informazioni.

- Quando è nata la TV nel vostro Paese?
- Quando è stato introdotto il colore?
- Da quanti anni c'è la TV satellitare?

• *Io non sono sicura, ma nel mio Paese la TV è nata verso il...*
• *Anch'io non so dire con sicurezza la data ma più o meno la prima trasmissione è stata il...*

• È nata verso il.../nel... circa/all'incirca...
• Io credo il... o giù di lì.../più o meno.../
approssimativamente negli anni '60...

Dare indicazioni temporali approssimative

esercizio
3

1e. Leggete il testo e sottolineate con colori diversi le opinioni pro e contro.

L'invenzione della televisione, ossia la diffusione di immagini, parole e fatti che ci vengono proposti da tutto il mondo, hanno inciso sulla vita delle persone in maniera notevole. In Italia le prime trasmissioni televisive vennero effettuate regolarmente a partire dal 1954, rivoluzionando le abitudini delle persone. Inizialmente venivano trasmessi solo pochi (ma buoni) programmi, di grande valore educativo mentre oggi esistono centinaia di canali che trattano ogni singolo argomento, e non sempre o quasi mai in modo esaustivo e approfondito. La televisione vanta indubbiamente di numerosi pregi, tuttavia io ritengo che nella maggior parte dei casi non offra una scelta di programmi istruttivi ed educativi.

Molte volte propone modelli sbagliati, inducendo i giovani ad assumere atteggiamenti e comportamenti scorretti. Purtroppo la tendenza negli ultimi anni vede aumentare questi tipi di programmi e mi riferisco in particolar modo ai reality show, ovvero quei programmi in cui non partecipano solo attori ma anche gente "comune". Non hanno nessun fine positivo, anzi, sono ricorrenti scene volgari, ed espressioni che non dovrebbero essere mandate in onda.

Un altro aspetto problematico della televisione è che può causare confusione fra la realtà e l'invenzione. Capita molto spesso che i giovani, e talvolta anche gli adulti, imitino atteggiamenti visti in un film, atteggiamenti raramente corretti ed adatti alla situazione in cui si trovano. La pubblicità contribuisce ad aumentare i problemi legati agli aspetti negativi. Non è molto difficile imbattersi in pubblicità che ci inducono a comprare oggetti di cui non abbiamo alcun bisogno. Esistono certamente anche numerosi aspetti positivi. Il più importante è che rende accessibile a tutti la conoscenza di fatti ed eventi, come ad esempio il telegiornale, che ci informa su tutto ciò che accade nel mondo, anche notizie e approfondimenti su argomenti generali o di epoche passate.

A volte è anche un ottimo strumento che diverte, rilassandoci dopo una giornata faticosa. Infine serve a diffondere l'uso di una lingua comune, anche se sembra che ultimamente questa non sia l'italiano bensì l'inglese! Ritengo che la televisione sia un mezzo che, pur avendo rivoluzionato il nostro modo di vivere, non venga tuttavia utilizzato nei migliori dei modi. Nonostante vi siano programmi istruttivi ed educativi come ad esempio i documentari e i telegiornali, prevalgono i tipi di programmi "spazzatura", quelli che non contribuiscono a rendere questo ottimo strumento per divulgare le informazioni, migliore.

1f. Riportate i punti a favore e a sfavore. Aggiungete alcuni punti a vostra discrezione.

Pro	Contro

1g. A coppie. Scegliete il pro o il contro e dialogate secondo il modello.

- *Io non ci trovo proprio niente di positivo nell'influsso della TV…*
- *Dici? Secondo me vedi la cosa troppo negativamente. Devi anche tener conto di altri aspetti…*

- Non vedo nulla di positivo / negativo in…
- Vedi la cosa troppo negativamente / a senso unico…
- A me sembrerebbe che…
- Al contrario/Diversamente da te sono dell'opinione che…

Discutere su opinioni diverse

esercizio 4

2a. Volti e programmi "in" della TV italiana. Quale dei seguenti programmi guardereste volentieri e quale non vorreste assolutamente guardare?

Piero Angela
Quark

RAI 1

Dalla fine degli anni Settanta, Angela si è dedicato alla realizzazione di programmi di divulgazione: il primo, del 1981, è stato **Quark**, la prima trasmissione televisiva di tale genere rivolta a un pubblico generalista. La formula, sempre attuale, era al tempo particolarmente innovativa: furono utilizzati tutti i mezzi tecnologici a disposizione e le risorse della comunicazione televisiva per rendere familiari i temi trattati. I documentari della BBC, i cartoni animati di Bruno Bozzetto vennero usati per spiegare i concetti più difficili, le interviste con gli esperti esposte nel linguaggio più chiaro possibile, le spiegazioni in studio. Dal programma-base nacquero diversi *spin-off*: documentari naturalistici, finanziari e politici.

Bruno Vespa
Porta a Porta

RAI 1

Porta a Porta è una rubrica televisiva di approfondimento delle tematiche politiche e di attualità condotta da Bruno Vespa. Da sempre, la trasmissione è andata in onda su Rai Uno in seconda serata; la prima puntata è stata trasmessa il 22 gennaio 1996.
L'allestimento e la collocazione del programma all'interno del palinsesto sono rimasti immutati negli anni. Bruno Vespa invita politici, esperti e personaggi televisivi a confrontarsi sul tema della serata; gli ospiti intervengono uno per volta, e sono introdotti attraverso una porta (da cui il nome del programma).

Maria De Filippi
Amici

Canale 5

Amici di Maria De Filippi è un talent show in onda dal 2001. Per tutta la settimana va in onda la striscia quotidiana registrata, che fa vedere i momenti più importanti della giornata.
La domenica pomeriggio c'è la diretta televisiva, condotta dalla De Filippi. Questo reality è una scuola a cui partecipa una classe di circa 20 alunni, appositamente scelta, con ragazzi tra i 18 e i 25 anni che aspirano a diventare cantanti, ballerini di Jazz, Hip Hop e danza classica, attori o ginnasti. I concorrenti seguono per tutto l'anno lezioni di varie materie con i relativi insegnanti. Sono ripresi dalle telecamere e nel corso dell'anno soggiornano in un albergo.

Un posto al sole

Rai 3

Un posto al sole è la prima serie interamente prodotta in Italia, nonché la più longeva. Ambientata a Napoli, ha superato il numero di 2700 puntate. A differenza delle altre serie televisive, che trattano soprattutto temi rosa, *Un posto al sole* racconta anche storie di cronaca nera, incentrate su problemi sociali, comiche e a sfondi surreali, permettendo, in questo modo, agli attori di cimentarsi in mille parti e situazioni diverse, pur interpretando lo stesso personaggio. Tra le varie vicende di questa soap, infatti, ci sono anche casi tipici delle serie poliziesche, come omicidi, tentati omicidi, rapine, sequestri di persona e storie di camorra.

Gerry Scotti
La Corrida

Canale 5

La Corrida - Dilettanti allo sbaraglio è un
programma radiofonico, e dal 1986 televisivo.
È stato condotto da Corrado dal 1968 al 1997.
Dal 2002 la conduzione del varietà è stata affidata
a Gerry Scotti. Ad ogni entrata di un concorrente
c'è un jazz jingle differente a seconda che
concorrente sia uomo o donna.
In tutte le serie c'è un semaforo che indica -
da rosso (silenzio), arancione (prepararsi) a verde
(applaudire o fischiare) - il momento del verdetto
del pubblico.
Quando un concorrente veniva giudicato
negativamente in modo "pesante" si udivano
dalla regia suoni di cani abbaianti, sirene
di ambulanza e ragli di asino. Quando un
concorrente era stato molto apprezzato invece
si udiva il suono delle campane.

Antonella Clerici
La prova del cuoco

Rai 1

La prova del cuoco è un programma televisivo
trasmesso dall'ottobre del 2000 e prodotto
dalla RAI.
È stato condotto da Antonella Clerici per nove
edizioni dall'ottobre 2000 al 13 dicembre 2008.
Dal 15 dicembre 2008 per maternità la
conduttrice è stata sostituita dalla collega Elisa
Isoardi. Il gioco è composto da due squadre
"il pomodoro rosso" ed il "peperone verde",
una gara tra cuochi e concorrenti che si sfidano
tra loro con ricette nuove tutti i giorni.

Ezio Greggio e
Enzo Iacchetti
Striscia la notizia

Canale 5

Striscia la notizia è un programma televisivo
creato da Antonio Ricci. Il programma è
universalmente definito, a livello dei media, "il
telegiornale satirico" (è nato come parodia dei
tg), anche se alcuni negano lo status di satira alla
comicità di Striscia. La sua prima puntata risale
al 7 novembre 1988, andata in onda su Italia 1 e
condotta dalla coppia Ezio Greggio - Gianfranco
D'Angelo. Il telegiornale satirico mischia da
sempre battute verso la politica e la società e gag,
alternati a servizi di carattere sociale come gli
sprechi italiani nelle costruzioni di beni pubblici,
i trucchi dei gestori telefonici ai danni degli
utenti, i maghi imbonitori e truffaldini, pubblicità
occulta.

Simona Ventura
L'isola dei famosi

Rai 2

L'isola dei famosi è un programma condotto
da Simona Ventura. Nell'*Isola dei famosi* dodici
concorrenti VIP devono riuscire a sopravvivere
in un'isola deserta senza nessuna comodità. I
concorrenti posseggono un kit di sopravvivenza
di base che, grazie ad alcune prove collettive,
possono arricchire di nuovi oggetti.
Una volta a settimana si svolge la prova
leader, gara di destrezza, equilibrio, forza,
ecc., per determinare il leader della
settimana, concorrente che diventa immune
dall'eliminazione nella successiva puntata. Ogni
settimana, in diretta, si svolgono le nomination
attraverso le quali i concorrenti vengono
progressivamente eliminati. In finale rimangono
gli ultimi concorrenti superstiti a contendersi il
premio in denaro per il primo classificato.

2b. Attribuite ad ogni programma la categoria a cui appartiene. Sceglietene due e descriveteli secondo il modello.

Documentario - Attualità - Soap - Reality Show - Varietà - Gioco - Talk Show - Telefilm - Ragazzi - Cartoni

Cartoni animati	
I cartoni animati sono realizzati con disegni. Destinati ad un pubblico di giovani, sono trasmessi in fasce orarie prevalentemente pomeridiane. Si differenziano da Paese a Paese per...	....

esercizio 5

2c. Cercate nelle pagine precedenti le reti italiane. Quali sono private e quali pubbliche? Le conoscete?

2d. Discutete in classe dei seguenti punti.

- Ci sono programmi simili nel vostro Paese? In cosa si differenziano?
- Quali altri tipi di programmi esistono nel vostro Paese?
- Quali sono i volti più conosciuti o più amati?
- Ci sono programmi che hanno fatto la storia della TV nel vostro Paese?
- Quali sono i programmi più vecchi che ricordate?
- Quali sono i programmi che guardavate da bambini?
- In cosa è cambiata la TV da quando eravate bambini?

esercizio 6

2e. Cercate nei testi delle pagine precedenti le forme passive e sostituitele con delle alternative seguendo il modello.

Furono utilizzati tutti i mezzi tecnologici... La prima puntata **è stata trasmessa** il 22 gennaio 1996. Quando un concorrente **veniva giudicato** negativamente...	**Si utilizzarono** tutti i mezzi tecnologici... **Hanno trasmesso** la prima puntata il 22 gennaio 1996. ....

esercizi 7-10

2f. Scrivete un breve trafiletto descrivendo un programma del vostro Paese.

Il programma venne trasmesso per la prima volta verso il 19…
Il programma…

2g. Leggete l'opinione e commentatela.

 Le funzioni della TV privata e della Rai dovrebbero essere assolutamente diverse.
"C'è una carenza della nostra radio e della nostra televisione nazionale, che è pagata attraverso il canone e quindi con i soldi di tutti e che invece è diventata una televisione commerciale come le televisioni private, pur usufruendo - come ho appena detto - del canone da parte dei cittadini, di una tassa che i cittadini sono costretti a pagare. Vede, le funzioni della televisione privata, commerciale e della televisione pubblica dovrebbero essere assolutamente diverse. […] La televisione privata dovrebbe avere tra le sue funzioni quella di divertire, come seconda funzione quella di informare e soltanto successivamente, quella di formare. La televisione pubblica e la radio pubblica dovrebbero invece esattamente fare il contrario: dovrebbero avere come prima funzione quella di formare, poi quella di informare e infine, magari, anche quella di divertire. Lei pensi a quello che invece è la nostra televisione pubblica oggi e vede che è esattamente una televisione commerciale come tutte le altre televisioni commerciali. Credo che dovremo introdurre un cambiamento se non globale almeno limitato, destinando anche programmi di formazione, ma non nelle ore impossibili, oltre la mezzanotte, alla mattina prestissimo, eccetera: anche in ore centrali della giornata"
[Intervista a Radio Vaticana]

 esercizio 11

Secondo voi come dovrebbe essere la TV privata e come quella pubblica?
Com'è nel vostro Paese?

• *Guarda, non so, ma ciò che afferma potrebbe forse valere per…*
• *Io invece sono proprio d'accordo. Osservando la situazione attuale posso solo dargli ragione…*

Ciò che dice può valere per… /
Tenendo presente la situazione attuale / Prima di affermare…

Dopo aver letto quest'affermazione /
Avendo guardato quello che passano in altri Paesi devo dire che… /Detto questo possiamo anche aggiungere che…

Commentare un'opinione

 esercizi 12-14

3a. Leggete la prima domanda dell'intervista alla Professoressa Zanon e fate ipotesi sul contenuto.

Intervista
Professoressa Zanon, nel suo libro "Una TV per amico", lei inquadra il problema del rapporto fra televisione e infanzia, all'interno del contesto quotidiano: la televisione sembra acquisire il ruolo di amico, di compagno.

3b. Quali domande porreste voi sul tema? Dividetevi in gruppi, formulate 5 domande per gruppo e confrontate in classe.

traccia
18 CD2

3c. Ascoltate l'intervista e confrontate con le vostre domande.

traccia
19 CD2

3d. Riascoltate e rispondete alle domande.

Perché i bambini si affezionano alla TV?

Che cosa significa secondo voi la risposta del bambino riguardo al "sudore"?

Qual è la differenza nella recezione della TV tra adulti e bambini?

Perché è importante l'età?

Come influisce la pubblicità su un pubblico giovanissimo?

Quali conseguenze ha per i bambini guardare trasmissioni rivolte ad un pubblico più adulto?

Che cosa intende la Prof.ssa Zanon per "mutazione antropologica"?

Quale altra capacità dovrebbero esercitare i bambini e perché?

Che cosa si potrebbe fare per sviluppare questa capacità a scuola?

esercizio
15

3e. In classe. Collegate le frasi alle relative funzioni comunicative.

Quali espressioni vi sono d'aiuto per moderare un talk show?

Dica pure…
Quest'aspetto è interessante ma potremmo trattarlo in seguito.
Riassumendo si potrebbe quindi dire che…
Non sarebbe forse possibile…
Non tema…
Ritornando all'argomento di prima…
Diamo ora la parola a…
Non si preoccupi.
E che ne direbbe di…
Sentiamo che cosa ne pensa il Signor…
Forse potremmo trattare questo aspetto dopo.
Ricapitolando…
Purtroppo ci resta poco tempo e mi farebbe piacere sentire anche il parere di…
Apriamo questo dibattito con la domanda…

Aprire la discussione

Incoraggiare

Proporre

Rimandare

Passare la parola

Riassumere

esercizio
16

3f. Dividete la classe in tre gruppi. Il gruppo A prepara le domande, il gruppo B le risposte e il gruppo C la moderazione.

Talk-show
La TV nel mondo
dell'infanzia

Ci ritroviamo questa sera per discutere su di un tema molto sentito nella nostra società. Parleremo della TV e dei bambini. Con noi in studio due ospiti con opinioni contrastanti sull'argomento.
…

IL PROGRAMMA

In onda dal martedì al venerdì alle 23.15

Un programma di….

Dopo quattro anni di costante successo riparte il talk-show, quest'anno in versione quotidiana, con al centro del programma interviste a filosofi, scienziati, attori, giornalisti, cantanti e sportivi.

Un programma arricchito dal ritmo della quotidianità. La trasmissione di questa sera ci darà la possibilità di….

3g. Fate una proposta scritta per un programma per bambini da presentare alla televisione locale, tenendo presente i seguenti punti:

genere - titolo - personaggi - argomento - svolgimento - orario - durata - contenuti

esercizio
17

4a. Leggete l'articolo e commentatelo in classe.

Il potere dei media

Indubbiamente noi siamo condizionati ogni giorno da miriadi di notizie. C'è chi parla a questo proposito di potere dei mass-media. Vorrei levare una voce contro questo luogo comune. In fondo i media non fanno che svolgere il compito per cui sono nati: informare.

Provate a pensare agli anziani, per esempio. Essi, come tutti gli uomini del resto, per essere mentalmente in forma, hanno bisogno di tener desto il loro cervello. E gli stimoli che essi ricevono da giornali, radio, televisione, non possono che essere positivi. Ma passiamo al problema principale della nostra trattazione: se cioè i media esercitino un potere importante di coercizione sulle menti. Lasciando da parte il costume e la moda, che certo è imposta anche grazie all'utilizzo dei media, passiamo alla politica e al modo di pensare. È indubbia, ad esempio, l'autorità del telegiornale, che magari intervista il tale o il talaltro opinionista, appunto una di quelle "persone che riteniamo che 'contino' più di noi stessi e verso i quali nutriamo considerevole stima". Tutto questo lascia filtrare, nel modo in cui vengono presentate le notizie o le interviste, un certo giudizio. Non credo, infatti, nella neutralità dell'informazione. Eppure, sapete cosa succede a casa mia quando viene annunciata la notizia di una pena di morte o di uno sbarco di clandestini? La bagarre, perché c'è sempre chi la pensa in un modo e chi in un altro. Anzi è frequentissimo che il giovane o l'anziano, magari lettori abituali di quotidiani, cosa ottima e non così poi rara in Italia, fanno a gara a smentire le idee dei leader o dei giornalisti che compaiono sullo schermo. Se è vero, poi, che certe elezioni politiche sono state influenzate dai mezzi televisivi, è altrettanto vero che gli italiani, dopo decenni di democrazia, sanno bene cosa votare, ed hanno, almeno altrettante volte, votato contro quello che i mezzi di comunicazione di massa implicitamente suggerivano, sconvolgendo anche i sondaggi. Quindi smettiamola di parlare di Grandi Fratelli o Comunicatori di massa, perché la televisione, tra digitali terrestri e non, sta diventando sempre più, come internet, un mezzo anarchico, in mano alle scelte dei fruitori. Anche su internet si dovrebbe discutere per ore. Chi impedisce al navigatore solitario di visitare siti culturali, musei virtuali, siti utili per la vita di tutti i giorni (ce ne sono a migliaia), invece che siti di barzellette o pornografici? Nessuno! Chi è il padrone di internet? Nessuno! Infine, chi è il padrone della televisione? Ho paura che non lo sia neanche uno che riuscisse ad assommare in sé tutte le cariche amministrative della televisione pubblica e privata. Il vero padrone di questi mezzi di comunicazione di massa è il pubblico. Ne volete un'ultima, spero definitiva, dimostrazione? Qualche decennio fa la televisione pubblica trasmetteva quotidianamente trasmissioni culturali, riduzioni televisive di grandi testi della letteratura e incontri con filosofi. Sapete chi ha decretato che queste trasmissioni finissero in un canale satellitare interessantissimo ma poco seguito? Noi con le nostre scelte al telecomando. Forse abbiamo davvero perso la capacità di ragionare in silenzio, di formarci un'opinione nella quiete di un'attenta meditazione, ma forse tutto questo è soprattutto colpa nostra.

[Prof. Saverio Fortunato]

4b. E tu di che comunicazione sei? Discutetene in classe.

- Quali mezzi di comunicazione preferite?
- Cosa comporta la comunicazione globale?
- Quali pro e contro vedete?
- La comunicazione è importante per risolvere conflitti, ingiustizie, soprusi?
- La comunicazione a volte può essere pericolosa?
- Quanto pensi sia trasparente?
- Ci sono differenze nei vari Paesi?
- Esiste la censura?

esercizio
18

Programmi TV.

a. Scrivere l'anteprima di un programma è un'operazione che richiede grande abilità. Alcuni consigli pratici:

- Essere sintetici
- Dire né troppo né troppo poco
- Arrivare subito al punto
- Incuriosire ma non svelare

b. Leggete le presentazioni dei programmi a seguito ed estrapolate le strategie linguistiche utilizzate.

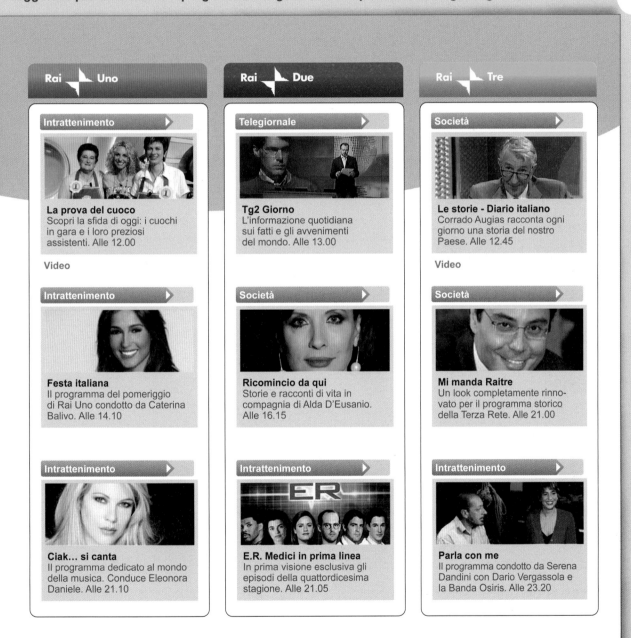

Rai Uno

Intrattenimento ▷

La prova del cuoco
Scopri la sfida di oggi: i cuochi in gara e i loro preziosi assistenti. Alle 12.00

Video

Intrattenimento ▷

Festa italiana
Il programma del pomeriggio di Rai Uno condotto da Caterina Balivo. Alle 14.10

Intrattenimento ▷

Ciak... si canta
Il programma dedicato al mondo della musica. Conduce Eleonora Daniele. Alle 21.10

Rai Due

Telegiornale ▷

Tg2 Giorno
L'informazione quotidiana sui fatti e gli avvenimenti del mondo. Alle 13.00

Società ▷

Ricomincio da qui
Storie e racconti di vita in compagnia di Alda D'Eusanio. Alle 16.15

Intrattenimento ▷

E.R. Medici in prima linea
In prima visione esclusiva gli episodi della quattordicesima stagione. Alle 21.05

Rai Tre

Società ▷

Le storie - Diario italiano
Corrado Augias racconta ogni giorno una storia del nostro Paese. Alle 12.45

Video

Società ▷

Mi manda Raitre
Un look completamente rinnovato per il programma storico della Terza Rete. Alle 21.00

Intrattenimento ▷

Parla con me
Il programma condotto da Serena Dandini con Dario Vergassola e la Banda Osiris. Alle 23.20

c. E adesso provate voi a scrivere il palinsesto del vostro canale preferito.

Dare indicazioni temporali approssimative	• È nata verso il.../nel... circa/all'incirca... • Io credo il... o giù di lì.../più o meno.../approssimativamente negli anni...
Discutere su opinioni diverse	• Non vedo nulla di positivo / negativo in... • Vedi la cosa troppo negativamente / a senso unico... • A me sembrerebbe che... • Al contrario/Diversamente da te sono dell'opinione che...
Commentare un'opinione	• Ciò che dice può valere per... / tenendo presente la situazione attuale... / Prima di affermare... • Dopo aver letto quest'affermazione... / Avendo guardato quello che passano in altri Paesi devo dire che... / Detto questo possiamo anche aggiungere che...
Aprire la discussione	• Dica pure... / Apriamo questo dibattito con la domanda...
Incoraggiare	• Non tema... / Non si preoccupi
Proporre	• Non sarebbe forse possibile... / Ritornando all'argomento di prima... / E che ne direbbe di...
Rimandare	• Quest'aspetto è interessante ma potremmo trattarlo in seguito.../ Forse potremmo lasciare questo aspetto per dopo...
Passare la parola	• Diamo ora la parola a.../ Sentiamo che cosa ne pensa il Signor.../ Purtroppo ci resta poco tempo e mi farebbe piacere sentire anche il parere di...
Riassumere	• Riassumendo si potrebbe quindi dire che.../ Ricapitolando...

Ricapitolando!

Chiedete a un compagno che cosa è assolutamente tabù nei programmi televisivi del suo Paese:

- litigi e risse in diretta
- turpiloquio, volgarità
- donne poco vestite
- scene di estrema violenza
- altro

In che modo la TV influenza i modelli di vita, il modo di comportarsi e vestirsi? Parlatene con un compagno o compagna.

eserciziario*

GRAMMATICA/ESERCIZI/TEST/GLOSSARIO

Ripasso: Passato prossimo e imperfetto

Andavo al conservatorio di musica ogni giorno.

Era molto difficile!

Ho comprato il biglietto!

Imperfetto		Passato prossimo	
abitudine:	Ascoltava sempre quella trasmissione.	azione unica improvvisa:	Mi è venuta un'idea geniale.
descrizione:	Eri bellissima.	azione conclusa:	Sei sempre stata grande più di me.
azioni parallele:	Mentre ascoltava la radio, puliva.	azioni in sequenza:	Ho telefonato e ho comprato i biglietti per il concerto.
azione durativa...	Mentre tornavo a casa...	+ azione improvvisa	... ho visto la pubblicità del concerto di Vasco.

(Vedi anche volume 1)

I pronomi combinati

indiretti		mi	ti	le/gli/Le	ci	vi	gli	si riflessivo
d i r e t t i	lo	me lo	te lo	glielo	ce lo	ve lo	glielo	se lo
	la	me la	te la	gliela	ce la	ve la	gliela	se la
	li	me li	te li	glieli	ce li	ve li	glieli	se li
	le	me le	te le	gliele	ce le	ve le	gliele	se le
	ne	me ne	te ne	gliene	ce ne	ve ne	gliene	se ne

I pronomi combinati ed il passato prossimo

Ho preso **la posta per Giulia.**	**Gliel'**ho pre**sa.**
Ho preso **il posto per Claudio.**	**Gliel'**ho pre**so.**
Ho preso **i biglietti per te.**	**Te li** ho pre**si.**
Ho preso **le cartoline per voi.**	**Ve le** ho pre**se.**

Ripresa: i verbi modali al passato

Ho letto.
Sono andata.
Ci **siamo** svegliati.

Ho dovuto leggere.
Sono dovuta andare.
Ci **siamo** dovuti svegliare. / **Abbiamo** dovuto svegliarci.

Posizione dei pronomi con i verbi modali al presente e al passato

Ho dovuto restituir**glielo**!
Che peccato!

Gliel'ho dovuto restituire!
Che peccato!

Voglio prestar**glielo**.
Devo svegliar**mi**.
Può prend**erli**.

Glielo voglio prestare.
Mi devo svegliare.
Li può prendere.

Ho voluto prestar**glielo**.
Ho dovuto svegliar**mi**.
Ha potuto prend**erli**.

Gliel'ho voluto prestare.
Mi sono dovuta svegliare.
Li ha potuti prendere.

Nello stesso modo si comportano i verbi: *sapere, andare, venire*.

Congiunzioni

Non va bene **né** per questo **né** per quello.
È bravo **sia** come cantante **sia/che** come violinista.

né... né
sia... sia/che

Posizione del pronome "loro"

Mi domando perché **gli** racconti sempre tutto!

Mi domando perché racconti **loro** sempre tutto!

1. Cercate le parole nel crucipuzzle.

jazz
concerto
nota
album
strumento
orchestra
strofa
canzone
verso
famoso
ritornello
cantante
musica

U	S	Y	Z	G	B	C	A	N	Z	O	N	E
O	W	T	I	E	O	T	L	A	P	U	V	F
R	S	H	F	D	K	O	G	O	X	X	O	A
C	T	V	H	T	H	U	T	U	R	W	M	M
H	R	K	J	Z	Q	R	E	E	L	I	U	O
E	O	A	W	U	E	T	N	R	A	H	S	S
S	F	W	C	C	N	P	Q	T	Y	W	I	O
T	A	O	N	A	H	Q	O	X	I	N	C	E
R	N	O	T	O	Y	N	Z	K	N	J	A	P
A	C	N	S	T	R	U	M	E	N	T	O	A
J	A	R	I	T	O	R	N	E	L	L	O	G
C	E	D	X	G	J	C	J	A	Z	Z	W	T
V	A	L	B	U	M	M	A	B	D	L	J	U

2. Leggete gli annunci pubblicitari su http://www.radioitalia.it/ e completate lo schema a lato.

Q.P.G.A. IL CONCERTO

Dopo lo straordinario successo dell'ultimo record-tour 'Tutti qui', Claudio Baglioni torna a esibirsi dal vivo con lo spettacolo 'Q.P.G.A. - Questo Piccolo Grande Amore 2008: il concerto'. Appuntamento a Milano, Roma e Napoli.

« »

 continua >

Cantante:

Luoghi del concerto:

Nome Tour:

VASCO LIVE TORNA A SETTEMBRE

Riparte da Udine il 12 settembre il Vasco.08 Live in Concert. Sono oltre 500.000 gli spettatori che hanno partecipato alla prima parte del tour 2008. Dopo Udine due concerti a Bologna, uno a Bari e doppia data a Torino.

continua >

Cantante:

Luoghi del concerto:

Nome Tour:

LIGABUE ALL'ARENA

Dal 25 settembre Luciano sarà protagonista, all'Arena di Verona, di un evento straordinario: una serie di concerti in cui l'energia del Liga e della sua band si incontrerà con le emozioni dell'orchestra dell'Arena.

continua >

Cantante:

Luoghi del concerto:

Nome Tour:

MECHANICAL DREAM

Annunciata la data zero che precede l'attesissima esibizione di Elisa in programma il 20 settembre all'Arena di Verona. Appuntamento il 16 settembre all'Adriatic Arena di Pesaro! I biglietti sono in prevendita.

 continua >

Cantante:

Luoghi del concerto:

Nome Tour:

3. Trovate l'intruso.

1. canzone	spartito	nota musicale
2. chitarra	pianoforte	violinista
3. rock	classica	chitarra
4. corista	soprano	contralto
5. complesso	gruppo	organista
6. cantante	cantautore	compositore

4. Leggete una parte della telefonata di Federica e Martino e completate con le espressioni nel riquadro.

● Bene, bene, grazie. Ascolta… Che facciamo col regalo per Gigi?

● Oh, è vero! Tra una settimana c'è la festa di compleanno, sono 25 questa volta! ...., quasi quasi me ne dimenticavo…

● Per fortuna che ci sono io! Ma possibile… Ascolta mi è venuta un'idea geniale!

● Geniale, tu? ....

● Guarda che il regalo glielo puoi prendere anche tu da solo, sai, mica sono .... a…

● Ma quanto sei .... oggi! Su dai, dimmi… cosa ti è venuto ....?

● Ti ricordi la settimana scorsa, quando siamo andati a sentire il concerto di Vasco a Milano?

● E come no? È stato fantastico! Il mio cantante preferito!

● Sì, lo so che è il tuo cantante preferito e che ti piace il rock e che…

● Basta, basta…

● Non ti ricordi che Gigi ha detto che non ha mai visto un concerto di musica classica dal vivo e che invece gli piacerebbe proprio una volta?

● Sì, mi ricordo anche che tu l'hai preso ....

● Dai, smettila! Beh, insomma, ho pensato che forse possiamo regalargli i biglietti per un concerto, no?

in mente - sensibile - Ma va là - in giro - Miseria - obbligata

5. Quando useresti le seguenti espressioni?

1. Ho perso le chiavi.	a. Dai, smettila!
2. Gianni ha vinto al lotto.	b. E come no?
3. Si fa come dico io!	c. Accidenti!
4. Sei sicuro di aver chiuso la porta di casa?	d. Punto e basta!
5. Perché mi prendi sempre in giro?	e. Ma va là!

6. Passato prossimo o imperfetto? Sottolineate la forma giusta e parlate in classe dei casi dubbi.

Intervista a Nek

Con quale stato d'animo hai lavorato/lavoravi alla realizzazione di questo nuovo album?
Con grande ottimismo e voglia di fare. Questa volta mi **ha assistito/assisteva** un nuovo team di lavoro.
Le cose da difendere è proprio il frutto di stimoli nuovi dati soprattutto da questo nuovo insieme di persone, dal paroliere al manager, al produttore artistico, che mi **hanno accompagnato/accompagnavano** per tutto il lavoro e spero che mi accompagneranno anche in futuro.

Cosa hai voluto/volevi dire con il titolo "Le cose da difendere"?
La scelta del titolo è stata molto poco ragionata e più istintiva. Il titolo mi **è piaciuto/piaceva** moltissimo fin dal primo momento. E poi **è stato/era** il titolo del primo brano di questo album.

Il singolo che apre l'album offre un duetto con Laura Pausini. *Vi siete conosciuti/conoscevate* **già?**
Laura **ha seguito/seguiva** quasi tutti i lavori di questo disco, le **sono piaciute/piacevano** le canzoni che stavo scrivendo, quindi è venuto quasi spontaneo provare per scherzo a cantare insieme. Lei **ha provato/provava** a cantare tutte le canzoni e io le **sono andato/andavo** dietro con la chitarra.

Le collaborazioni all'interno de "Le cose da difendere" non finiscono qui, troviamo infatti anche un duetto con Dante Thomas. Dove lo *hai conosciuto/conoscevi***?**
L'**ho incontrato/incontravo** l'anno scorso a Los Angeles. Da tempo mi **è piaciuta/piaceva** la sua voce.
Ho deciso/decidevo così di trasferire questa sua vocalità nella mia canzone pop, cioè *Cielo e terra*, che **è stata/era**, secondo me, la canzone più adatta.

Dal testo del brano "La mia natura" esce fuori un particolare profilo di te: anticonformista, libero, senza pudore... *hai sottolineato/sottolineavi* **spesso che le tue canzoni sono molto autobiografiche. Sei veramente così?**
Attraverso la mia musica, io **ho cercato/cercavo** sempre di lanciare un messaggio e una descrizione di me la più sincera possibile. Spero di esserci riuscito.

7. Trasformate al passato le frasi usando l'imperfetto o il passato prossimo.

Conosco il gruppo da molti anni. (fa) → *Ho conosciuto il gruppo molti anni fa.*
Suono volentieri il flauto. (da bambino) → *Da bambino suonavo volentieri il flauto.*

1. Vado al concerto ogni settimana. (*prima*)
→ ....

2. Non mi piace la musica jazz. (*una volta*)
→ ....

3. Ascolto con piacere la musica rock. (*sempre*)
→ ....

4. Quando vado ai concerti mi diverto sempre molto. (*da giovane*)
→ ....

5. Vado al club Jazzline per ascoltare musica. (*l'anno scorso*)
→ ....

6. Imparo a suonare la chitarra. (*tre anni fa*)
→ ....

8. Leggete e sottolineate tutti i pronomi combinati. Riscriveteli nella tabella.

Ciao Franci,
perché non rispondi? Che c'è? Ieri ti ho mandato i file delle canzoni del concerto. Me le ha date Gigi, forte eh? Senti, le daresti anche a Sofia, me le ha chieste, ma non ho la sua mail. Magari se me la mandi, così ce l'ho anch'io?
Domani vado a vedere se trovo i biglietti per il concerto di Vasco Rossi. Non volevate venire anche tu e Marcella? Se volete i biglietti ve li prendo io. Fatti sentire presto.
Ah, per le vacanze... Me le hanno date per la metà di agosto, come volevo, così possiamo partire insieme. Perfetto, no?!
Saluti
Giò

pronomi combinati	si riferiscono a
Me le ha date	le canzoni - a me

9. Completate il dialogo con i pronomi combinati.

- Domani sera vogliamo andare al concerto. È fuori città... Ci presti la macchina per favore?
- Sì, va bene, ... presto.
- Grazie! .... riportiamo dopodomani mattina, va bene?
- D'accordo.
- E per le chiavi? Come facciamo?
- Hmm.. fammi pensare... Vedi Giorgio questo pomeriggio?
- Sì, lo vedo.
- Perfetto. Le do a lui e poi dopodomani .... ridate, tanto io lo vedo tutti i giorni. Va bene?
- Sì, benissimo. Ah, devo fare benzina?
- No, ho fatto il pieno ieri.

10. Trasformate come nell'esempio.

Chi compera i CD per Gigi? → *Chi glieli compera?*

1. Quando ti dà i biglietti Giorgio? ....
2. Quando mi regali un anello? ....
3. Perché non prendi tu i fiori per i nonni? ....
4. Chi prepara le fotocopie per noi? ....
5. Quando spedite il regalo ai vostri nipoti? ....
6. Perché non restituisci le chiavi a tua madre? ....
7. Dove ti lasciamo la macchina? ....
8. Non vi ricordate più la canzone? ....

11. Trasformate le frasi usando i pronomi.

*Ho portato **i CD a Claudio**.* → ***Glieli** ho portati.*

1. Abbiamo regalato i vecchi dischi a Maria e Lucia. ....
2. Avete già comprato la rivista di musica per Franca? ....
3. Vi hanno restituito i soldi? ....
4. Mi ha prestato il suo vestito per la cerimonia. ....
5. Non ho dato le informazioni sul concerto a Giulietta. ....
6. Ha preso i giornali per te? ....
7. Abbiamo riportato il giornale al nonno. ....
8. Non avete ridato la chitarra a Marina? ....

12. Secondo voi cosa vuol dire... scegliete la versione corretta.

1. l'aula letteralmente *infuocata*	→	caldissima	in grande agitazione
2. *azzardare* domande impossibili	→	rischiare	iniziare
3. la domanda è *subissata* da fischi	→	privata di	ricoperta da
4. il ragazzino *chiede lumi*	→	chiede suggerimenti	chiede aiuto
5. *rompete le palle*	→	annoiate	disturbate
6. andate *ad accendere ceri ai santi*	→	pregate i santi	andate in chiesa
7. il bigliettino *piove* dalla balconata	→	precipita giù	vola giù

13. Ricordate il testo della canzone? Completate con una delle parole sotto.

Eri .... lasciatelo dire
bella / bellissima
e anche stavolta so che non mi crederai
eri davanti a me davanti agli occhi del bambino
e gli occhi del bambino quelli non li danno proprio
indietro mai
credimi: mai
ti dico mai
eri ....: ostrica e lampone
in gamba / sanissima
sulle mie dita c'eri sempre e solo te
ti davi un attimo e poi ....
bene
andavi via / ti nascondevi
io l'ho capito che sei sempre stata grande più di me

ma adesso dimmi
com'è andata?
com'è stato
il viaggio di una vita lì con te?
io spero solo tutto bene

tutto come
progettavate voi da ....
bambine / piccole
stai bene lì con te?

.... e piccola con le tue paure
fragile / debole
mi costringevi a nasconderti le mie
sapevi ridere sapevi il tuo sapore
te la .... ad occupare tutte
le mie fantasie
godevi / facevi

eri bellissima lasciatelo dire
eri di tutti ma non lo sapevano
e tu lo sapevi che facevi gola e ....
soggezione / paura
siamo stati insieme e comunque non mi hai
conosciuto mai

14. Completate con il passato prossimo o l'imperfetto di *stare* o *essere*.

1. .... felice di vederti!
2. Non .... insieme da molto tempo quando si sono lasciati.
3. Che peccato ripartire. .... proprio bene in questo albergo.
4. .... bello tornare ogni anno nello stesso albergo.
5. Maria .... un po` con noi ieri sera e poi è andata via.
6. Ieri non .... bene perciò non sono venuto a lezione.
7. La settimana scorsa .... proprio male. Ma ora per fortuna mi sono ripreso.
8. .... proprio un bel viaggio! Purtroppo è finito.

15. Leggete e completate la biografia di Gianmaria Testa.

Questo .... poco noto al pubblico italiano - Gianmaria Testa - è nato in
un paesino vicino a Cuneo nel 1958. La sua famiglia viveva di agricoltura e coltivava anche la passione
per la .... e il canto. Sin da piccolo la famiglia lo spinge ad interessarsi da
.... alla musica e lui sceglie la chitarra come ....
Gianmaria Testa impara velocemente e ben presto inizia a comporre le sue prime canzoni. Debutta come
.... rock, ma non è ancora conosciuto dal grande pubblico. Solo verso la metà degli
anni '90, dopo aver vinto il festival .... di Recanati una produttrice francese, Nicole
Courtois, gli offre un contratto. Il suo primo .... esce per l'etichetta Label Bleu con il titolo
Montgolfières e gli procura una certa fama.

autodidatta - strumentista - musicale - cantautore - strumento - album - musica

16. Volgete al passato le seguenti frasi.

a) Luca vuole entrare nel nostro gruppo musicale.
b) I cantanti sul palcoscenico possono muoversi molto liberamente.
c) Sandro non può cantare dal vivo.
d) Noi vogliamo scrivere canzoni in dialetto.
e) Molti giovani cantanti si devono adattare a fare concerti in mille posti.
f) Dopo l'esame d'ammissione può entrare al Conservatorio.

17. Rispondete alle domande usando gli elementi suggeriti.

Perché non sei venuta al cinema ieri? → Non potere venire perché esame.
Non sono potuta venire perché dovevo preparare l'esame.

1. Come mai Gianni ha un nuovo impianto stereo così costoso?
   → Potere comprarlo perché nonna regalare soldi

   ----

2. Ma non sono andati almeno già due volte al concerto di Vasco Rossi?
   → Volere rivedere concerto perché piacere Vasco Rossi

   ----

3. Tu sai perché Riccardo e Nazzarena si sono trasferiti in un paesino così lontano da Roma?
   → Volere andare via perché città troppo caotica

   ----

4. Non capisco perché tu non gli hai detto la verità!
   → Non potere dire verità perché lui non potere capire

   ----

5. Non ti sembra di essere molto in ritardo con la consegna?
   → Potere finire oggi perché computer rotto

   ----

18. Completate le biografie.

Gioacchino Rossini

Gioacchino Rossini, nato a Pesaro il 29 Febbraio 1792, chiamato dagli ammiratori

il "Cigno di Pesaro", musicò decine di opere .... senza limite di genere,

dalle farse alle ...., dalle tragedie alle opere serie e ....

Fra le opere che ebbero il maggior .... e che ancora vengono rappresentate ricordiamo:

"La gazza ladra" (1817), ... ed il "Guglielmo Tell", rappresentato a Parigi il 3 agosto

1829 con il titolo di "Guillaume Tell" che fu l'ultima sua opera.

commedie - successo - liriche - semiserie - Il barbiere di Siviglia

Giuseppe Verdi

Giuseppe Verdi nasce il 10 ottobre 1813 a Roncole di Busseto, in provincia di Parma.

Nel 1848 .... a Parigi. Nel 1840 viene provato da diversi lutti

.... Per un periodo pensa di non poter più ....

La vena creativa però rinasce. Dal 1851 al 1853 compone la celeberrima "Trilogia popolare", notissima

per i tre fondamentali .... contenuti, ossia "Rigoletto", "Trovatore" e

....

Il successo di queste opere è .... Alla sua vita artistica si aggiunge dal 1861 anche

l'impegno .... In questi anni compone "La forza del destino", "Aida" e la "Messa

da requiem", scritta e pensata come celebrazione per la morte di ....

Alessandro Manzoni - familiari - La Traviata - clamoroso - politico - si trasferisce - comporre - titoli

19. Ecco la trama della Traviata. Leggete e rispondete alle domande.

Atto I

Parigi. Metà dell'Ottocento. C'è una gran festa nella casa di Violetta Valéry, una donna mondana gravemente ammalata. Un nobile, Gastone, presenta alla padrona di casa il suo amico Alfredo, che l'ammira sinceramente. L'attenzione che Violetta dimostra per la nuova conoscenza non sfugge a Duphol, il suo amante abituale. Mentre Violetta e Alfredo danzano, il giovane le dichiara tutto il suo amore e Violetta gli regala una camelia: rivedrà Alfredo solo quando sarà appassita. Violetta per la prima volta è innamorata.

La donna fa quello che crede essere il bene del suo innamorato e abbandona Alfredo, che è colto da gelosia. Violetta riappare ad una festa nuovamente accompagnata da Duphol, che vorrebbe sfidare il giovane Germont. Violetta implora Alfredo di lasciare la casa; se ne andrà, dice lui, solo se lei lo seguirà. La ragazza allora gli rivela di aver giurato a Duphol di non incontrarlo più, per non raccontare il colloquio avuto con suo padre. Alfredo si indigna, la tratta da prostituta. Arriva Giorgio che lo rimprovera per questo comportamento, ma non gli svela la verità.

Atto II

Alfredo e Violetta Valéry vivono adesso felici in una villa di campagna. Alfredo scopre dalla cameriera Annina, che Violetta sta vendendo i suoi gioielli perché è rimasta senza denaro e si precipita a Parigi per procurarsene. Violetta, rifiutando un invito ad una festa di Flora, sua amica, riceve la visita inattesa del padre di Alfredo, Giorgio Germont, che l'accusa di condurre il figlio alla miseria. Violetta replica di non avere mai chiesto nulla ad Alfredo, ma Giorgio non rinuncia al suo proposito di separare Alfredo e Violetta.

Atto III

La salute di Violetta è molto peggiorata. La donna non può più alzarsi dal suo letto. Le giunge una lettera di Germont: finalmente, ha deciso di spiegare tutto a suo figlio. Alfredo è commosso e sta arrivando. Violetta è incredibilmente contenta, ma teme di non sopravvivere fino al suo arrivo. Ma, infine, Alfredo è lì, al suo capezzale; e vi è anche suo padre, profondamente pentito. La tisi uccide Violetta davanti a loro, in un clima di acuto dolore, addolcito però dalla delicatezza e dalla purezza dei sentimenti.

Quali sono i personaggi principali?
Perché Violetta lascia Alfredo?
Cambiate il finale: ....

20. Sostituite alle parole in corsivo i pronomi.

*Laura, vuoi tenere tu **i biglietti**?*   *a) Laura, **li** vuoi tenere tu?*
                                              *b) Laura, vuoi tener**li** tu?*

1. Voglio proprio dire *a Paola* di questo concerto.

a) ....

b) ....

2. Massimo *deve* assolutamente *dare il nuovo CD*

di Ramazzotti a mia sorella.

a) ....

b) ....

3. Forse *possiamo andare al concerto* insieme!

a) ....

b) ....

4. Domani *devo vedere Lucia*, quindi, glielo dico io.

a) ....

b) ....

5. Dove *posso mettere la mia chitarra*?

a) ....

b) ....

21. Riscrivete le frasi correttamente.

1. gli Non gratis dite che i biglietti abbiamo ricevuto!   ....

2. dovresti prestare per Me qualche lo giorno.   ....

3. glielo Perché tu non chiedi?   ....

4. Non loro ho detto la verità mai.   ....

5. già Secondo gliel'quel disco ha regalato me Francesco.   ....

6. dite Perché non di venire gli alla festa?   ....

22. Che cosa va bene? Completate.

1. Non siamo d'accordo .... con il direttore .... con il pubblico.

2. È un appassionato .... di musica rock .... di musica jazz.

3. Non mi piace .... la carne .... il pesce.

4. Per me va bene andare .... al cinema .... a teatro.

5. .... Marco .... Francesco hanno risposto negativamente al mio invito.

6. Che brutte canzoni. Non mi piace .... l'una .... l'altra.

sia... sia / che - né... né

1. Una persona che scrive sia i testi che la musica delle proprie canzoni si chiama...

a) compositore ☐

b) cantautore ☐

c) cantante ☐

2. Una persona che scrive musica si chiama...

a) dirigente ☐

b) musicista ☐

c) compositore ☐

3. Quale versione è meno colloquiale?

a) Miseria che schifo che fa questa canzone! ☐

b) Accidenti che orrore! ☐

c) È proprio una canzone orribile! ☐

4. Qual è la frase corrispondente?

Roberta mi deve ancora portare due biglietti per il concerto di domani.

a) Roberta deve ancora portarmeli. ☐

b) Roberta ce li deve ancora portare. ☐

c) Roberta li deve ancora portare. ☐

5. Mettete la frase al passato prossimo.

Non voglio andare da sola al concerto.

6. Completate la frase.

Sono andati al concerto prima e hanno tenuto un posto libero anche per me. ....
perché sapevano che arrivavo all'ultimo momento.

a) Me l'hanno tenuta ☐

b) Me l'hanno tenuti ☐

c) Me l'hanno tenuto ☐

7. State ascoltando un'aria lirica che vi procura una forte emozione. Come l'esprimete?

a) È la mia aria preferita in tutta l'opera. ☐

b) Quest'aria è proprio molto bella. ☐

c) È un pezzo che mi prende davvero tanto. ☐

8. Non condividete la seguente opinione.

Secondo me ai giovani non piacciono le canzoni con testi impegnati, non li ascoltano, sentono solo il ritmo della musica.

a) Per me i giovani ignorano sia il contenuto che la composizione di un testo musicale. ☐

b) Secondo me i giovani s'interessano della musica più che del testo. ☐

c) Per me i giovani sono interessati sia al testo che alla musica di una canzone. ☐

Valutazione: 100% - 80% Hai una profonda conoscenza della materia della lezione
70% - 50%   Ripeti le parti nelle quali sei meno ferrato
40% o meno Ripassa bene la lezione: grammatica, lessico e fraseologia

abbandonare ....

accompagnare ....

allegria ....

ambizione s.f. ....

ammiratore s.m. ....

appassionato ....

applauso ....

attirare l'attenzione ....

autodidatta ....

autografo ....

bacheca ....

balletto ....

batteria ....

bigliettino ....

campionato ....

cantante s.m. ....

cantautore s.m. ....

canzone s.f. ....

carriera ....

chitarra ....

classico ....

classificato ....

commosso ....

comporre ....

compositore s.m. ....

comunque ....

concerto ....

coraggioso ....

corista ....

coro ....

correre ....

critica ....

debutto ....

disco ....

discografia ....

esibirsi ....

fan ....

fischio ....

folcloristico ....

gelosia ....

godere ....

infuocato ....

innamorato ....

jazz ....

microfono ....

moderatore s.m. ....

musicale ....

musicista s.m. / f. ....

negativamente ....

opera ....

orchestra ....

pop ....

produttore s.m. ....

proporre ....

pubblicità ....

pubblico ....

rap ....

ridicolo ....

rilassato ....

rock ....

scoprire ....

sfidare ....

soggezione s.f. ....

strofa ....

strumentista ....

strumento ....

successo ....

svolgersi ....

tifoso ....

tristezza ....

Trapassato prossimo

Non sapevo che **aveva telefonato**!

Quando sono arrivata il treno **era** già **partito**!

Non **avevo** mai **visto** un film così bello!

Forma

con avere	
avevo parlato **avevi** venduto **aveva** finito	**avevamo** visto **avevate** fatto **avevano** letto

con essere	
ero arrivato/a **eri** partito/a **era** entrato/a	**eravamo** usciti/e **eravate** andati/e **erano** stati/e

Uso

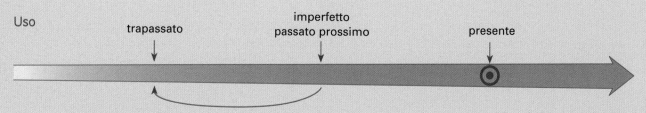

trapassato — imperfetto / passato prossimo — presente

Il trapassato dipende da un verbo al passato nella frase principale. Indica un'azione avvenuta prima della frase principale.

Comparativi e superlativi irregolari: aggettivi e avverbi

AGGETTIVI		
buono	migliore	ottimo
cattivo	peggiore	pessimo
grande	maggiore	massimo
piccolo	minore	minimo
alto	superiore	supremo
basso	inferiore	infimo

AVVERBI	
bene	meglio
male	peggio
più	
meno	

Espressioni di tempo

inizio:	all'inizio - d'ora in avanti - da allora - da quando - a un certo punto - un giorno
fine:	alla fine - infine - finora - ormai
durata:	finora - di giorno in giorno - tutto il giorno

frequenza:	a volte - ogni due giorni - spesso - qualche volta - raramente
sequenza:	prima - prima di - poi - successivamente - appena

Passato remoto [I parte]

Aspetta - **rispose** lei indecisa.

Vado via! - **disse** lui con voce furiosa.

Il passato remoto si usa in letteratura al posto del passato prossimo. [vedi unità 8]

Forme regolari

and-are	tem-ere	part-ire
and-**ai**	tem-**ei/etti**	part-**ii**
and-**asti**	tem-**esti**	part-**isti**
and-**ò**	tem-**é/ette**	part-**ì**
and-**ammo**	tem-**emmo**	part-**immo**
and-**aste**	tem-**este**	part-**iste**
and-**arono**	tem-**erono/ettero**	part-**irono**

Alcuni verbi irregolari

essere	dire	scrivere	rispondere	nascere
fui	dissi	scrissi	risposi	nacqui
fosti	dicesti	scrivesti	rispondesti	nascesti
fu	disse	scrisse	rispose	nacque
fummo	dicemmo	scrivemmo	rispondemmo	nascemmo
foste	diceste	scriveste	rispondeste	nasceste
furono	dissero	scrissero	risposero	nacquero

Preposizioni di argomento

di	su
parlare di arte	una lezione sul Rinascimento
discutere di politica	una conferenza sul Medioevo
trattare di storia	un film su San Francesco
un libro di musica	un libro su Cesare

1. Abbinate i generi letterari alle loro descrizioni.

1. Fantasy
2. Fantascienza
3. Romanzo storico
4. Romanzo rosa
5. Biografia
6. Thriller
7. Giallo
8. Saggio divulgativo

a. Romanzo poliziesco
b. Libro documentario su un tema specifico
c. Storie di mostri, fate e di mondi inesistenti
d. Opera che ha come contenuto eventi e personaggi storici
e. Storia piena di tensione, sangue e paura
f. Storia della vita di una persona
g. Romanzo sentimentale destinato al pubblico femminile
h. Interpretazione fantastica o avveniristica delle conquiste della scienza

2. Di che cosa parla? Completate con le preposizioni *di* e *su*.

È un giallo ambientato negli anni '60. È un libro .... Milano "bene" che però ci mostra anche l'altra faccia della città raccontandoci .... parte buia di questa metropoli, ... suoi bassifondi, ... sua criminalità.

Un libro molto interessante che tratta .... una città molto particolare: Venezia. Un'insolita guida .... città, scritta qualche anno fa e recentemente aggiornata. La guida ha un titolo curioso che deriva dalla simpatica e fantasiosa teoria per la quale Venezia, che realmente ha una forma simile a quella di un pesce, dopo aver vagabondato per migliaia di anni, è finalmente giunta nel luogo ideale. Il libro parla .... città più affascinante del mondo presentandone gli odori, i sapori, le immagini.

3. Formate le coppie giuste.

1. Mi hai riportato
2. Quando sono arrivata a casa vostra
3. Ho capito subito
4. Quando ha telefonato
5. Gianna aveva deciso di uscire
6. Raccontava spesso
7. Quando l'ho chiamato
8. Avevo deciso di cambiare lavoro
9. Non sapeva che lei
10. L'esame non è andato

a. quello che era accaduto.
b. i suoi amici erano già partiti.
c. ma poi ci ho ripensato.
d. che da giovane era stato in Asia.
e. era già uscito.
f. il libro che ti avevo prestato tempo fa?
g. ma poi ha cambiato idea.
h. eravate già usciti.
i. come avevo sperato.
j. gli aveva scritto.

4. Completate il testo con il trapassato prossimo dei verbi indicati.

a. Quando siamo arrivati a Perugia il tempo (rimettersi) .... completamente. (noi - fissare)

.... il programma già prima di partire e quindi siamo andati subito in piazza Duomo

perché (noi - decidere) .... di trovarci lì con gli altri.

b. Quando siamo andati a prenderla Bianca (uscire) .... già ....

Ci (aspettare) .... per mezz'ora, ma poi (stancarsi) ...., (prendere)

.... il bus ed (andare) .... in città da sola.

c. Appena l'ho vista mi sono reso conto che nessuno l' (avvertire) .... Non sapeva

assolutamente nulla di quello che (noi-decidere) ...., nessuno le (telefonare)

.... e le (comunicare) .... i nostri progetti.

5. Completate con l'imperfetto, il passato prossimo e il trapassato prossimo.

Quando sono arrivato alla stazione di quel piccolo paesino l'ultimo treno per Roma .... (partire già).

.... (dovere) cercare un albergo e dormire là. .... (ricordarsi) di un posto in cui ....

(essere) qualche anno prima quando .... (venire) nello stesso paesino per un convegno. ....(cercare)

di ricordare la strada ma non .... (riuscirci). A quell'ora non .... (esserci) ormai più nessuno a cui

chiedere. .... (cominciare) a girovagare a caso per le stradine deserte. .... (avere) sonno e una

fame terribile. Non .... (mangiare) per tutto il giorno. All'improvviso in un vicoletto .... (vedere)

un'insegna accesa che .... (sembrare) la luce di una trattoria. .... (bussare) alla porta a vetri chiusa

e .... (intravedere) una signora che .... (pulire) il locale. Lei mi ha guardato facendomi segno che

.... (chiudere già). Le .... (spiegare) attraverso i vetri la mia situazione e mi .... (aprire).

Mi .... (offrire) un po' di zuppa e alcune bruschette che .... (preparare) per sé. ....

(bere) insieme un bicchiere di vino e .... (passare) tutta la notte a parlare delle nostre vite così diverse. Alle 5 di

mattina .... (uscire) da quel posto e .... (andare) alla stazione per prendere il primo treno in partenza

per Roma. .... (provare) uno strano senso di felicità da tempo sconosciuto.

6. Qual è il comparativo?

1. grande	a. superiore a
2. alto	b. maggiore di
3. piccolo	c. inferiore a
4. basso	d. minore di
5. bene	e. migliore di
6. male	f. meglio di
7. buono	g. peggio di

7. Completate le frasi con il comparativo degli aggettivi ed avverbi dell'esercizio n. 6.

1. Poiché Ivo conosce molte lingue ha .... possibilità di trovare lavoro.
2. Preferisco quel ristorante perché si mangia ....
3. Questa lana è molto cara, ma è di qualità ....
4. Il suo ultimo libro è senz'altro .... degli altri.
5. Purtroppo sta ....
6. Ha dovuto accettare uno stipendio .... al precedente.
7. Mauro ha vent'anni. Il fratello .... ne ha dieci.

8. Completate i dialoghi con: *superiore - migliore - peggio - meglio - maggiore*.

- Vorrei leggere qualcosa di Baricco, mi consigli *Seta* o *Senza sangue*?
- Mah, secondo me *Seta* è ...., ma dipende anche dai tuoi gusti.

- Qual è lo scrittore italiano di .... successo attualmente?
- Beh, è un po' difficile dirlo. A me piacciono molto *Maggiani* e *Carofiglio*.

- Dove leggi di preferenza?
- A casa seduto in poltrona. Sto .... e mi sento più rilassato.

- Ti è piaciuta l'ultima opera di Teobaldi?
- Assolutamente no. Già dopo qualche pagina l'ho messo via. No, ... non si può.

- Di che cosa parla il libro?
- È un libro di fantascienza, ambientato nel 3001 su un lontano pianeta abitato da esseri di intelligenza
  .... e...
- Basta così. Non mi interessa!

9. Completate le frasi con le espressioni di tempo.

1. .... si sono trasferiti, non si sono più fatti sentire.
2. Sono partiti .... di giugno.
3. .... siamo andati a prendere un aperitivo al bar e .... al ristorante.
4. .... andava a lezione di pianoforte.
5. Fatti vivo .... arrivi, mi raccomando!
6. Non c'è più niente da fare, ... è inutile.
7. Partiamo .... di agosto. In ogni caso non oltre il 5.
8. .... uscire, ricordati di dare da mangiare al cane.
9. .... non si è fatto vivo.
10. .... non l'aiuterò più. Basta, mi sono stancata.

appena - ormai - prima - poi - prima di - da quando - all'inizio - alla fine - ogni due giorni - finora - d'ora in avanti

10. Completate il testo con i connettivi di tempo richiesti dal contesto.

.... ha smesso ti telefonarmi e .... non si è fatto

più sentire. Devo dire che .... non mi è mancato, era un tipo piuttosto inaffidabile.

.... penso un po' a lui, ma non rimpiango nulla, ... è

acqua passata, sai. .... starò più attenta nello scegliere gli uomini, e comunque spero

di trovare quello giusto ....

.... sono single sto facendo tante nuove conoscenze e ....

non so proprio decidere con chi uscire.

Al momento non ho assolutamente voglia di legarmi, ma forse ....

un giorno, da quando, a volte (2x), d'ora in avanti, a un certo punto, da allora, prima o poi, ormai, finora.

11. Completate come nell'esempio.

Breve storia della letteratura italiana.

Dante Alighieri (1265-1321); poeta vissuto fra il *Duecento* e il *Trecento* è uno dei maggiori rappresentanti della letteratura italiana. La sua opera più conosciuta e studiata è certamente la *Divina Commedia*.

Francesco Petrarca (1304-1374), è un famosissimo poeta del .... La sua opera più famosa è il *Canzoniere*, una raccolta di 366 poesie dedicate a "Madonna Laura".

Giovanni Boccaccio (1313-1375), altro autore del ...., scrisse il *Decameron* e numerose altre opere.

Ludovico Ariosto (1474-1533), vissuto fra il .... e il .... è l'autore di uno dei più importanti poemi cavallereschi: l'*Orlando Furioso*.

Torquato Tasso (1544-1595) è uno dei più importanti rappresentanti del .... Fra le sue opere più famose ricordiamo *La Gerusalemme Liberata*.

Uno dei rappresentanti del .... è il poeta Giovan Battista Marino (1569-1625). Il suo capolavoro è *Adone*.

Nel .... sono da ricordare: Vittorio Alfieri (1749-1803) e Carlo Goldoni (1707-1793), autore di famosissime commedie ambientate a Venezia.

Autori dell' .... sono Giacomo Leopardi (1798-1837), Alessandro Manzoni (1785-1873), autore del famosissimo *I Promessi Sposi*, Giovanni Verga, Giosuè Carducci e Giovanni Pascoli.

Nel .... abbiamo numerosi poeti e scrittori di grandissima importanza: Pirandello (Nobel 1934), Quasimodo (Nobel 1959), Ungaretti, Montale, Buzzati, Moravia, Pavese, Silone, Calvino, Morante, Svevo.

12. Mettete le forme del passato remoto nella colonna giusta.

	Passare	Credere	Partire	Essere	Rispondere
io		credei	partii	fui	risposi
tu		credesti			rispondesti
lui			partì		
lei	passò				
Lei					
noi	passammo		partimmo		
voi		credeste		foste	
loro			partirono	furono	risposero

passai - partiste - fummo - rispose - rispondeste - credé - fu - rispondemmo - passasti - credemmo - passaste - crederono - partisti - fosti - passarono

13. Ecco le biografie di un famoso scrittore del passato e di uno del presente. Completatele secondo l'esempio.

cominciò - soggiornò - dedicò - iniziò - morì - scrisse - *nacque* - istituì - ritirò - assisté

Giovanni Boccaccio

Giovanni Boccaccio *nacque* nel 1313 a Certaldo in Valdelsa. Dopo anni sprecati in studi che non lo interessavano, ... ad occuparsi di ciò che gli stava a cuore, la poesia e la letteratura.

.... numerose opere tra cui l'*Amorosa visione, Elegia di madonna Fiammetta, il Filostrato e il Filocolo.*

Fra il 1345 e il 1347 .... a Ravenna e poi a Forlì. Rientrato a Firenze nel 1348 .... agli orrori della peste, poi rievocata nell'opera che rappresenta il culmine della sua esperienza creativa, il *Decameron* (1349-1351). Dopo la composizione del *Decameron,* .... per Boccaccio un periodo più spirituale e meditativo.

Si .... allo studio dei classici e .... a Firenze la prima cattedra di greco.

Verso la fine della sua vita si .... a Certaldo dove .... il 21/12/1375, un anno e mezzo dopo il suo amico Petrarca.

Umberto Eco

Saggista, scrittore e semiologo di fama internazionale, Umberto Eco (nascere) <u>è nato</u> ad Alessandria

nel 1932 e (laurearsi) .... all'età di 22 anni, all'Università di Torino.

Dal 1954 al 1959 (lavorare) .... come editore dei programmi culturali della Rai.

Negli anni '60 (insegnare) .... prima presso la Facoltà di Lettere e Filosofia

dell'Università di Milano, poi presso la Facoltà di Architettura dell'Università di Firenze e infine presso

la Facoltà di Architettura del Politecnico di Milano.

Dal 1959 al 1975 (lavorare) .... per la casa editrice Bompiani e nel 1975 (ricevere)

.... la cattedra di semiotica presso l'Università di Bologna.

Nel 1980 (esordire) .... nel campo della narrativa con un romanzo che (avere)

.... un clamoroso successo internazionale, *Il nome della rosa,* a cui (seguire)

.... numerosi altri romanzi: *Il pendolo di Foucault, L'isola del giorno prima,*

Baudolino, La misteriosa fiamma della regina Loana.

14. Completate il testo con il passato remoto dei verbi indicati fra parentesi.

Mara *aveva deciso* di passare alcuni giorni in campagna da certi suoi parenti. (Partire) ....

di mattina presto per evitare la corriera delle dieci che di solito era strapiena. Quando (arrivare) ....

in paese non c'era nessuno ad aspettarla e così (andare) .... nel primo negozio che (trovare)

.... aperto per chiedere se c'era la possibilità di chiamare un tassì. Il negoziante era un giovanotto

molto simpatico e (essere) .... molto gentile con lei, (offrirsi) .... di

accompagnarla dai suoi parenti. Doveva solo aspettare un'oretta, prima non poteva perché il negozio chiudeva all'una.

Lui la (invitare) .... a sedersi e le (offrire) .... qualcosa da leggere e una bibita.

15. Scegliete la variante giusta.

1. Giulio Cesare conquistò ☐ ha conquistato ☐ conquistava ☐ molti paesi.

2. Alcuni mesi fa andai ☐ sono andato ☐ andavo ☐ a Berlino per una conferenza.

3. Passai ☐ Sono passato ☐ Passavo ☐ sempre a prenderla verso le dieci.

4. Il mio bisnonno partì ☐ è partito ☐ partiva ☐ per l'America nel 1890.

5. Quando gli telefonai ☐ ho telefonato ☐ telefonavo ☐, erano appena usciti. Proverò sul cellulare.

6. Mia nonna fu ☐ è stata ☐ era ☐ una donna molto bella.

7. Marco finì ☐ ha finito ☐ finiva ☐ di lavorare e poi è uscito con amici.

8. Ci trasferimmo ☐ Ci siamo trasferiti ☐ Ci trasferivamo ☐ a Milano cinque o sei mesi fa.

9. Agli inizi del '900 ci fu ☐ c'è stata ☐ c'era ☐ una forte corrente migratoria.

10. Nel 1860 Garibaldi partì ☐ è partito ☐ partiva ☐ da Quarto con mille soldati.

16. Completate con i seguenti connettivi di tempo:

.... lo abbiamo passato in Francia. Avevamo deciso di passare un lungo periodo all'estero e quindi abbiamo fatto di tutto per trovare un lavoro. Siamo partiti .... con l'indirizzo di una piccola pensione e pochi soldi in tasca. Un compagno d'università, che era a Parigi già ...., ci aveva promesso di trovarci un lavoro in un ristorante italiano che offriva vitto e alloggio e un piccolo stipendio mensile. L'unico problema era che il ristorante .... chiudeva per un mese e noi .... dovevamo arrangiarci da soli. C'era comunque un grande vantaggio: il ristorante non apriva mai .... e così potevamo avere tutto il giorno a disposizione e andare alla scoperta della città e delle parigine .... fino ....

in quel periodo - quell'anno - dall'anno precedente - a metà luglio - prima delle sei di sera - a fine estate - dall'alba - al tramonto

17. Leggete il seguente testo.

LE PIÙ BELLE E INTERESSANTI BIBLIOTECHE ITALIANE

BIBLIOTECA AMBROSIANA
È una storica biblioteca milanese fondata nel 1607 dal cardinale Federico Borromeo. Fu la seconda biblioteca aperta al pubblico in Italia, dopo la **Biblioteca Angelica di Roma** (1604).
Il patrimonio della **Biblioteca Ambrosiana** comprende innumerevoli capolavori che ne fanno una delle biblioteche più prestegiose del mondo. Fra essi: 1199 fogli del **Codice Atlantico** di Leonardo da Vinci, il **De Prospectiva Pingendi** di Piero della Francesca e una serie immensa di manoscritti autografi di Petrarca, Ariosto, Machiavelli, Galileo, Manzoni.

BIBLIOTECA APOSTOLICA VATICANA
Possiede una delle raccolte di testi antichi e libri rari più importanti del mondo.
La sua fondazione è del **Papa Sisto IX**, nel giugno 1475, che volle mettere a disposizione degli studiosi l'inestimabile patrimonio librario in essa contenuto.
Tra i pezzi più famosi della biblioteca c'è il **Codex Vaticanus**, il più antico manoscritto della Bibbia che si conosca.
Dal 1985 esiste un catalogo informatico, consultabile in rete, dei volumi a stampa moderni. L'accesso alla biblioteca è consentito solo a docenti e ricercatori universitari.

BIBLIOTECA NAZIONALE CENTRALE DI FIRENZE
Originariamente la biblioteca aveva sede nei locali degli Uffizi e solo dal 1935 si trova in un edificio monumentale sul Lungarno all'altezza della **Piazza dei Cavalleggeri**.
È una delle più importanti biblioteche europee e la più grande biblioteca italiana.
Gli scaffali coprono attualmente 105 km lineari, con un incremento annuo di un km e 475 metri.

Il nome è abbreviato con la sigla BNCF. La prima apertura al pubblico risale al 1747 e dal 1870 riceve per diritto di stampa una copia di tutto quello che viene pubblicato in Italia.

A causa dell'alluvione del 1966 l'acqua del fiume Arno la inondò fino a sei metri d'altezza, e danneggiò in particolar modo i depositi sotterranei che contenevano i nuclei più preziosi della biblioteca. Si evitò il peggio grazie all'aiuto degli **Angeli del Fango**, un esercito di volontari provenienti da tutto il mondo. Il direttore della BNCF di allora, **E. Casamassima**, liquidò l'allora Presidente della Repubblica **G. Saragat**, venuto in visita, con la laconica frase: "Presidente ci lasci lavorare".

Il **Centro Restauro** creato per l'occasione è riuscito a salvare una parte del patrimonio librario, molte delle opere, però, sono perse per sempre.

BIBLIOTECA NAZIONALE MARCIANA

È la più importante biblioteca di Venezia e una delle raccolte di manoscritti greci, latini ed orientali del mondo. Si trova sulla parte inferiore di **Piazza San Marco** ed occupa il **Palazzo della Libreria e la Fabbrica della Zecca**.

Il primo nucleo risale al 1468. La Marciana è specializzata in filologia classica e storia di Venezia.

Tra gli esemplari più importanti: due codici dell'**Iliade**, un manoscritto di **Plinio** e una raccolta delle **Aldine**. La biblioteca dispone anche di una notevole collezione di mappe e atlanti, fra cui una mappa del mondo del 1459.

A quali biblioteche si riferiscono le seguenti affermazioni?

1. È una biblioteca che contiene soprattutto libri di storia e di filologia classica.
2. Si occupa dell'attualizzazione della lista delle pubblicazioni italiane.
3. A causa di una catastrofe naturale ha perso gran parte dei suoi libri.
4. Contiene manoscritti autografi di numerosi scrittori italiani.
5. Possono utilizzarla solo docenti e ricercatori.
6. La biblioteca cresce di circa un chilometro e mezzo all'anno.

18. Scrivete di una famosa biblioteca del vostro Paese.

Chi l'ha fondata? A quale secolo/anno risale? Che tipo di libri contiene? Dove si trova? Altre informazioni...

1. Scegliete la definizione più adatta per "giallo".

a) Racconto, romanzo, dramma o film poliziesco. ☐

b) Testo narrativo dall'intreccio particolarmente avvincente, in grado di produrre nei lettori tensione, ansia e paura. ☐

c) Testo narrativo dall'intreccio particolarmente singolare o straordinario, dalle imprese rischiose e affascinanti. ☐

2. Completate la frase con le parole adatte.

Il nuovo libro di Ammaniti ha una .... (1) davvero interessante, il .... (2) è molto particolare: "Come Dio comanda". Il libro .... (3) di un particolare rapporto tra padre e figlio.

(1)	(2)	(3)
a) tensione	a) titolo	a) ci dice
b) drammaticità	b) nome	b) racconta
c) trama	c) profilo	c) ci offre

3. Completate con il trapassato prossimo dei verbi tra parentesi.

Prima della sua permanenza a Ravenna, Dante .... (essere) esule in molte altre città italiane. .... (trovare) appoggio presso le corti settentrionali a Verona, Treviso e Ravenna.

4. Completate con il passato remoto dei verbi tra parentesi.

La stampa .... (nascere) nel `500 e .... (essere) uno dei motivi dell'espansione del libro presso il grande pubblico. Con l'invenzione dei caratteri mobili di Gutenberg .... (iniziare) una nuova epoca per la letteratura di tutto il mondo.

5. Scegliete l'aggettivo o l'avverbio corretto.

a) Ho letto troppo al buio, adesso ci vedo ....
male - peggiore - cattivo

b) Questo racconto è davvero .... del primo!
meglio - migliore - bene

c) In rete puoi comprare dei libri, ma il risparmio è
....
meno - minimo - male

6. Qual è la preposizione corretta? Scegliete.

Avevo sentito parlare .... (1) questo autore, ma finora non ho letto niente di suo. Il suo ultimo libro è piaciuto molto anche .... (2) mia sorella. Domani ne comprerò una copia anche .... (3) me.

(1)	(2)	(3)
a) su	a) di	a) a
b) a	b) in	b) per
c) di	c) a	c) con

7. Dovete fare un paragone. Scegliete la frase appropriata.

a) Secondo me questo libro non può avere molto successo. ☐

b) Per me il primo libro era molto migliore del secondo. ☐

c) Non riesce più a scrivere un buon libro! ☐

8. Dovete descrivere la trama di un libro.

a) È ambientato in un paese fantastico ed è molto bello. ☐

b) Tratta di una relazione tra due donne subito dopo la seconda guerra mondiale. ☐

c) Il protagonista principale è un uomo dal carattere difficile e scontroso. ☐

Valutazione: 100% - 80% Hai una profonda conoscenza della materia della lezione
70% - 50% Ripeti le parti nelle quali sei meno ferrato
40% o meno Ripassa bene la lezione: grammatica, lessico e fraseologia

a caso

accesso

aggiungere

alloggio

ambientare

ammettere

aperitivo

argomento

arrangiarsi

assemblea

assorbire

avvincente

biografia

bruciare

bugiardo

calore s.m.

capolavoro

capovolgere

casa editrice

catalogo

cattedra

cattiveria

citazione s.f.

collezione s.f.

composizione s.f.

confessare

consiglio

consultabile

contenere

copertina

creativo

d'avventura

dedicato

deposito

dito / dita

divertire

docente s.m.

dorato

editore s.m.

entusiasta

esemplare

esperto

evitare

fantascienza

fantastico

fenomeno

fila

finale s.m.

fondare

fondazione s.f.

formidabile

fumetto

gamba

grano

horror

inaspettato

intervistato

intrigante

ironia

manoscritto

mappa

monumentale

negare

occuparsi

paradosso

parodistico

patrimonio

poesia

poeta s.m.

pregiato

prestigioso

progetto

protagonista s.m. / f.

raccolta

rappresentante s.m.

recensione s.f.

rendersi conto

ricercatore

romanzo

rovente

ruolo

saggio

saggista s.m.

salvare

sapiente

sbriciolare

scaffale s.m.

scegliere

scia

sconosciuto

scrittore s.m.

semiologo

serie s.f.

stanco

stipendio

storico

thriller

trama

uccidere

vergogna

vittima

vitto

Il **cui** di possesso

L'uso del *cui* di possesso è prevalentemente letterario:

Ho conosciuto un tale di nome Santini. Il padre **di questo Santini** andava a scuola con mia madre.
Ho conosciuto un tale di nome **Santini il cui** padre andava a scuola con mia madre.

Dante morì esule a Ravenna nel 1321. **Le sue** opere sono note in tutto il mondo.
Dante, le cui opere sono note in tutto il mondo, morì esule a Ravenna nel 1321.

il cui padre	i cui amici
la cui sorella	le cui opere

Posizione dei pronomi

(vedi anche volume 1)

PRIMA del verbo:
- con l'imperativo formale (Lei)
- frasi positive o interrogative

DOPO il verbo:
- con l'imperativo informale e plurale (tu, noi, voi)

Formazione delle parole [I]

nomi da aggettivi:	
- **ezza:** - **izia:** - **ia:**	bellezza, altezza, magrezza, saggezza, debolezza. giustizia, immondizia, pigrizia. gelosia, pazzia, allegria, borghesia. **ma:** anarchia (anarchico), monarchia (monarchico), democrazia (democratico).
- **tà/-ità:** - **itudine:**	fedeltà, teatralità, libertà, verità, curiosità, felicità. solitudine; altitudine.
nomi da verbi:	
- **mento:** - **ato/a, ito/a, uta:** - **ante /ente:** - **tore/ttore/itore:**	insegnamento, cambiamento, legamento, affollamento. uscita, entrata, camminata, salita, spremuta, veduta. cantante, studente. importatore, produttore, trasmettitore.

(vedi anche unità 7)

Uso dell'articolo indeterminativo e determinativo

È **un** bel libro!

È **il** libro di mio fratello.

Si usa l'articolo indeterminativo:	Si usa l'articolo determinativo:
per indicare un dato nuovo: *ieri ho incontrato **un** uomo al supermercato;*	**per indicare un dato conosciuto:** *l'uomo era il fratello di una mia amica;*
per indicare un elemento di un gruppo: ***un** italiano mi ha detto che c'è sciopero;*	**per indicare la categoria:** *l'italiano medio è...;*
per indicare un dato tra tanti: *mi ha regalato **un** libro di Eco.*	**per indicare un dato unico:** *mi ha regalato l'ultimo libro di Eco.*

Particolarità dell'articolo determinativo:

- con i nomi di persona l'articolo si omette:
  Hai visto Francesco?
  ma: spesso nel linguaggio familiare i nomi femminili
  (più raro i maschili) possono avere l'articolo:
  È arrivata **la** Francesca.

- con i cognomi di personaggi illustri si può usare l'articolo:
  il Manzoni, **il** Petrarca, **il** Perugino, **la** Morante, **la** Duse.

- con i nomi di città, piccole isole italiane e isole straniere
  al singolare in genere si omette:
  Roma è la capitale d'Italia; Capri è fantastica!; Cuba è
  un sogno.
  ma: **il** Giglio, **l'**Elba, **il** Madagascar, **il** Borneo, **le** Maldive.

- con i nomi di stati e regioni si omette se preceduti dalla
  preposizione *in:*
  La Francia; **ma:** vado in Francia.

Dislocazione a destra e sinistra

L'uso ridondante di pronomi è molto comune nella lingua parlata quando si vuole marcare una frase. Ci sono due possibilità di ripresa del pronome: a destra del sostantivo o a sinistra prima del verbo:

dislocazione a destra

Il biglietto l'hai preso?

dislocazione a sinistra

L'hai visto **l'ultimo film** di Muccino?

Usi della preposizione **di**

specificazione	Le regole della strada.
possesso	La camicia di Francesco.
argomento	Un libro di arte.
materia	Una camicia di lana.

Aggettivi e pronomi indefiniti

- **Quale** penna vuoi?
- Una **qualsiasi/qualunque**.

- **Ogni** invitato deve portare un amico o amica alla festa.
- E se **qualche** persona è da sola?

- **Nessun** cliente ha telefonato?
- No, non ha telefonato **nessuno**.

- **Ciascuno** studente deve avere il proprio foglio.
- Va bene, facciamo una fotocopia per **ciascuno**!

- **Alcuni** studenti non sono venuti al convegno.
- … è sempre così! **alcuni** vengono **altri** no.

- **Tutti** gli studenti hanno superato l'esame?
- Sì, **tutti**.

Sono solo pronomi

- **Ognuno** ha detto cosa pensava?
- No, **qualcuno** non ha parlato.
- **Chiunque** può intervenire senza problemi.

- Ti serve **qualcosa**?
- No, grazie non mi serve **niente**.

1. Create voi liberamente una barzelletta con gli elementi dati e parlatene in classe. Su quali aspetti si ironizza?

Il paradiso è un posto dove .... sono

.... ,

.... , e tutto è

governato da ....

L'inferno è un posto dove .... sono

.... ,

.... , e tutto è

governato da ....

meccanici - poliziotti - amanti - cuochi

inglesi - italiani - francesi - svizzeri - tedeschi

2. Inserite le parole che mancano.

- Ha telefonato un .... Simonelli per te.
- Ah! E che voleva?
- Non lo so, ma ti richiama.

  - Ieri ho incontrato un .... strano al supermercato: io facevo la spesa e lui mi fissava con insistenza.
  - Forse ti ha scambiato per un'altra persona...

- Mio padre conosce un .... che ha comprato un'isola disabitata.
- Certo che deve essere una persona socievole!

  - Conosci per caso .... che può aiutarmi a rivendere la mia bicicletta?
  - Ma se l'hai appena comprata!

tipo - tale - certo - uno

3. Completate le frasi usando il pronome di possesso *cui*.

L'uomo la cui macchina è parcheggiata qui davanti, è un famoso cabarettista.

1. Conosci quel ragazzo .... amico ....

2. Tutti gli studenti .... esami ....

3. Un tizio .... bicicletta ....

4. La sorella di Carlo .... amica ....

5. L'autore .... libro ....

6. La ditta .... produzione ....

il cui - la cui - i cui - le cui

4. Collegate le frasi A e B usando *cui*.

Roberto aveva un laboratorio di calzature.	Il cognato di Roberto era stato a scuola con mia madre.

Roberto, **il cui cognato** era stato a scuola con mia madre, aveva un laboratorio di calzature.

Francesco si è trasferito in Germania.	La sorella di Francesco studia all'Università.

Ho conosciuto un certo Riccardo.	Il padre di Riccardo andava a scuola con il mio.

Ho invitato Rosanna.	I suoi genitori sono amici dei miei.

Caravaggio era noto per il suo brutto carattere.	Le sue opere sono considerate rivoluzionarie.

----

5. Guardate la seguente pagina del Grande dizionario dell'uso della lingua italiana di Tullio de Mauro.

a. Cercate tutte le abbreviazioni e trascrivetele a lato con il loro significato.

stereotipico /stereoˈtipiko/ (ste·re·o·ti·pi·co) agg. TS tipogr. [1960; der. di *stereotipia* con *-ico*] **1** relativo alla tecnica della stereotipia: *procedimento s.* **2** CO relativo a uno stereotipo □ (*3*).
stereotipista /stereotiˈpista/ (ste·re·o·ti·pi·sta) s.m. e f. TS tipogr. [1891; der. di *stereotipia* con *-ista*] operaio specializzato nella stereotipia □ (*35*).
stereotipo /stereˈɔtipo/ (ste·re·o·ti·po) agg., s.m. CO TS [1800; comp. di *stereo-* e *-tipo*, cfr. fr. *stéréotype*, 1797] **1** agg. TS tipogr., relativo alla stereotipia; stampato mediante stereotipia: *riproduzione stereotipa* **2** agg. BU fig., stereotipato, impersonale: *discorsi stereotipi, sorriso s.* **3a** s.m. CO modello ricorrente e convenzionale di comportamento, discorso, pensiero e sim.: *ragionare, parlare per stereotipi* **3b** s.m. TS psic., opinione precostituita, non acquisita sulla base di un'esperienza diretta e scarsamente suscettibile di modifica **3c** s.m. TS ling., successione fissa di parole che assume un significato globale e autonomo | singola parola o locuzione usata secondo preconcetti diffusi in una società (ad es. in Italia *tedesco* per "rigido", in Francia *ital*, cioè *italien*, per "imbroglione", e sim.) (abbr. ster.) DER. stereotipare SIN. **3a** cliché, luogo comune □ **1,2** (*1*) **3** (*12*) ~
edizione stereotipa → edizione ~ **lastra stereotipa** → ¹lastra ¬.

agg.	= aggettivo
tipogr.	= ....

----

b. Leggete il significato delle seguenti sigle: fate un elenco di parole per ogni categoria e confrontatela poi in classe.

FO fondamentale - AU di alto uso - AD di alta disponibilità - CO comune - TS di uso tecnico-specialistico - LE di uso solo letterario - RE regionale - DI dialettale - ES esotismo - BU di basso uso - OB obsoleto

6. Completate liberamente con le espressioni date.

Non sono d'accordo - Ma figurati! - Mi dispiace, ma la penso diversamente! - Non esagerare! - Ma che dici! - È assurdo!

• Ho deciso di cambiare lavoro!

• ....

• Questo lavoro è fatto velocemente e male!

• ....

• Gli italiani sono caotici e confusionari.

• ....

• Ho lavorato tutto il giorno e la notte!

• ....

• Questa casa costa almeno mezzo milione di euro!

• ....

• Sono sicura che se glielo chiedi ti dà un aumento di stipendio.

• ....

7. Esprimere incredulità 😮 o disaccordo 😞 secondo le indicazioni.

1. Sai che Roberto ha lasciato la sua ragazza?
2. Gli svizzeri sono tutti puntuali.
3. Ho deciso di cambiare città.
4. Il comune di Roma ha deciso di far pagare il biglietto d'ingresso ai turisti.
5. L'essere umano diventa sempre peggiore!
6. Parlare altre lingue non serve proprio a niente!
7. Sai che in un paesino laziale hanno vietato l'uso del cellulare per strada?

😮 - Mi sembra una cosa improbabile!

😞 - ....

😞 - ....

😮 - ....

😞 - ....

😞 - ....

😮 - ....

8. Guardate la cartina e...

Cosa si dice degli italiani regione per regione:

i piemontesi sono
.... R ...... ESI

i genovesi sono
...... V ...... R ......

i milanesi sono
...... F ...... I .... EN I

i veneti sono
...... EV .... OR ......

i romagnoli
...... A ...... IO .... L I

gli umbri
...... HI I

i romani
...... U RI ....

i napoletani
.... AR ...... M .... T CI

i sardi
...... E .... AR I

i siciliani
.... O I

i calabresi
...... O .... T ...... O I

i pugliesi
.... NI I

sospettosi - ironici - gelosi - testardi - burini - scaramantici - chiusi - passionali - efficienti - bevitori - avari - cortesi

9. Scrivete i verbi all'imperativo.

verbo	pronome indiretto	oggetto		imperativo + pronomi	
portare	a me	la penna	→	(tu)	portamela!
leggere	a noi	una storia	→	(voi)	....
consigliare	a me	un ristorante	→	(tu)	....
indicare	a lui	una soluzione	→	(tu)	....
mostrare	a lei	una camera	→	(voi)	....
raccontare	a noi	la vicenda	→	(voi)	....
dire	a me	la verità	→	(tu)	....
fare	a noi	un favore	→	(tu)	....
dare	a me	due libri	→	(tu)	.... due.
comprare	a lei	un po' di pane	→	(tu)	.... un po'.

10. Inserite i pronomi necessari.

1. Hai preso tu la mia penna? Restituisci .... subito!

2. Hai detto a Gianfranco della festa? Di .... stasera stessa!

3. Ti piace questo vestito? Compra ....!

4. Se hai fame c'è uno yogurt in frigo, mangia .... pure.

5. Hai un dizionario? Da .... un attimo, devo controllare una parola.

6. Ma avete visto Francesco! Guardate .... con la sua nuova moto!

7. Sono stanca! Prendiamo .... un caffè!

8. Adesso hai proprio esagerato. Smetti .... di offendere!

9. Che bella questa foto! Fa .... vedere meglio da vicino!

10. Ora basta! Sta .... a sentire una buona volta!

11. Completate con i pronomi combinati e l'imperativo. Attenzione alla posizione.

• Sai che mi hanno raccontato una barzelletta fantastica sui carabinieri?

• Dai! (raccontare)...........................!

    ◦ Dott. Romano, ho scritto l'articolo sugli italiani all'estero.

    • Bene! (fare).............................. vedere!

• Certo che questa borsa è veramente bella e non costa troppo.

• Se ti piace, (comprare).....................................!

    ◦ Abbiamo fatto delle bellissime foto in vacanza.

    • Davvero? (mostrare)..................................! Siamo molto curiosi.

• Signor Giannini, cosa faccio con le immagini che mi ha chiesto?

• (spedire)............................. per e-mail.

    ◦ Franca, che ne dici di questo appartamentino al mare?

    • È perfetto per voi due. (prendere)........................ in affitto per un anno!

12. Raggruppate le parole in insiemi e scrivete da quale parola derivano.

fedeltà	cambiamento	altezza	curiosità	altitudine
verità	spremuta	teatralità	saggezza	entrata
bellezza	insegnamento	solitudine	magrezza	affollamento

fedeltà → fedele	*bellezza → bello*	...	...	

13. Formate il sostantivo dalle parole seguenti.

Dario Fo

Beppe Grillo

anarchico	→ anarchia
loquace	→ ....
teatrale	→ ....
saggio	→ ....
importante	→ ....
solo	→ ....
affollare	→ ....
democratico	→ ....
insegnare	→ ....

14. Completate con la preposizione *di* e gli articoli.

Restate qui dieci giorni? Facciamo così: durante il viaggio, studieremo tre luoghi al giorno. Luoghi classici, quelli di cui il mondo parla molto, forse perché ne sa poco. Cominceremo da un aeroporto, visto che siamo qui. Poi cercherò di spiegarvi le regole .... strada e l'anarchia .... ufficio, la loquacità .... treni e la teatralità .... albergo, la saggezza seduta .... ristorante e la rassicurazione sensuale .... chiesa, lo zoo .... televisione e l'importanza .... spiaggia, la solitudine .... stadi e l'affollamento in camera da letto, le ossessioni verticali .... condomini e la democrazia .... soggiorno (anzi: .... tinello). Dieci giorni trenta luoghi. Dobbiamo pur cominciare da qualche parte, per trovare la strada che porta nella testa .... italiani.

[Beppe Severgnini, *La testa degli italiani*, Rizzoli, 2005]

15. Completate con gli articoli determinativi e indeterminativi.

.... uso del linguaggio delle mani è .... caratteristica di tutti .... popoli
mediterranei. Ma a Napoli la comunicazione con .... gesti assume .... forme più
bizzarre e teatrali, fino a sfiorare .... arte.
Molti sono stati e sono .... studi dedicati alla gestualità degli italiani, in particolare
dei napoletani, che è principalmente di tipo simbolico, piuttosto che mimico.
Potrebbe quindi essere utile avere .... "vocabolario" minimo per ....
conversazione di emergenza. .... immagini qui di seguito sono tipiche del napoletano,
anche se alcune sono presenti in tutto .... meridione se non addirittura in tutta
.... penisola.

16. Completate le descrizioni con gli articoli e combinatele con le immagini.

"Fanno combutta"

.... pollice è unito a tutte .... dita della mano rivolte
verso .... alto. .... polso oscilla ripetutamente avanti
e indietro.

"Amici per la pelle"

Questo è forse uno dei gesti che è bene imparare subito, perché è
tra .... più popolari e noti. Se rivolto a .... uomo è
.... offesa peggiore, perché significa che .... compagna
lo tradisce. Le corna rivolte verso .... basso servono invece
contro .... malocchio.

"Ma cosa stai dicendo!?"

È usato per far capire che due persone se la intendono. Spesso riferito a
persone che uniscono .... loro forze per scopi anche poco legali.

"Le corna"

Indica .... amicizia forte. È .... gesto diffusissimo
e legato non solo all'ambito napoletano. Serve per sancire ....
patto indissolubile.

17. Completate le frasi con gli articoli determinativi se necessari.

1. È arrivato .... Francesco.

2. .... Giovanna ha scritto.

3. Siamo stati a .... Capri.

4. .... Petrarca è morto nel 1374.

5. .... Giglio è un'isola fantastica.

6. .... Maldive sono il mio sogno.

7. .... Spagna ha una popolazione di circa 45 milioni
di abitanti.

8. .... cane è il migliore amico dell'uomo.

9. .... Callas ottiene il suo primo grande successo
alla Fenice di Venezia nel 1949.

10. .... Luciano Pavarotti muore nel 2007.

18. Leggete i seguenti titoli di blog e sottolineate i pronomi. A cosa si riferiscono?

Caos Calmo: e chi l'ha visto il film? C'era Nanni Moretti.

...Ma la partita la volevi vincere con un tiro in porta?

Ma tu a Napoli ci sei mai stato?

Pizzeria cartoon chi ci è mai andato?

L'avete mai visto un sito così?

Mary, questo lavoro non me l'avevi mai mostrato... troppo bello!!!

Ma tu quella scena l'avevi già vista da qualche parte?

Ve l'avevamo detto di non farlo, guardate che casino!

Caramelle non ne voglio più!

19. Trasformate le frasi come nell'esempio.

1. Hai mangiato la pizza? → *La pizza, l'hai mangiata?*
2. Vado a Milano volentieri. → ....
3. Voglio solo un etto di questo prosciutto. → ....
4. Avete comprato i biglietti? → ....
5. Siete passati da casa? → ....
6. Hai invitato Marta e Francesca? → ....
7. Hai chiamato i tuoi genitori? → ....

20. Trasformate le frasi come nell'esempio.

1. Hai visto l'ultima partita di calcio? → *L'hai vista l'ultima partita di calcio?*
2. Hai fatto i compiti? → ....
3. Hai comprato abbastanza prosciutto? → ....
4. Hai avvisato i tuoi genitori? → ....
5. Avete spento il fornello? → ....
6. Hai messo la chiave in borsa? → ....
7. Hanno preso i passaporti? → ....

21. Raggruppate le parole negli insiemi.

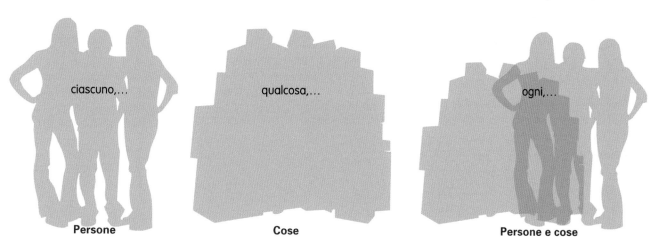

ciascuno,...

qualcosa,...

ogni,...

Persone

Cose

Persone e cose

ogni - ciascuno - ognuno - qualche - nessuno - chiunque - quale - tutti - qualcuno - alcuni - qualcosa - qualsiasi - altri - niente

22. Completate con le parole dell'esercizio precedente.

1. .... persona deve rispettare le regole della strada.

2. .... ha portato .... da mangiare e ci siamo divertiti molto.

3. .... hanno contribuito alle spese per comprare un nuovo frigorifero.

4. Peccato, ieri al convegno non c'era .... che conoscevo.

5. Sono già le sei e non abbiamo fatto ancora ....

6. Ho sentito un rumore, forse .... ha bussato?

7. Sono stanca! Mi prendo .... giorno di vacanza.

8. .... libro vuoi? Qui ce ne sono due!

9. Dammi una penna ...., devo scrivere urgentemente un numero di telefono.

10. A .... il suo destino!

11. .... sono arrivati in orario .... no.

12. Mi raccomando, di' a .... che sono fuori città.

23. Scrivete un breve brano sui vostri connazionali seguendo i punti.

- Quali sono gli stereotipi sul vostro Paese.
- Con quali siete d'accordo e con quali no.
- Cosa è per voi il vostro Paese e cosa non è.

1. Scegliete la definizione corretta di stereotipo.

a) Opinione precostituita, non acquisita sulla base di un'esperienza diretta e scarsamente suscettibile di modifica. ☐

b) Giudizio, opinione errata che dipende da scarsa conoscenza dei fatti o da accettazione non critica di convinzioni correnti. ☐

c) Ciò che si pensa di qualcuno o di qualcosa. ☐

2. Completate la frase con le parole adatte.

Molte abitudini sono radicate nel popolo italiano, altre cambiano. La grande .... (1) degli italiani fa colazione con un caffè e al massimo un cornetto.
La .... (2) di persone che consumano il pasto a casa purtroppo diminuisce rapidamente, mentre (3) .... i pasti consumati in fretta al bar o al fast food.

(1)	(2)	(3)
a) minoranza	a) frazione	a) aumentano
b) quota	b) percentuale	b) scendono
c) maggioranza	c) rata	c) si dividono

3. Completate la frase correttamente.

Perché non avete ancora dato i biglietti a Giulio e Maria? Ne hanno bisogno stasera!

a) Glieli dia ☐

b) Dateglieli ☐

c) Daglieli ☐

4. Formulate una domanda per ogni frase.

Caterina ha bisogno del libro oggi. (dare - tu) - Perché non glielo dai tu oggi?

a) Maria e Antonietta hanno bisogno delle fotocopie oggi pomeriggio. (portare - lei)

b) Luca e Giovanni vogliono le chiavi di casa stasera. (dare - tu)

c) Loro hanno bisogno dei programmi entro domani. (portare – voi)

5. Completate con il pronome relativo e la preposizione necessaria.

Purtroppo molte persone pensano solo per stereotipi, non conoscono davvero il Paese .... (1) parlano e spesso nemmeno quelli .... (2) viaggiano. Queste persone perdono la possibilità di scoprire la diversità, tutte le cose interessanti .... (3) senz'altro anche altri popoli hanno.

(1)	(2)	(3)
a) in cui	a) in cui	a) in cui
b) che	b) che	b) che
c) di cui	c) di cui	c) di cui

6. Rispondete alla domanda. Chi di voi è già andato a Roma in vacanza?

a) ciascuno ☐

b) nessun ☐

c) qualcuno ☐

7. Esprimete la vostra incredulità.

Aldo è il più bravo di tutti!

a) Sinceramente io non ne sono così convinta. ☐

b) È senz'altro un bravo ragazzo. ☐

c) Ma davvero! E chi lo dice? ☐

8. Esprimete il vostro disaccordo con la seguente affermazione.

Tutti gli italiani sono pigri.

a) Scusa, guarda che forse anch'io sono pigra, sai! ☐

b) Secondo me molta gente è pigra a questo mondo. ☐

c) Ma figurati! ☐

Valutazione: 100% - 80% Hai una profonda conoscenza della materia della lezione
70% - 50% Ripeti le parti nelle quali sei meno ferrato
40% o meno Ripassa bene la lezione: grammatica, lessico e fraseologia

abbastanza ....
affascinante ....
affollamento ....
anarchia ....
anima ....
appartenente ....
atteggiamento ....
banale ....
barzelletta ....
cadavere s.m. ....
capacità ....
categoria ....
cervello ....
citare ....
collegamento ....
complesso ....
complicato ....
conciliare ....
concreto ....
condanna ....
condividere ....
condominio ....
consumo ....
convinto ....
corruzione ....
curioso ....
democrazia ....
demografico ....
diabolico ....
difficoltà ....
diffuso ....
diminuire ....
disillusione s.f. ....
dogana ....
eccezionale ....
fascia ....
fiorire ....
genetico ....
gesticolare ....
gesto ....
giudizio ....
giustificare ....
imbarazzo ....
improbabile ....
inaffidabile ....
incremento ....
inferiorità ....
inferno ....
insegnamento ....
interesse s.m. ....
intolleranza ....
ironizzare ....
irrealizzabile ....
labirinto ....
lampadina ....
maleducato ....
meccanismo ....
mediocrità ....

morale ....
morte s.f. ....
motivazione s.f. ....
mutuo ....
natalità ....
necessità ....
nudità ....
nudo ....
orgoglioso ....
ossessione s.f. ....
paradiso ....
pazzia ....
percentuale s.f. ....
perfezionista s.m /f. ....
piangere ....
popolazione s.f. ....
preciso ....
pregiudizio ....
prevalenza ....
prevedere ....
primitivo ....
privato ....
proibizione s.f. ....
pubblico ....
purgatorio ....
quota ....
rassicurazione s.f. ....
reagire ....
regola ....
resoconto ....
rischiare ....
rumore ....
saggezza ....
scappare ....
sconcertante ....
sensuale ....
sezione s.f. ....
sfavorevole ....
smettere ....
sociale ....
società ....
sognare ....
solitudine ....
spendere ....
spettacolo ....
stereotipo ....
strano ....
sudore s.m. ....
superiorità ....
superstizione s.f. ....
svolgere ....
tabù s.m. ....
tale ....
tasso ....
teatralità ....
tipo ....
tramonto ....
zoo ....

Il futuro semplice: ripresa

Funzioni

chiedere conferma:	sarai d'accordo con me - mi darai ragione che - sarà pur vero che
fare una previsione:	avrai bisogno di - non sarà così facile - finirà tutto
ipotesi:	se avrò i soldi, farò un viaggio
riserva:	sarà anche bravo, ma...
dubbio:	avrà una cinquantina d'anni

(vedi anche volume 1)

Il futuro composto

Forma

con avere		con essere	
avrò	lavorato	sarò	arrivato/-a
avrai	venduto	sarai	venuto/-a
avrà	finito	sarà	partito/-a
avremo	visto	saremo	entrati/-e
avrete	detto	sarete	usciti/-e
avranno	fatto	saranno	tornati/-e

Uso

Appena avrò finito di studiare, andrò in vacanza.

Dopo che avrò visto il film, uscirò.

Quando saranno partiti, puliremo casa.

Il futuro composto si usa in una frase al futuro dopo le congiunzioni temporali: **dopo che, quando, appena, finché non.**

Le costruzioni impersonali

È necessario questo lavoro? **Occorre** un altro libro. **Serve** una sedia.	**Sono** necessari questi fogli? **Occorrono** più informazioni. **Servono** delle persone preparate.

Bisogna studiare di più	si usa solo con l'infinito

I verbi pronominali

Dov'è Francesco?
Se ne è andato!

Sono così stanca…
non **ce la** faccio più!

Perché Marta **se la** prende tanto?

cavarsela, accorgersene, fregarsene, smetterla, prendersela, andarsene, farcela, volerci, si usano sempre insieme ai pronomi.

Ci e **ne**: alcuni usi

ci credo	**ne** ho bisogno
ci tengo	non **ne** ho voglia
ci sto attento	me **ne** occupo io
ci sono riuscito	**ne** sono contento
ci penso io	non **ne** so nulla
ci vuole un'ora	**ne** sono rimasti delusi
ci conto	**ne** è innamorato
ci vado domani	se **n'**è dimenticato

Uso del **si** impersonale con i riflessivi

Si deve fare la raccolta differenziata.
Si devono sostenere le aziende biologiche.

Ci si deve servire dei mezzi pubblici.
Ci si deve accontentare di una sola macchina.

1. Mettete in ordine. Quali espressioni vengono usate per protestare, quali per giustificarsi?

Bell'incivile! - Mi allontano solo un attimo! - Ma insomma non sono affari Suoi! - Ma Lei è proprio un bel tipo! - Sono spiacente, ma... - Eh, sì, ma sa... - Non ci posso credere! - Ma dove vive?! - Scusi, se ne va così? - Ma perché se la prende con me, scusi? - Cosa ho fatto? - Io non ho fatto nulla!

PROTESTARE	GIUSTIFICARSI

2. Ricostruite il dialogo mettendo le battute nell'ordine giusto.

1. E allora?! Lo faccio io per loro.
2. Ma sa che Lei è proprio un bel tipo, ma cosa vuole?
3. Scusi, guardi che la fila la dobbiamo fare tutti, sa?
4. Insomma, Le ripeto che non sono affari suoi! Mi lasci in pace!
5. Ce l'ha con me? Ma perché non si fa gli affari Suoi? Lei non sta facendo la fila a questo sportello.
6. Io un bel tipo!? Non ci posso credere! È Lei che è un incivile, un maleducato.
7. Sì, ma è una questione di principio. Lei è il solito cafone che crede di poter fare quello che vuole, senza rispettare gli altri.
8. Senta mi lasci in pace. Non sono proprio in vena di discutere... può succedere di avere fretta... e poi in questa fila nessuno sta protestando.

3. Completate il testo con i verbi indicati.

Domani accadrà: i futurologi dicono che...

Nel 2200 un uomo su cinque .... il casalingo. .... le donne a mantenere la famiglia, mentre l'uomo .... a casa, ... delle pulizie, ... a fare la spesa, ... La vita di individui e società .... dominata dai computer che .... ogni lungaggine o difficoltà legata a pratiche burocratiche, comunicazioni, spese o spostamenti.

Si .... l'orario di lavoro: cinque ore al giorno per tre giorni alla settimana, le macchine .... il posto dell'uomo.

La vita media dell'uomo .... dagli attuali 75 - 80 anni a 115. Se nel frattempo la natalità nel Terzo Mondo .... al di sotto della "soglia di sostituzione" (2,2 figli per coppia), la popolazione mondiale si .... sugli otto miliardi di individui.

cucinerà - elimineranno - prenderanno - si occuperà - sarà - passerà - ridurrà - scenderà - assesterà - farà - andrà - resterà - saranno

4. Completate i dialoghi con le forme appropriate del futuro semplice o composto.

1. Chissà dove si (andare) .... a finire!

   - Su, non preoccuparti!

2. Quando (voi-venire) .... a trovarci?

   - Dopo che (noi-finire) .... il lavoro.

3. Sai se Franco è partito?

   - So che (lui-partire) .... la settimana prossima.

4. Chi (venire) .... alla festa?

   - (venire) .... tutti.

5. Non so se (loro-arrivare) .... in tempo!

   - Ma certo! Sono partiti presto.

6. Quanti anni (avere) .... quella ragazza?

   - (lei-essere) .... sulla ventina.

7. Quando siete arrivati?

   - (essere) .... le due.

8. Appena (noi-arrivare) .... ti (telefonare) ....

   - Sì, mi raccomando!

5. Completate le opinioni con il futuro composto o il futuro semplice dei verbi fra parentesi.

a. Secondo me nel 2200 si (arrivare) .... già su Marte o addirittura su pianeti di
lontanissime galassie. La terra non (essere) .... più abitabile, ormai (noi-consumare)
.... tutte le risorse e (renderla) .... un deserto inospitale.
La popolazione mondiale, che (scendere) .... a pochi milioni di individui (abbandonare)
.... il pianeta e (cercare) .... di colonizzare altri mondi.

b. Secondo me, invece, non (succedere) .... niente di tutto questo. Nel 2200 la popolazione
terrestre, che ormai (imparare) .... dai propri errori, (vivere) .... felice
in una specie di paradiso terrestre. Infatti, dopo che (smantellare) .... tutte le centrali nucleari
e rinunciato alle armi atomiche, (dedicarsi) .... alla cura e protezione dell'ambiente rinunciando
a tutto ciò che (potere) .... danneggiarlo.

6. Completate con il futuro semplice o composto dei verbi indicati.

DOMANI ACCADRÀ PARTE II

Leggere

I libri (essere) .... elettronici e si
(potere) .... collegare direttamente
al cervello.

Lavorare

Si (lavorare) .... a casa. Riunioni
e conferenze si (tenere) .... via
collegamenti satellitari, senza più bisogno di spostarsi.
Questo (favorire) .... la diminuzione
del traffico e un netto miglioramento delle condizioni
climatiche.

Viaggiare

Si (viaggiare) .... virtualmente.
Computer (simulare) .... per noi fatti ed
emozioni. Ci (piacere) .... veramente?
Con chi (andare) .... in vacanza?

Lavapersone

Si (entrare) .... in cabine speciali
che (fare) .... un lavaggio completo.
Quando le macchine (finire) ....
l'operazione di pulizia, un nastro trasportatore ci
(spostare) .... automaticamente in
una seconda cabina dove getti d'aria caldi ci (asciugare)
....

Per gli uomini

Un computer, chi se no, (calcolare) ....
la crescita della barba durante la notte e (azionare)
.... un raggio laser che (eliminare)
.... i peli uno per uno. Ma dopo che
(completare) .... quest'operazione,
vi (mettere) .... anche il dopobarba?

7. Trovate l'espressione corrispondente.

1. Ce l'hanno con noi?
2. Ce la fai o ti aiuto io?
3. Se ne frega di tutto.
4. Dai, non prendertela!
5. Allora, te la senti o no?
6. Come te la cavi con il tennis?

a. Come va, sei abbastanza bravo?
b. Beh, ne hai il coraggio?
c. Sono arrabbiati?
d. Ci riesci?
e. Non si interessa di nulla.
f. Su, non essere triste, non arrabbiarti.

8. Completate utilizzando le seguenti espressioni:

ce l'ha - non prendertela - te ne vai - se la prende - se la sente - me la cavo - non ce la faccio.

1. • Basta, sono proprio stufo di aspettare!

   • Ma .... così? Dai, resta ancora un po'.

2. • Senti, sono stanchissimo. Smettiamo?

   • D'accordo, anch'io sono a pezzi, ... proprio più.

3. • Senta, può togliere la macchina di lì? Non vede che non riesco più a uscire?

   • .... con me? Guardi che quella non è la mia macchina.

4. • Maria non mi saluta più. Fa sempre finta di non vedermi.

   • Su, ... Ormai dovresti saperlo che è tremendamente permalosa.

5. • Hai visto Gino per caso? Doveva dare l'esame, no?

   • Sì, è andato via. Ha detto che non .... e che proverà al prossimo appello.

6. • Cos'ha Gino? Mi sembra proprio nero.

   • Mah, ho sentito che discuteva con Saverio. Comunque lo sai che .... per un nonnulla.

7. • Ormai l'italiano devi parlarlo molto bene, no?

   • Sì, devo dire che .... abbastanza bene.

9. Completate le vignette con i verbi pronominali seguenti: cavarsela, accorgersene, fregarsene, farcela, andarsene, smetterla.

Beh, non ha mai sciato, ma non .... mica male!

Guardi che le sono cadute le chiavi!

Oh, grazie! Non ....

Non vorrai andare a scuola vestita così!?

Io faccio quello che mi pare. .... di quello che dicono i professori.

più, sono distrutta, vado a casa.

con quella musica, non vedi che sto lavorando!

Ma _____ proprio ora? Abbiamo quasi finito.

10. Completate i dialoghi coniugando i verbi fra parentesi.

1 • Quanti fogli (servirti) _____?

• (Servirmene) _____ quattro o cinque.

2 • (OccorrerLe) _____ altro?

• Sì, (occorrermi) _____ ancora alcune cosette.

3 • Quante ore (volerci) _____ per arrivare a Torino?

• Non è lontano. (Volerci) _____ un'oretta.

4 • Ma quanto tempo (volerci) _____ a finire questa benedetta relazione?

• Oh, senti, per fare le cose bene (bisognare) _____ lavorare con calma!

5 • Per l'escursione (essere necessario) _____ gli scarponi da montagna, la giacca a vento e…

• Sì, sì, lo sappiamo. Non è la nostra prima camminata in montagna!

11. Trasformate le frasi usando il *si* - impersonale.

Es.: *Bisogna rispettare la natura → Si deve rispettare la natura.*

1. Dobbiamo usare i mezzi pubblici.

→ _____

2. Possiamo fare molto di più.

→ _____

3. Bisogna usare pochi detersivi.

→ _____

4. Dobbiamo rifiutarci di usare plastica.

→ _____

5. Possiamo limitare gli sprechi di energia e acqua.

→ _____

6. Dobbiamo renderci conto che le risorse non sono infinite.

→ _____

7. Bisogna riciclare il più possibile.

→ _____

8. Insomma, dobbiamo impegnarci di più.

→ _____

12. Completate il testo con il *si* - impersonale e coniugando i verbi fra parentesi.

Com'è cambiata la vita! Un tempo non (alzarsi) _____ mai prima delle dieci, (fare) _____ colazione tranquillamente, poi (andare) _____ all'università, (seguire) _____ i corsi, (incontrarsi) _____ in mensa con gli amici, (chiacchierare) _____, (discutere) _____ e (ridere) _____. Il fine settimana (incontrarsi) _____ di nuovo e se non (dovere) _____ dare esami, (organizzare) _____ feste, cene o (vedersi) _____ in discoteca. Ora invece (svegliarsi) _____ presto, (correre) _____ a fare la doccia, (vestirsi) _____, (bere) _____ un caffè al volo e poi via. (salire) _____ in macchina, (arrabbiarsi) _____ per i semafori sempre rossi, e alle nove (arrivare) _____ già totalmente stressati in ufficio.

13. Leggete e rispondete alle domande. Alla fine scoprirete se siete consumatori ecologici o meno.

Siete consumatori ecologici?
Rispondete alle domande del questionario barrando la lettera corrispondente alla risposta. Controllate poi il vostro punteggio sommando i valori dati ad ogni risposta e scoprirete il vostro profilo.

1. Quando acquistate prodotti alimentari, cosa cercate principalmente sulle etichette?
   a. Componenti
   b. Data di scadenza e confezionamento
   c. Generalmente non leggo le etichette

2. Per voi, l'aspetto esteriore del prodotto alimentare è:
   a. Molto determinante
   b. Determinante solo per alcuni prodotti
   c. Poco determinante

3. Qual è il motivo che vi ha fatto scegliere il vostro rifornitore di prodotti alimentari?
   a. Vicinanza
   b. Risparmio/Qualità
   c. Possibilità di trovare tutto

4. Acquistate prodotti naturali o biologici?
   a. Mai
   b. Saltuariamente
   c. Spesso

5. Scegliete i detersivi in base:
   a. Al potere detergente
   b. All'economicità
   c. Alla massima biodegradabilità

6. Quali dei seguenti prodotti domestici usate in confezione "usa e getta"?
   - piatti
   - stoviglie
   - tovaglioli
   - fazzoletti
   - stracci (scottex)

   a. Se non avete barrato nessuna casella
   b. Se avete barrato da 1 a 3 caselle
   c. Se avete barrato più di tre caselle

7. Per gli acquisti al supermercato vi servite:
   a. Di qualsiasi tipo di sacchetto
   b. Esclusivamente di sacchetti di carta
   c. Di contenitori di stoffa e simili

8. Se acquistate un prodotto liquido, quale tipo di confezione preferite?
   a. Alluminio
   b. Plastica
   c. Vetro

9. Quale mezzo di trasporto usate abitualmente in città?
   a. Automobile
   b. Bici
   c. Mezzi pubblici

10. Quale mezzo di trasporto preferite per gli spostamenti a grande distanza?
    a. Automobile
    b. Aereo
    c. Treno

11. Vi considerate persone attente a evitare lo spreco di acqua e di energia?
    a. Poco
    b. Un po'
    c. Molto

12. Per dare un contributo contro lo sfruttamento delle risorse ambientali e degli altri popoli rinuncereste:
    - ai vostri cibi preferiti
    - a dei capi di abbigliamento
    - a un prodotto di bellezza
    - a un'auto di grossa cilindrata

    a. Se non avete barrato nessuna casella
    b. Se avete barrato 1 o 2 caselle
    c. Se avete barrato più di due caselle

PUNTEGGI

Domanda

1. a. 1 / b. 0 / c. 2
2. a. 2 / b. 1 / c. 0
3. a. 2 / b. 0 / c. 1
4. a. 2 / b. 1 / c. 0
5. a. 2 / b. 1 / c. 0
6. a. 0 / b. 1 / c. 2
7. a. 2 / b. 1 / c. 0
8. a. 1 / b. 2 / c. 0
9. a. 2 / b. 0 / c. 1
10. a. 2 / b. 1 / c. 0
11. a. 2 / b. 1 / c. 0
12. a. 2 / b. 1 / c. 0

Profili:

Consumatori ecologici da 0 a 8 punti.
Ogni vostro acquisto è oculato, meditato, assolutamente non casuale. Siete consapevoli dei fortissimi legami esistenti fra le vostre scelte, i vostri comportamenti e la sopravvivenza dell'ambiente.

Consumatori pentiti da 9 a 17 punti.
Non siete ancora del tutto convinti di dover cambiare le vostre regole di vita e vi chiedete se il comportamento del singolo sia davvero determinante per l'ambiente. State comunque cercando di fare del vostro meglio.

Consumatori DOC oltre i 18 punti.
Vi attira la confezione più lussuosa, il detersivo più pubblicizzato. Al buco dell'ozono non ci credete ancora. L' Amazzonia è troppo lontana e l'inquinamento atmosferico non è certo colpa della vostra auto! Che dire, siete consumatori al 100% e di tutto!

14. Con le indicazioni date scrivete un itinerario turistico aggiungendo dettagli di fantasia.

Isole Tremiti
Traghetto da Peschici. Visita delle isole con la barca. Snorkeling nelle grotte marine.

Castel del Monte
Camminata fino al castello attraverso il bosco. Visita del castello di Federico II. Pranzo con piatti medievali.

Castellana Grotta
Camminata nelle grotte per 3 chilometri. Visita alla grotta azzurra: capolavoro di scultura naturale.

Alberobello
La città dei trulli. Gelato nel trullo gelateria. Acquisti nei mercatini rionali.

Otranto.
Visita alla Cattedrale e al Borgo antico con viuzze bianche di pietra locale. Cena in una pizzeria con piatti tipici pugliesi.

Santa Maria di Leuca
Visita al Santuario e vista del panorama dei due mari al tramonto: Ionio e Adriatico.

Arrivati a Peschici ci si può imbarcare per le Isole Tremiti...

15. Combinate le espressioni aiutandovi con le letture a pagg. 50-51.

1. settimana	a. responsabile
2. scorci	b. biologica
3. panorami	c. turistico
4. fattoria	d. mozzafiato
5. faggi	e. archeologici
6. rete	f. secolari
7. escursioni	g. naturale
8. riserva	h. a tema
9. siti	i. di sentieri
10. itinerario	j. didattica
11. agricoltura	k. marini
12. turismo	l. all'aperto

16. Cercate il corrispettivo delle seguenti espressioni nei testi a pagg. 50-51.

1. Vacanza veloce e priva di interesse per la cultura locale.

----

2. Navigare fra le isole e poi fermarsi.

----

3. Panorami di incredibile bellezza.

----

4. Faggi molto vecchi.

----

5. Piccoli fiumi dall'acqua pulitissima.

----

6. Scavi di città antiche.

----

7. Percorso per turisti.

----

8. Piccole colline di sabbia.

----

17. Conoscete le sfumature di significato di _anzi_? Scrivetele nello spazio fra parentesi scegliendo fra le seguenti proposte: _addirittura/persino_, _al contrario_, o _meglio_.

1. Non mi aiutano, anzi mi ostacolano. (...................................)

2. La radio non mi disturba affatto. Anzi! (...................................)

3. Ti avvertirò appena sarà pronto. Anzi te lo porterò io stessa. (...................................)

4. Verremo presto, anzi prestissimo. (...................................)

5. Ti disturba la musica? No, anzi! (...................................)

6. È davvero brava. Anzi è la migliore della classe. (...................................)

18. Completate la lettera con: *inoltre, invece* (x 2), *anzi, insomma, infine*.

Cara Luisa,

sono appena tornata dal mio viaggio negli Stati Uniti. Come sai ci sono stata per la fiera. Speravo di avere

un po' di tempo per divertirmi e per fare shopping, ... ho dovuto lavorare come una matta,

.... non ho avuto neanche un minuto libero e la sera ero talmente stanca che non avevo

voglia di far nulla. .... una collega americana che doveva aiutarmi si è ammalata, e

per due giorni ho dovuto sbrigare tutto da sola. Il mio capo non solo non mi ha aiutato, ...,

non ha fatto altro che disturbarmi perché non sa nemmeno parlare l'inglese, pensa un po'!

..............................., dulcis in fundo, ... di ringraziarmi, mi ha detto che la prossima

volta farà da solo.

Un carissimo saluto

Amelia

19. Rispondete alle domande servendovi della particella *ci* e del verbo necessario.

1. - Ma tu credi davvero a quello che hanno detto?

 - Sì, ... Mi fido di loro.

2. - Franco tiene molto alla sua macchina, eh?

 - Sì, ... moltissimo.

3. - Stai attento tu ai bambini?

 - Va bene, ... attento io.

4. - Sei riuscito a rintracciarlo?

 - No, non ....

5. - Pensi tu a fare la spesa?

 - D'accordo, ... io.

6. - Quanto ci vuole per arrivare alla stazione?

 - .... circa venti minuti.

7. - Allora, conto sul vostro aiuto, eh!

 - Ma certo, puoi ....

 Siamo a tua disposizione.

8. - Quando andate da Carla?

 - .... domani.

20. Completate le risposte con la particella *ne* e il verbo necessario.

1. - Avete bisogno dei libri?

 - Sì, ... bisogno al più presto.

2. - Hai voglia di uscire?

 - No, non .... voglia. Sono stanca.

3. - Chi si occupa della spesa?

 - Me .... io.

4. - Siete contenti di andare in Italia?

 - Sì, ... davvero felicissimi.

5. - Sai qualcosa di Giulia?

 - No, non .... nulla. Non la vedo da secoli.

6. - Hanno certamente molta nostalgia del loro Paese.

 - Sì, ... una grandissima nostalgia.

7. - Siete rimasti delusi dalla loro reazione?

 - Sì, ... veramente delusi.

8. - Francesco è molto innamorato di Gloria, vero?

 - Eccome! .... innamorato cotto.

21. Completate il testo con le particelle *ci* e *ne* e dove necessario con i pronomi mancanti.

Prendono il loro nome dal dio del vento. Sette bellissime isole, ognuna con un suo carattere particolare. Visitatele e di certo non .... pentirete. Un arcipelago ricco di bellezze e antiche tradizioni. .... sono affascinati anche i numerosi vip che ogni estate non mancano all'appuntamento.

Dopo essere stati su una di queste isole .... vorrete tornare di sicuro. .... so qualcosa anch'io che da anni non riesco a sfuggire al loro richiamo e .... torno appena posso. .... è per tutti i gusti: per chi ama la solitudine, per chi cerca un mare cristallino e una natura incontaminata, per chi ama la buona cucina. Avete capito di quali isole parlo? Sapete dir................ il nome? [_____]

22. Come si chiamano questi sport? Fatene una breve descrizione.

A.

B.

C.

D.

E.

F.

G.

H.

I.

Es: *è uno sport che si fa all'aria aperta, ci vuole/ci vogliono…*

23. Completate i testi con le parole nel riquadro.

sudorientale - sudoccidentale - meridionali - insulare - meridionale - settentrionale - vulcanica - marina - mozzafiato

LE CHIAVI DEL PARADISO

L'estremo sud. L'arcipelago delle Pelagie.

Linosa è l'isola più .... delle Pelagie. È di origine .... ed ha una superficie

di 5,4 chilometri quadrati. Lampedusa e Lampione sono invece calcaree.

I greci chiamavano Linosa *Aethusa*, cioè isola delle aquile, e Lampedusa *Lopadusa*, cioè isola dei molluschi.

le Pelagie sono le isole più .... del nostro Paese e sono tutelate da un'area ....

protetta che si estende per circa 3.230 ettari.

Le Isole Pontine

Ponza, Gavi, Zannone e Palmarola sono le più importanti di questo gruppo ....

L'arcipelago è di origine vulcanica e si trova nel Mar Tirreno tra il Lazio .... e la Campania.

Di questo gruppo fanno parte anche l'isola di Ventotene e l'isolotto di Santo Stefano che si trovano nella parte

.... dell'arcipelago.

Arcipelago del Sulcis

San Pietro e Sant'Antioco formano l'arcipelago del Sulcis, vicinissimo alla costa ....

della Sardegna. S. Antioco è collegata alla Sardegna ed è raggiungibile in macchina.

S. Pietro è raggiungibile solo con un traghetto.

Sono famosissime le scogliere .... delle due isole.

1. Completate correttamente.

Il cambiamento .... (1) ha già portato a diverse disastrose conseguenze. Più d'una .... (2) naturale ha già colpito molti Paesi: .... (3) distruggono zone già di per sé poco ricche e i raccolti vanno perduti.

(1)
a) mondiale
b) territoriale
c) climatico

(2)
a) avversione
b) catastrofe
c) alluvione

(3)
a) alluvioni
b) nevicate
c) nebbie

2. A quale parola si riferisce la definizione?

Unità ecologica di base costituita da un determinato ambiente di vita e dagli organismi animali e vegetali che in esso vivono.

a) ecosistema ☐

b) protezione ambientale ☐

c) produzione biologica ☐

3. Coniugate i verbi tra parentesi.

Se .... (mettercela - noi) tutta, insieme, senz'altro, riusciremo a .... (farcela). Se .... (smetterla) di dare la colpa agli altri iniziando di prima persona… non salveremo il mondo, ma forse le cose non peggioreranno ulteriormente.

4. Che cosa esprime secondo voi la seguente frase?

Quando avremo fatto tutto, possiamo partire.

a) Un fatto che accadrà prima dell'altro. ☐

b) Un dubbio. ☐

c) Un fatto che accadrà. ☐

5. Scegliete la forma corretta.

L'acqua è un bene prezioso.

Non .... sprecare le risorse idriche.

a) ci si deve ☐

b) devono ☐

c) si devono ☐

6. Rispondete.

Chi ha bisogno di qualche libro sulla Sardegna?
Vado in biblioteca!

a) Io li voglio! ☐

b) Ne ho bisogno io! ☐

c) Me li prendi? ☐

7. Volete far valere i vostri argomenti. Scegliete.

a) Sarà anche vero che è uno sport moderno, ma io lo trovo estremamente pericoloso. ☐

b) Ma perché non vuoi provare anche tu a fare free-climbing? ☐

c) Non ne sono davvero sicura. ☐

8. Che cosa esprime la seguente frase?

Ma insomma, che cosa vuole da me? La smetta!

a) Argomentazione ☐

b) Richiesta ☐

c) Protesta ☐

Valutazione: 100% - 80% Hai una profonda conoscenza della materia della lezione
70% - 50% Ripeti le parti nelle quali sei meno ferrato
40% o meno Ripassa bene la lezione: grammatica, lessico e fraseologia

accorgersene	marmotta
alluvione	meridionale
ambiente s.m.	microscopio
analisi s.f.	miniera
animatore s.m.	mollusco
arcipelago	necessario
aria	oasi
arrampicarsi	occidentale
artigianato	operatore ecologico
associazione s.f.	orso
avvistare	ospitalità
azienda	ostacolare
barca	paesaggio
bellezza	palestra
binocolo	parapendio
biodegradabile	pattinaggio
biologico	pedonale
bisognare	piacevole
bussola	pianeta s.m.
cambiamento	pianta
catastrofe s.f.	prendersela
cavarsela	prodotto
clima s.m.	produrre
contenitore s.m.	produzione s.f.
costante	protetto
danneggiare	pulizia
deltaplano	raccolta differenziata
detersivo	responsabilità
disturbare	riciclaggio
duna	rifiuti
ecologico	rinfrescante
energia	rinunciare
equitazione s.f.	rovinare
essere in vena	ruscello
etichetta	sabbia
faggio	sacchetto
farcela	satellitare
fattoria	scogliera
foglia	scorcio
fondale	secolare
frana	settentrionale
fregarsene	slavina
funivia	slittino
futuro	smetterla
gastronomia	soffocare
gettare	sprecare
gita	stella
grotta	straordinario
ignorante	stufo
immersione	subacqueo
impronta	sudoccidentale
industria	sudorientale
inquinamento	tenerci
inquinato	traghetto
insulare	tuffo
integrare	tutelare
isola	usare
laboratorio	uva
liquido	valle
località	volerci
lupo	vulcanico
marino	

Il congiuntivo presente - forma

		-are	-ere	-ire	-ire
Pensa che Crede che	(io) (tu) (lui /lei /Lei)	lavori	prenda	offra	preferisca
	(noi)	lavoriamo	prendiamo	offriamo	preferiamo
	(voi)	lavoriate	prendiate	offriate	preferiate
	(loro)	lavorino	prendano	offrano	preferiscano

Il congiuntivo di alcuni verbi irregolari

essere	avere	fare	andare	dare	bere
sia	abbia	faccia	vada	dia	beva
siamo	abbiamo	facciamo	andiamo	diamo	beviamo
siate	abbiate	facciate	andiate	diate	beviate
siano	abbiano	facciano	vadano	diano	bevano

sapere	dire	uscire	venire	porre	tradurre
sappia	dica	esca	venga	ponga	traduca
sappiamo	diciamo	usciamo	veniamo	poniamo	traduciamo
sappiate	diciate	usciate	veniate	poniate	traduciate
sappiano	dicano	escano	vengano	pongano	traducano

I verbi modali al congiuntivo

volere	potere	dovere
voglia	possa	debba
vogliamo	possiamo	dobbiamo
vogliate	possiate	dobbiate
vogliano	possano	debbano

Non credo che **voglia** uscire con te!

Guarda che non l'ho mica costretto!!!

Usi del congiuntivo

Opinione	Dubbio	Desiderio/volontà	Stato d'animo	Probabilità	Necessità
Penso Credo Suppongo Immagino Ritengo Si dice	Mi pare Mi sembra Dubito Non so se Può darsi	Spero Desidero Preferisco Voglio	Ho paura Temo Sono contenta Mi dispiace	È probabile È possibile	Bisogna Occorre È necessario

Congiuntivo o infinito

(io) —————→ (tu)
Sono convinta **che** tu sia una persona onesta.   **soggetti diversi**

(io) —————→ (io)
Sono convinta **di** essere una persona onesta.   **soggetti uguali**

(io) —————→ (io)

Voglio **(-)** essere una persona onesta.

Congiuntivo - Indicativo

Io invece **penso** proprio che **sia** verissimo!!!

Secondo me non **è** vero!

| **Penso che** | Abdul | **parli** | l'italiano meglio di tanti altri. |
| **Secondo me** | Abdul | **parla** | l'italiano meglio di tanti altri. |

Congiuntivo con le frasi indipendenti [prima parte]

Esortazione formale	Dubbio	Concessione
Non si preoccupi, venga! Non tema, prenda pure!	Che sia partito? Che abbia problemi?	Faccia pure come vuole! Si lamenti pure con sua madre!

Usi della parola: **mica**

Non ho **mica** fatto niente!

Anch'io non ho fatto niente!

Frase neutra

1. **Non** ho fatto **niente** di male!

2. **Avresti** 100 euro da prestarmi?

Frase enfatica colloquiale

Non ho **mica** fatto niente di male!
Mica ho fatto niente di male!

Non hai **mica** 100 euro da prestarmi?
Mica hai 100 euro da prestarmi?

1. Di quale continente sei? Completate con l'aggettivo.

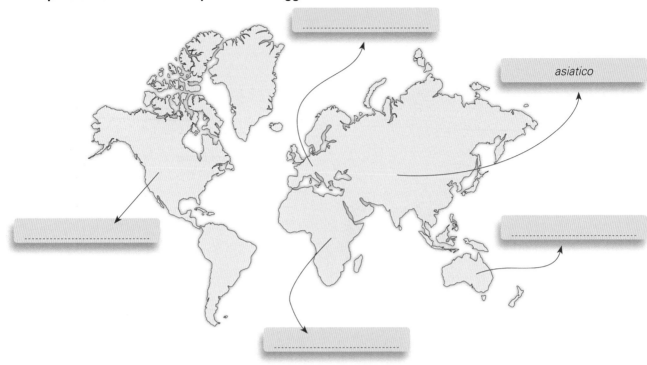

asiatico

2. Qual è la finale giusta?

Stato	-ese	-(i)ano	-ino
Italia		*italiano*	
Albania			
Marocco			
Tunisia			
Cina			
Magreb			
Filippine			
Canada			
Brasile			
Algeria			
India			

3. Abbinate la definizione corretta.

1. immigrare
2. emigrare
3. integrazione
4. cittadinanza
5. emarginare
6. extracomunitario
7. straniero

a. entrare a far parte di un ambiente accettandone le regole
b. persona con la cittadinanza di un altro Stato
c. escludere dalla vita sociale
d. entrare in un Paese straniero per restarci
e. proveniente da Paesi non appartenenti alla Comunità Europea
f. appartenenza ad uno Stato
g. partire dal proprio luogo d'origine per stabilirsi in un altro luogo

4. Leggete il testo e abbinate i titoli ai diversi paragrafi.

1 ....

ROMA- Filippini e sudamericani, magrebini e albanesi, ma anche cinesi e africani. E italiani, naturalmente. Sono gli alunni della nuova scuola italiana, sempre più multietnica, dove ormai il 5% degli iscritti è di origine straniera. E dove, a dispetto di pregiudizi e luoghi comuni sull'incompatibilità tra culture diverse, bambini e ragazzi di continenti diversi si inseriscono senza particolari difficoltà. In generale, dice una ricerca del Cnr, l'integrazione comincia proprio a scuola.

2 ....

Secondo l'indagine in quasi tutte le scuole, spiegano i ricercatori, non ci sono state particolari difficoltà nell'inserimento dei "nuovi" studenti. Soprattutto se sono in Italia da qualche anno e qui hanno frequentato la scuola materna ed elementare. Solo un insegnante su 86 ha detto espressamente che i rapporti tra italiani e stranieri non sono buoni, "ma il problema si inserisce in quello più generale del bullismo". Una piaga sempre più diffusa, difficile da sanare e legata, secondo maestri e professoresse, al disagio giovanile.

3 ....

I rapporti difficili tra i ragazzi non sono dovuti tanto a contrasti culturali, ma a ragioni di carattere psicologico. Spesso le vittime dei 'prepotenti' sono gli studenti più fragili, magari appena arrivati in Italia e ancora disorientati nel nuovo ambiente.

4 ....

Alcuni insegnanti, soprattutto nelle scuole superiori, hanno raccontato che a volte ragazzi di nazionalità diverse non si frequentano molto fuori da scuola. E la responsabilità, per i docenti, è soprattutto delle famiglie degli studenti stranieri, in particolare filippini e islamici. "Spesso incidono anche le difficoltà economiche delle famiglie immigrate, l'impossibilità o l'imbarazzo di ospitare gli amici dei figli in case piccole, umili, poco accoglienti".

5 ....

E poi c'è il razzismo, antica questione. In un paio di istituti superiori alcuni professori si sono detti preoccupati per la diffusione di atteggiamenti razzisti tra gli alunni. Ma questa denuncia "conferma i risultati della ricerca", sottolineano i due studiosi. Nelle scuole elementari, la cosa è diversa, molte maestre hanno raccontato che l'inserimento dei bambini stranieri è stato molto facilitato dalla collaborazione dei coetanei italiani.

a. Responsabilità anche delle famiglie
b. Il razzismo più sentito alle superiori che alle elementari
c. I risultati dell'indagine
d. A scuola aumenta il multietnico
e. I problemi sono spesso di carattere psicologico

5. Osservate il diagramma e completate il testo con le parole nel riquadro.

LE RELIGIONI

Al mondo esistono molte religioni, alcune di queste sono più o meno diffuse in alcuni continenti.

Il (1)... con il 33% è la religione più diffusa nel mondo, in particolare nelle regioni occidentali (Europa, Americhe, Oceania).

Le forme storiche sono molteplici, ma è possibile indicare tre principali suddivisioni: il Cattolicesimo, il (2)................................, l'Ortodossia.

Il (3)... (6%) non dovrebbe essere considerato alla stregua né di una religione né di una filosofia, ma dovrebbe essere definito come una disciplina e una pratica spirituale ed etica individuale, anche se, per milioni di persone che la praticano, è una vera e propria religione.

La religione (4)...
(0,22%) è stata la prima religione monoteistica, dalla quale derivano numerosissime altre religioni.

Il popolo (5)... dopo la diaspora si è sparso in tutto il mondo.

L' (6)... (14%) è la più antica delle principali religioni del mondo, con una storia plurimillenaria risalente ad oltre 6000 anni fa, ed è attualmente la terza più diffusa, dopo il Cristianesimo e l'Islamismo.

L' (7)... (21%) è la più recente delle tre principali religioni monoteiste originarie del Vicino Oriente. La religione (8)... ha come principale riferimento il Corano considerato libro sacro, un testo in lingua araba, una raccolta di predicazioni orali.

MAGGIORI GRUPPI RELIGIOSI
Percentuale sulla popolazione mondiale

Ebraismo 0.22%
Sikhismo 0.36%
Buddismo 6%
Altro
Cinese tradizionale 6%
Indigeni primitivi 6%
Cristianesimo 33%
Induismo 14%
Ateismo 16%
Islam 21%

Induismo - ebraico - Protestantesimo - Buddismo - Islamismo - Cristianesimo - islamica - ebraica

6. Completate la tabella e rispondete.

	essere	avere
io tu lui/lei/Lei		
noi		
voi		
loro		

sia
abbiate
abbiamo
siamo
siano
abbia
siate
abbiano

a. Qual è la caratteristica del congiuntivo presente per le prime tre persone singolari?
b. Com'è la forma della prima persona plurale?
c. Secondo voi queste regole valgono solo per i verbi *essere* e *avere* o anche per tutti gli altri?

7. Leggete le lettere al giornale. Sottolineate i verbi al congiuntivo. Cosa esprimono?

Italiani o stranieri?
Il nostro giornale ha ricevuto migliaia di lettere sul tema trattato nei giorni scorsi. Abbiamo fatto una piccola scelta e potrete leggerne altre sul nostro sito.

Sono un italiano con madre milanese e padre egiziano. Sono nato a Milano e sto finendo Economia e Commercio. Naturalmente ho vissuto parecchie situazioni di esplicito razzismo ma sono dell'opinione che questo atteggiamento dipenda sempre dal tipo di gente con cui hai a che fare...

... Non so se a casa loro patiscano tutti la fame. Secondo me molti di loro vengono qui con in mente l'idea di far soldi facilmente. Probabilmente anche a casa loro sono degli scansafatiche e...

Ma siamo tutti matti! Basta! Non se ne può proprio più! Ho l'impressione che tutti si sentano in dovere di essere tolleranti, aperti e cordiali. Ma la vogliamo smettere! È ora di guardare in faccia la realtà, anche loro sono dei normali cittadini, con diritti e doveri...

Lavoro da molti anni con stranieri di molti Paesi europei e non - i cosiddetti extracomunitari! Ebbene penso che alcuni di loro possano benissimo fare da esempio a molti dei nostri giovanotti! Voglia di lavorare, integrità e dignità, cose che molti di noi hanno dimenticato. Naturalmente anche tra di loro...

Il problema non è se sono buoni o cattivi. Mi sembra che la questione presenti ben altri problemi! È necessario che aumentino le infrastrutture per ricevere le persone, accoglierle decentemente e incanalarle verso città e paesi dove potrebbero trovare lavoro...

Credo che tutti debbano sentirsi parte della "società". Questa gente è qui, vive qui e non vogliamo che si sentano "diversi" o isolati. Dobbiamo renderli partecipi alle nostre decisioni e corresponsabili di...

8. Trascrivete i verbi al congiuntivo nella casella. Completate poi con le forme mancanti.

	aumentare	presentare	dipendere	sentirsi	patire	potere	dovere
				mi...			
				ti...			
sono dell'opinione che...			dipenda	si...			
				ci...			
				vi...			
				si...			

9. Coniugate i verbi al congiuntivo presente.

1. Non so se (lei - avere) .... tutto quello che le serve.

2. Penso che (tu - potere) .... venire da noi già verso le cinque.

3. Ho l'impressione che (voi - volere) .... sempre quello che non avete... o no?

4. Credo che (loro - finire) .... prima delle sette.

5. Mi sembra che (voi - lavorare) .... troppo. Fate una pausa!

6. Non sono sicura che (lei - sentirsi) .... in grado di finire la tesina per domani.

10. Esprimete in modo formale il vostro disaccordo.

1. Giudicare secondo la prima impressione.
   Ritengo che (non) si debba mai giudicare dalla prima impressione.

2. Abolire tutte le leggi sull'immigrazione.

   ----

3. Aiutare tutti coloro che ci chiedono aiuto.

   ----

4. Conoscere bene la situazione prima di giudicare.

   ----

5. Esserci troppi lavoratori stranieri e gli italiani non trovano più lavoro.

   ----

6. Inasprire le leggi contro il lavoro in nero.

   ----

7. Aprire centri di sostegno per famiglie straniere bisognose.

   ----

8. Sostenere i bambini stranieri a scuola con ore aggiuntive di lingua italiana.

> Sono del parere che…
> Non credo che…
> Non ritengo che… /
> Ritengo che non…
> Non trovo che… /
> Trovo che non…

11. Che cosa ne pensate? Trasformate le frasi in opinioni personali.

Per vivere e lavorare in un Paese straniero:

- è necessario cercare di integrarsi il più possibile
- bisogna conoscere bene la cultura del posto
- si deve cercare di imparare bene la lingua
- bisogna rinunciare alla propria identità culturale
- è necessario essere politicamente corretti
- si deve rinunciare alla propria nazionalità
- bisogna adattarsi alle usanze del nuovo Paese

> Trovo che, penso che, ritengo che, sono dell'opinione che, temo che, sembra che, non credo che, dubito che, suppongo che, è probabile che…

12. Leggete i dialoghi e cercate i verbi appartenenti alle diverse categorie.

1. • Abbiamo abbastanza da mangiare per tutti?
   • Non sono sicura che basti davvero… forse dovrei comprare qualcos'altro…
2. • Gianni viene con noi in montagna?
   • Dubito proprio che venga, si è fatto male alla gamba ieri sera.
3. • Domani ho l'esame di latino… speriamo che tutto vada bene, ho una fifa!
   • Ma certo, vedrai! Immagino che tu abbia studiato tantissimo e sono sicura che ce la farai!
4. • Cosa ci consigliate? Partiamo anche noi verso le tre?
   • Forse sarebbe meglio prima, c'è sempre traffico e temo che arriviate in ritardo.
5. • Non vuoi un po' di pollo al curry?
   • Non so, ho paura che mi faccia male, ho lo stomaco un po' delicato.
6. • Giacomo è strano…, di solito mi chiama due volte alla settimana.
   • Beh, presumo che si aspetti anche una telefonata da parte tua qualche volta, no?
7. • In che corso sei? Anche tu il venerdì?
   • Non c'era più la lista quando sono andata io… mi auguro che il corso non sia già pieno.

opinione	dubbio	timore	desiderio

13. Completate con i verbi al congiuntivo.

Il diario di Maria Tagore - Pollo allo zenzero

Caro diario,

oggi arriva il mio ragazzo a cena - per la prima volta. Dov'è il problema? Beh,

che i miei genitori sono indiani e... dell'Italia hanno accettato tutto, a parte il cibo!

E il mio ragazzo è un tesoro, ma... viene da una famiglia molto tradizionale...

Oh mamma mia! Andrà tutto bene? Ho davvero paura che il mio ragazzo non

.... come comportarsi con i miei genitori e che ....

per fare brutta figura o che .... a disagio in casa mia e

.... di non venire più...

Temo anche che mio padre .... con le sue solite domande e

.... al mio ragazzo i quesiti più stupidi del tipo "ma lo sa Lei perché

in India...?". O che mia madre .... il mio ragazzo con un pollo allo

zenzero superpiccante e che al mio ragazzo .... subito le lacrime

agli occhi e non .... più a mangiare niente altro...

O forse mi sto facendo troppi problemi? Fate presto a parlare voi... ma non vi trovate

nella mia situazione!

Beh... in fondo sono tutti dei tesori e forse non accadrà niente di tutto ciò... Riferirò

decida - avveleni - ponga - vengano - incominci - sappia - finisca - si senta - riesca

14. Completate la tabella dei verbi irregolari.

	sapere	produrre	uscire	venire	porre	finire
io tu lui/lei/Lei	sappia			venga		finisca
noi						
voi					poniate	
loro		producano	escano			

15. Che cosa significano le abbreviazioni? Collegate.

1. Cellulare	10. Che	a. x	j. ke
2. Capito	11. Come ti chiami?	b. cpt	k. cvd
3. Ci sei	12. Ci vediamo dopo	c. c6	l. coc
4. Coccole	13. Destra	d. tipe	m. cel
5. Discoteca	14. Domani	e. disc	n. xche', xke'
6. Dove	15. Parlare	f. ta	o. bla
7. Per	16. Perché	g. TO	p. pls (ingl.: please), x fv
8. Per favore	17. Ti amo	h. dom	q. dv
9. Ti odio	18. Ti penso	i. dx	r. ctc

16. Leggete e scrivete anche voi una risposta.

Perché molti usano le abbreviazioni da sms anche se siamo su internet?

 @_@ Quì i caratteri non si pagano...@_@

Io sono PRO abbreviazioni negli sms... solo perché si risparmia!
E se non capisco... non sono cavoli miei... sono cavoli di chi scrive XD. Io scrivo in italiano perché amo la mia lingua. cmq raga frs ads è megl ke nn skrvo + XD XD XD XD XD XD XD
Io non so scrivere con le abbreviazioniXD

 Perché pensano di risparmiare moltissimo tempo a scrivere su una tastiera "Perké" (l'accento sbagliato è pure voluto) al posto di "Perché"... In ogni caso sono pro abbreviazioni sui cellulari perché ti fanno risparmiare. Sui forum o in siti come questo è proprio di un'inutilità assurda, mentre in chat è più che lecito per non far attendere il proprio interlocutore e parlarsi più velocemente

 sicuramente per risparmiare tempo e lettere... staremmo decisamente di più a scrivere tutte le lettere punto per punto... così mlt nn mettono gli accenti o apostrofi... cmq si risparmia tempo ed è a volte anke abitudine... uno lo scrive senza manco rendersene conto

 perché sono degli inetti analfabeti, già!!!!!

 io…

17. Rileggete i diversi commenti e rispondete.

Avete trovato caratteristiche particolari?
- Ortografia _____
- Interpunzione _____
- Altro _____

18. Modificate le frasi secondo il modello.

Secondo me dipende tutto da noi. Credo che *dipenda* tutto da noi.

1. Secondo me _____ Penso che *voglia* dimostrare di essere all'altezza.

2. Secondo me *devi* pensarci con più calma. Sono dell'opinione che _____

3. Secondo me _____ Ritengo che *sappia* molto bene quello che fa.

4. Per me *non è* semplice. Credo che _____

5. Secondo me (loro) _____ Presumo che *non pensino* logicamente.

6. Per me *siete* proprio strani. Penso che _____

19. Scegliete tra *di* e *che* o niente (-).

Tante opinioni diverse.

1. Non sono sicuro *che* / *di* / (-) voler davvero crescere troppo in fretta. In fondo mi piace essere ancora "bambino".

2. Credo *che* / *di* / (-) sia facile per gli altri giudicare dall'esterno. Ma quando ci si trova in una certa situazione, tutto è diverso.

3. Preferisco *che* / *di* / (-) fare tutto da sola. Sono più veloce.

4. Lei ogni tanto dice qualche bugia, ma a fin di bene. Pensa *che* / *di* / (-) essere nel giusto.

5. Voi pensate sempre *che* / *di* / (-) non dover mai prendervi le vostre responsabilità.

6. Voglio *che* / *di* / (-) cominciare un corso di paracadutismo.

20. Trasformate le frasi usando *mica*.

1. Non sono assolutamente d'accordo con lui!   *Non sono mica d'accordo con lui!*

2. Scusa, non avresti per caso una sigaretta?   ....

3. Mi scusi, avrebbe ancora del pane per noi?   ....

4. Non ha detto che arrivava in ritardo!   ....

5. Non voglio fare tutto io da sola! Vieni che facciamo insieme!   ....

6. Non sono stato io a rompere il vaso.   ....

7. Non avrebbe spiccioli, per favore?   ....

8. Non mi tirare! Non sono un sacco di patate!   ....

21. Modificate le frasi seguendo l'esempio.

Avete un dubbio	Volete esortare qualcuno	Volete concedere il permesso
Non sta bene. *Che non stia bene?*	*Deve avere pazienza.* *Abbia pazienza!*	*Vuole cantare con noi.* *Canti pure! / Che canti!*
1. Ha fame.	1. Deve parlare piano.	1. Vuole venire con voi.
....	....	....
2. Vuole venire a cena.	2. Deve ascoltare attentamente.	2. Vuole mangiare la torta.
....	....	....
3. Sente freddo.	3. Deve uscire presto la mattina.	3. Vuole finire il gelato.
....	....	....
4. Parte per l'Africa.	4. Deve lavorare meno.	4. Vuole spegnere la candela.
....	....	....

22. Completate liberamente con: *bisogna che*, *è necessario che*, *occorre che* e il verbo al congiuntivo.

Caro Mauro,

ormai sei qui da noi da più di sei mesi e hai avuto abbastanza tempo per ambientarti e conoscere le regole non scritte dell'ufficio. Non vorrei offenderti, ma a nome anche degli altri colleghi .... tu (cambiare) .... alcune cose.

Prima di tutto .... (abituarsi) .... a prendere la tua posta da solo quando arrivi la mattina e non aspettare sempre che siano gli altri a portartela, poi .... tu (imparare) .... a usare solo la tua parte della scrivania e a tenerla più o meno in ordine, non ho proprio voglia di rimettere a posto anche il tuo caos oltre al mio!

E poi dopo sei mesi di caffè "gratis" .... tu (condividere) .... le spese per comprarlo, non ti pare? Forse non te l'aveva detto nessuno, ma lo compriamo noi, non lo passa la ditta.

Beh... come già detto, non offenderti, ma certe cose è meglio chiarirle prima che diventino un vero problema.

Saluti Giovanni

EDITH, STUDENTESSA DI 86 ANNI!
Alla maturanda davvero speciale sono arrivati gli auguri del sindaco di Torino Sergio Chiamparino: "Alla conoscenza e all'apprendimento non ci sono confini - ha scritto Chiamparino nel biglietto inviatole - e lei lo sta dimostrando. Complimenti e continui così", a cui aggiungiamo ben volentieri i nostri, a dimostrazione ancora una volta, se ve ne fosse bisogno, che non è mai troppo tardi…

1. Completate correttamente.

In Italia molti .... (1) sono di origine africana.

Dopo alcuni anni possono richiedere .... (2).

Per .... (3) sono importanti le conoscenze linguistiche e un lavoro che garantisca una vita dignitosa.

(1)	(2)	(3)
a) uomini	a) la cittadinanza	a) la decisione
b) lavoratori	b) il permesso	b) l'integrazione
c) immigrati	c) un lavoro	c) la sosta

2. Quale delle seguenti frasi è maggiormente enfatizzata?

a) Uffa! Sono davvero stanco di sentir parlare di questo argomento! ☐

b) Non bisogna sempre parlare della stessa cosa, no?! ☐

c) Perché non smettiamo di parlare delle stesse cose? ☐

3. Rispondete. Che cosa pensi del tema "immigrazione"?

Penso che .... molto difficile valutare la tematica solo in bianco e nero…

a) è ☐

b) sia ☐

c) sarà ☐

4. Completate la frase.

Non sono davvero sicuro .... (1) molto semplice crescere e diventare responsabili nel mondo d'oggi. Io penso ....(2) una persona normale e matura per la mia età, ma vivo ancora a casa dei miei perché non mi posso permettere un appartamento da solo.

(1)	(2)
a) che sia	a) che sia
b) di essere	b) di essere

5. Congiuntivo o indicativo?

Io credo che molti giovani .... (1) tutto il possibile per avere un buon rapporto con i genitori. Io penso che non .... (2) vero che tutti restano a casa solo per comodità. Secondo me invece molti lo .... (3) perché a casa stanno bene, i genitori rispettano la loro sfera privata e la convivenza non crea problemi.

1) facciano / fanno

2) sia / è

3) facciano / fanno

6. Completate con il congiuntivo.

a) Sabrina è ancora troppo giovane, non credo che .... (uscire) da sola la sera!

b) Matteo a volte dice cose strane! Penso che non .... (sapere) l'effetto che fa agli altri!

c) Possono festeggiare quanto vogliono purché non .... (bere) troppo.

7. Esprimete un timore.

a) Penso che non sia facile.

b) Ho paura che sia una cosa davvero difficile.

c) E se ce la facciamo?

8. Confrontate le diverse opinioni.

a) Credo che questa scelta si presti meglio alla realtà del giorno d'oggi. ☐

b) Questa scelta è davvero molto buona. ☐

c) Sono sicura che questa è la scelta migliore. ☐

Valutazione: 100% - 80% Hai una profonda conoscenza della materia della lezione

70% - 50% Ripeti le parti nelle quali sei meno ferrato

40% o meno Ripassa bene la lezione: grammatica, lessico e fraseologia

a proprio agio		maturità
accogliente		maturo
adattarsi		mettere in gioco
addirittura		molteplicità
ammirazione		mulino a vento
attaccato		multietnico
attentato		nave s.f.
attenzione s.f.		occupazione
avvelenare		oltremare
bugia		omicidio
bullismo		opinione s.f.
cittadinanza		paragone s.m.
coetaneo		parente s.m.
comportarsi		patire
comunitario		pellicola
continente s.m.		permesso di soggiorno
credere		piaga
credibile		picchiato
cruciale		possibile
decoroso		praticare
denuncia		presumere
dibattito		privazione
dignità		provenienza
dignitoso		provocazione
diminuzione s.f.		provvedimento
disagio		radice s.f.
disinteressato		rappresentanza
disorientato		rappresentato
documentario		razzista
efficace		rendimento
emigrare		rifarsi
emigrato		rischio
emigrazione		riscontro
esplorazione		ritenere
extracomunitario		rubrica
farla grossa		salvarsi
fingere		sbarco
furto		schematico
identità		scivolare
immigrare		scuola primaria
immigrato		scuola secondaria
impatto		scuole superiori
incidere		sfogarsi
incuriosito		sforzo
indipendente		sopravvivenza
infrastruttura		sottolineare
inserimento		sottrarsi
insuccesso		spaventare
integrazione		sperare
integrità		sudare
invecchiare		tollerante
istinto		traguardo
lacrima		tuffo al cuore
livello		umiliazione

Il congiuntivo passato

| Pensa che
Crede che | abbia
abbia
abbia
abbiamo
abbiate
abbiano | lavorato
studiato
finito
detto
fatto
preso | sia
sia
sia
siamo
siate
siano | partit**o/a**
andat**o/a**
venut**o/a**
uscit**i/e**
entrat**i/e**
salit**i/e** |

Il congiuntivo presente e passato dopo le congiunzioni

Te lo dico **perché** tu **capisca**!

Nonostante l'abbia avvisato, fa sempre di testa sua!

Concessive	Finali	Condizionali	Eccettuative	Temporali
Nonostante Benché Sebbene	Affinché Perché	A condizione che A patto che Basta che Purché	Senza che A meno che	Prima che

Avverbi di luogo. Approfondimento

In alto - in basso

da un lato di

accanto a

a destra - a sinistra

dall'altro lato di

al di là di

dappertutto

dietro a

intorno a

di fianco a

vicino a

sopra

sotto

al centro di

lontano da

di fronte a

di lato

La posizione degli aggettivi qualificativi

Gli aggettivi in italiano vanno generalmente dopo il sostantivo.
Se sono prima del sostantivo indicano maggiore soggettività, enfasi o ricercatezza stilistica.

Una lezione **interessante**.   Mi sembra un **interessante** punto di vista.
Una strada **stretta**.   Uno **stretto sentiero** conduceva alla sua casa di campagna.

Alcuni aggettivi vanno sempre **DOPO** il nome:

nazionalità	forma	materia	colore	epoca	autore
donna messicana	tavolo rettangolare	terreno argilloso	gonna nera	edificio ottocentesco	stile giottesco

1. Leggi il testo e rispondi alle domande.

Catania: Piazza del Duomo

La piazza del Duomo, centro della città, ha uno spiccato carattere architettonico e scenografico. Lo deve alla plasticità degli edifici che la circondano e alle lunghe prospettive aperte dalle ampie strade rettilinee che vi sboccano. Fu creata nel corso della ricostruzione della città, dopo il terremoto del 1693. Ha pianta rettangolare e la decora al centro la fontana dell'Elefante del Vaccarini, d'ispirazione berniniana, con l'elefante che regge un obelisco egizio. La limitano sul lato nord il palazzo del municipio, con lesene e con belle finestre a balcone e sul lato opposto il ricco palazzo dell'ex seminario dei chierici. Ma l'elemento predominante, che dà carattere a tutto l'ambiente, è la gran mole del Duomo, ricostruito subito dopo il 1693. Sorge sul lato est, entro un recinto marmoreo coronato da statue, ed ha una sontuosa facciata del 1736, a due ordini di colonne, animata di statue e di una ricca ornamentazione. La sua massa, al di là del sagrato a giardino sul fianco, è ripresa dalla gran cupola ottagonale della chiesa di Sant'Agata, opera del Vaccarini. Ai valori architettonici e scenografici della piazza si aggiungono sottili valori cromatici, prodotti dall'uso alternato negli edifici della pietra e della lava nera, che diffondono, specie di sera, un'atmosfera quasi lunare.

- Di che forma è la pianta della piazza?
- Cosa c'è al centro della piazza?

- Chi ha progettato la fontana dell'Elefante?
- Quali sono le caratteristiche del Duomo?

2. Come si chiamano gli elementi numerati?

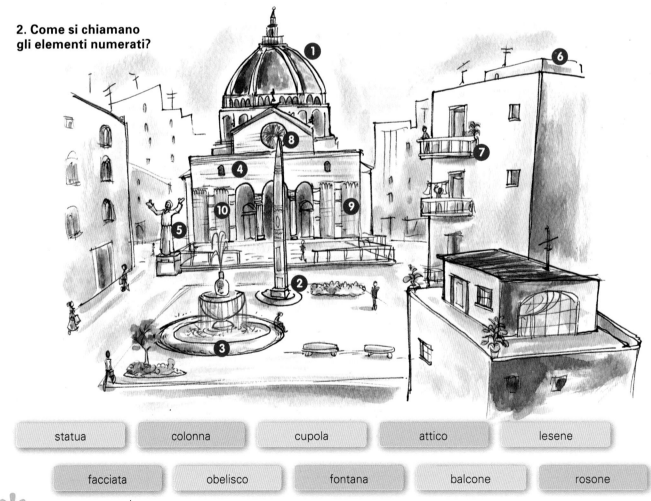

| statua | colonna | cupola | attico | lesene |

| facciata | obelisco | fontana | balcone | rosone |

3. Formate gli aggettivi.

1. È una cupola del Trecento.   *trecentesca*
2. Sono delle opere del Quattrocento.   ....
3. È un libro del Cinquecento.   ....
4. Sono autori del Seicento.   ....
5. È un affresco del Settecento.   ....
6. Sono delle monete dell'Ottocento.   ....
7. Sono degli edifici del Novecento.   ....

4. Qual è la pianta di queste piazze?

quadrata - rettangolare - ovale - circolare - poligonale - triangolare

5. Completate il testo mettendo gli aggettivi prima o dopo il sostantivo.

A circa 200 metri è raggiungibile Piazza di Spagna con la scalinata di Trinità dei Monti. Al centro troneggia la .... Fontana ...., scolpita da Pietro Bernini e da suo figlio, il .... Gian Lorenzo Bernini .... La .... scalinata .... di Trinità dei Monti, con 135 gradini, fu inaugurata da Papa Benedetto XIII in occasione del giubileo del 1725. Venne realizzata per collegare la .... ambasciata ...., a cui la piazza deve il nome, alla chiesa della SS. Trinità dei Monti. È stata disegnata da Alessandro Specchi e Francesco De Sanctis. Il De Sanctis, tra il 1723 e il 1726, realizzò quello che successivamente sarà definito come lo .... spettacolo .... più famoso del mondo. La magia insita in quest'opera è tutta da ricercare nella sua forma, che interpreta la .... configurazione .... del terreno riuscendo a riassumere l'irregolarità e l'asimmetria del luogo in un insieme unitario. Il De Sanctis voleva realizzare una rampa come ritrovo per tutti i cittadini, il che è provato dagli spazi di sosta e dai sedili posti lungo tutto il percorso che collega le due piazze. L'intuizione dell'architetto trovò la .... approvazione .... della popolazione, tanto che ancora oggi la scalinata è luogo d'incontro e di ritrovo, così da essere definita il Salotto di Roma. All'angolo destro della scalinata vi è la casa del .... poeta .... John Keats, che vi visse e morì nel 1821, oggi trasformata in un museo pieno di libri del Romanticismo inglese.

celebre - monumentale - spagnola - architettonico - naturale - totale - famoso - inglese

6. Raggruppate le parole per significato.

triangolare, sferico, ligneo, largo, ruvido, quadrato, morbido, quotidiano, ansioso, diurno, malinconico, pomeridiano, ferroso, esausto, giallognolo, euforico, vasto, violaceo, pettegolo, maleducato, generoso, stretto, marmoreo, stanco, bronzeo

forma	tempo	colore	sensazioni fisiche	stati d'animo	valutazioni morali	dimensioni	materia

7. Trovate l'aggettivo corrispondente alla definizione.

1. Una rivista di carta.   *cartacea*

2. Un'opera di Giotto. ....

3. Un dipinto del Trecento. ....

4. Un tavolo di marmo. ....

5. Una piazza a forma di triangolo. ....

6. Una superficie non liscia. ....

7. Un'opera del Romanticismo. ....

8. Un libro del Medioevo. ....

9. Una cattedrale del periodo Barocco. ....

10. Un autore del Rinascimento. ....

8. Trovate il contrario dei seguenti aggettivi.

1. maleducato ....

2. notturno ....

3. liscio ....

4. dolce ....

5. estivo ....

6. felice ....

7. altruista ....

8. discreto ....

9. disonesto ....

10. largo ....

11. allegro ....

12. morbido ....

9. Guardate le foto e descrivetele usando le parole accanto.

in alto/in basso
a destra/a sinistra
dappertutto
di fianco/accanto a
al centro
da un lato/dall'altro
dietro/davanti a
al di là

si erge - appare - si vede - si innalza - si nota - si apre - si leva

10. Guardate la piantina e completate con preposizioni e/o articoli.

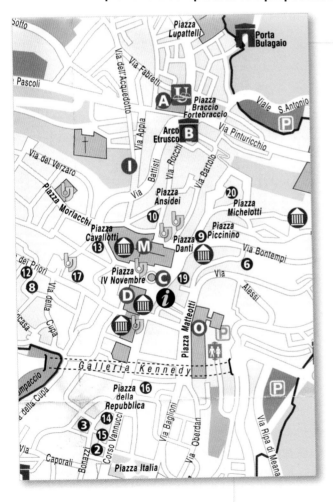

Per una prima veduta d'insieme di Perugia potete fare così. Appena arrivati, lasciate l'auto al parcheggio di Piazza dei Partigiani. Da lì salirete con la scala mobile passando attraverso .... Rocca Paolina arrivando .... Corso Vannucci, il corso principale della città. Da qui si arriva .... Piazza IV Novembre (C) con al centro .... Fontana Maggiore, da una parte .... Palazzo dei Priori (D), dall'altra .... Duomo (M). Da lì prendendo a sinistra .... Via Maestà delle Volte si va verso .... acquedotto romano (I). Scendendo a destra in Via Battisti si arriva .... Palazzo Gallenga, attuale sede dell'Università per Stranieri (A), che si affaccia .... Piazza Fortebraccio. A destra .... piazza si vede l'Arco Etrusco (B). Di fronte .... Università potete prendere la strada panoramica che porta .... Via del Sole passando davanti .... Biblioteca Augusta. Dietro .... Biblioteca si apre Piazza Piccinino dove è possibile vedere un affresco del Perugino.

11. Completate i dialoghi con le espressioni a lato.

- Ti va di uscire stasera?
- Mah! Non so… .... da cosa proponi.
  - Hai voglia di una pizza ai funghi?
  - Boh! .... prendo un primo.
- Andiamo a vedere un film al cinema?
- Mah, guarda, ultimamente danno solo schifezze. Andiamo .... a teatro.
  - Davvero non sai con chi è uscita Eleonora?
  - No, sinceramente non lo so e .... non sono affari tuoi!
- Come mai non mangi? Non hai fame?
- No, ..., ho mal di stomaco per la fame!!!
  - Si va in discoteca stasera?
  - Ma perché .... di fare sempre la stessa cosa, il sabato non andiamo all'opera?

| comunque |
| dipende |
| se mai |
| piuttosto |
| al contrario |
| invece |

12. Completate con le forme del congiuntivo passato dei verbi indicati e il verbo più adatto al contesto.

Spera che	(io prendere)	*abbia preso*	una decisione.
1.	(lui partire)	....	per l'Inghilterra.
2.	(tu fare)	....	un errore.
3.	(noi accendere)	....	il suo computer.
4.	(lui scendere)	....	in cucina.
5.	(loro salire)	....	al decimo piano.
6.	(noi partire)	....	per sempre.
7.	(voi leggere)	....	questo libro.
8.	(io togliere)	....	i miei vestiti dal divano.
9.	(noi scegliere)	....	la loro università.
10.	(io sapere)	....	la verità.

Crede - Pensa - Sperano - È possibile - Ha paura - Teme - Spera - Gli sembra - Si augurano - Pensa

13. Completate le frasi con il congiuntivo passato.

1. Penso che .... (lui - nascere) il 26 dicembre.
2. Immagino che .... (tu - superare) l'esame.
3. Suppongo che .... (voi - vincere) una borsa di studio.
4. Crede che l'..................................... (io - tradire) con un altro.
5. Non crede che .... (noi - svolgere) bene il nostro lavoro?
6. Sperano che .... (voi - finire) di restaurare la cappella.
7. Ritengono che .... (io - avere) fortuna.
8. Ho paura che .... (lei - perdere) il treno.
9. Mia madre teme che .... (io - sbagliare) lavoro.
10. Non sono sicura che mi .... (lui - telefonare).

14. Componete delle frasi usando gli elementi dati. Attenzione all'ordine delle parole.

1. Crediamo che	ora	(lui) STARE a casa.
2. Immagino che	ieri	(voi) ANDARE in montagna.
3. Teme che	in questo momento	(noi) PARLARE male di lui.
4. Ha paura che	l'altro ieri	(io) PERDERE il portafoglio.
5. Spera che	adesso	FINIRE la conferenza.
6. Desidero che	domani	lui TELEFONARE.
7. Penso che	la settimana scorsa	gli studenti FARE l'esame.
8. Preferisce che	subito	(noi) FARE i compiti.
9. Vogliamo che	fra un po'	(tu) ci PARLARE del tuo viaggio.
10. Pensa che	durante l'infanzia	(loro) ESSERE spesso all'estero
11. È probabile che	il mese scorso	Marta PARTIRE per l'Olanda.
12. È meglio che	fra un po`	(noi) andare via.

15. Completare il dialogo con i verbi al congiuntivo o indicativo.

- Francesco, hai telefonato a Gianni?
- No, ma penso che ormai .... (essere) troppo tardi

  per chiamarlo. Sono già le undici. Quando l'hai sentito l'ultima volta?
- Mah! Veramente l'ho chiamato due giorni fa e mi sembra che la vita a Londra

  gli .... (fare) proprio bene.
- Perché, cosa ti ha raccontato?
- Mah! Mi ha detto che .... (stare) bene, che cucina,

  .... (lavarsi) i vestiti da solo, ... (pulire)

  perfino la sua camera!
- Vedi, l'ho sempre detto io che lo viziavi troppo! Secondo me

  .... (essere) tutta colpa tua se è così pigro.
- Non è che lo vizio, è che ho paura che .... (perdere) tempo

  con tutte queste cose e non .... (dedicarsi) abbastanza

  allo studio.
- Ma che sciocchezza! Non può mica sempre studiare. Nelle pause

  può benissimo fare qualcosa di pratico. Credo che questi ragazzi oggi

  .... (essere) troppo viziati: non sanno stirare, non sanno

  cucinare, non sanno lavare. Ma cosa credono, che la futura moglie

  li .... (coccolare) come la mamma?
- Questo è vero. Ma Gianni ha ancora 16 anni e non penso che

  .... (sposarsi) così presto...
- Questo è quello che speri tu. Secondo me non .... (essere)

  possibile fare previsioni. Mia madre mi ha mandato via di casa a 18 anni e

  mi ha detto: sposati il prima possibile se non vuoi fare i lavori di casa!
- Ah! Questo allora è il motivo per cui mi hai sposato così presto? Per non fare

  i lavori di casa?
- In realtà ci speravo. Non immaginavo mica di dover fare tutto io in questa casa!
- Ma che assurdità! Taglia quella carota, va!

16. Leggete la storia della partita a scacchi viventi di Marostica e immaginate il dialogo tra il padre e Lionora.

La vicenda della Partita risale al 1454 quando Marostica era una delle fedelissime della Repubblica Veneta.

Avvenne che due nobili guerrieri, Rinaldo d'Angarano e Vieri da Vallonara, si innamorarono **contemporaneamente** della bella Lionora, figlia di Taddeo Parisio Castellano di Marostica e, come era **costume** di quei tempi, si sfidarono in un **cruento** duello.

Ma il Castellano, che non voleva inimicarsi nessuno dei due calorosissimi giovani e perderli in duello, proibì lo **scontro** e decise perciò che Lionora sarebbe andata sposa al rivale che avesse vinto la partita al nobile gioco degli scacchi: lo **sconfitto** sarebbe diventato lo stesso suo parente sposando Oldrada, la sorella minore di Lionora.

L'incontro si svolse in un giorno di festa nella piazza del Castello da Basso, a pedine vive, armate e con le **insegne** dei bianchi e neri, in presenza del Castellano, di sua figlia, dei nobili e del popolo.

E così oggi tutto si ripete come la prima volta, in una cornice di costumi fastosi, di cortei pittoreschi, di marziali parate, di squisita eleganza e su tutto domina una **nota** di singolare gentilezza cui si è ispirata la rievocazione e questa torna a rivivere oggi quasi per miracolo di fantasia.

I comandi vengono ancora oggi impartiti nella lingua della "Serenissima Repubblica di Venezia". Lo spettacolo, con oltre 550 figuranti, dura circa 2 ore.

- Cara Lionora, i due nobili cavalieri Rinaldo e Vieri sono innamorati di te e vogliono combattere per ottenerti in sposa.
- Mio caro padre, penso che sia…

- ....
- ....
- ....
- ....
- ....
- ....

17. Qual è il sinonimo delle parole evidenziate nel testo precedente?

1. notizia	storia	avventura
2. allo stesso tempo	profondamente	successivamente
3. vestito	abitudine	fatto
4. giocoso	cattivo	sanguinoso
5. battaglia	incidente	lotta
6. vincitore	successore	perdente
7. arma	stemmi	bandiera
8. musica	atmosfera	dettaglio

18. Collegate le frasi con le congiunzioni.

1. Non ho superato l'esame	a patto che	abbia studiato.
2. Pulisco casa	nonostante	mi aiuti anche tu.
3. Ti dico queste cose	perché	tu stia più attento.
4. Ti presto i soldi	senza che	tu me li restituisca entro un mese.
5. Capisce tutto	a condizione che	ci sia bisogno di parlare.
6. Non ha capito	sebbene	glielo abbia spiegato più volte!
7. Torniamo a casa	benché	faccia buio.
8. Sono qui	prima che	tu mi dica la verità.
9. Non risponde	affinché	io sia sicuro che è in casa.

19. Raggruppate le congiunzioni seguenti per significato e indicate se vogliono il congiuntivo o l'indicativo.

sebbene - affinché - senza che - nonostante - dopo che - perché - quindi - quando - prima che - benché - a patto che - mentre - fino a quando - a condizione che - siccome - perciò - poiché - allora - anche se

	concessive	condizionali	finali	causali	conclusive	temporali	eccettuative
C							
I							

20. Completare il testo con le congiunzioni.

Marco!!!

.... tu ti ci sia messo di impegno non ci siamo! L'appartamento appartiene a entrambi perciò per favore cerca di collaborare. .... arrivi la mia fidanzata questo fine settimana, per favore togli di mezzo la tua biancheria. Risistema il letto, ... te lo debba ripetere tutte le mattine.

.... fai la doccia poi fa´ attenzione a non bagnare dappertutto, ho già pulito due volte ieri .... eri a lezione e tra l'altro potresti qualche volta pulire anche tu. .... ho fatto io la lavatrice la settimana scorsa, questa volta tocca a te! Ok! Puoi usare il mio ferro da stiro .... ci metti l'acqua e non come l'altra volta che hai bruciato tutto! Non dimenticarti di lavare i piatti e asciugarli perché a Francesca fa proprio schifo entrare in una cucina tutta in disordine. Io torno venerdì sera da Firenze, spero che tu .... legga questo messaggio e abbia fatto tutto. Francesca arriva sabato mattina e non voglio fare la solita figura! .... per favore questa volta ascoltami, anche se so benissimo che sei super stressato per l'esame di chimica.

A presto Gianni.

quindi - senza che - a condizione che - fino ad allora - nonostante - quando - mentre - prima che - siccome

21. A quale regione appartengono i seguenti prodotti? Ne conoscete altri?

22. Leggete le seguenti ricette di piatti tipici italiani regionali e rispondete alle domande.

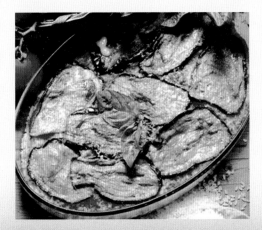

Parmigiana di melanzane

Togliere la buccia dalle melanzane e tagliarle a fette alquanto sottili; farle asciugare in uno scolapasta e poi infarinarle. Intanto sbattere le uova con un pizzico di sale, passare le melanzane infarinate e subito dopo friggerle in abbondante olio d'oliva. Soffriggere in un tegame la cipolla con l'olio e, appena imbiondita, versare la passata di pomodoro; far cuocere il sugo per circa trenta minuti e aggiungere un mazzetto di basilico. Mettere in un tegame da forno un mestolo di salsa e fare un primo strato di melanzane, mozzarella tagliata a fette o a dadini, formaggio grattugiato e cospargere il tutto con la passata di pomodoro. Continuare fino a completamento degli ingredienti. Terminare con un velo di formaggio e cospargere il sugo. Passare in forno per circa 190° per trenta minuti.

Capesante

Aprite le capesante, staccate i molluschi, togliendo la parte viscida intorno, lavateli, asciugateli e passateli nel pangrattato. Mettete in un tegame l'olio col trito di prezzemolo e aglio, soffriggete qualche minuto, poi unite le capesante e fatele dorare circa tre minuti per parte, spruzzate col limone e mescolate. Distribuite il tutto nelle 4 conchiglie concave delle capesante stesse, ben lavate e asciugate e tenute nel frattempo in forno tiepido. Servite subito.

BRASATO AL BAROLO

Steccate la carne con qualche listarella di pancetta, mettetela in una terrina con le verdure tagliate a pezzetti e il sacchettino con gli aromi e le spezie; versate il Barolo, coprite con un piatto e lasciate marinare, coperto, in luogo fresco (non in frigo), rimescolando qualche volta. In una casseruola soffriggete nel burro la rimanente pancetta tritata, poi rosolate la carne scolata e leggermente infarinata, versate quindi tutta la marinata e portate a bollore; dopo una decina di minuti togliete il sacchettino, salate, coprite e portate a cottura a fuoco basso. Togliete quindi la carne e tenetela al caldo, passate il sugo nel passaverdure, rimettetelo sul fuoco, addensatelo, regolatelo di sale e spruzzatelo col brandy. Dopo qualche minuto di bollore versatelo sulla carne affettata e servite con polenta o purè.

- A quale regione italiana pensate appartengano questi piatti?
- Quali pensate siano i tempi di cottura?
- Da 1 a 5 qual è la difficoltà di preparazione di questi piatti?

23. Scrivete la ricetta di un piatto tipico del vostro Paese a presentatela alla classe.

1. Completate la descrizione di una piazza italiana.

Piazza delle Erbe (o più semplicemente Piazza Erbe) è
la piazza più antica di Verona e .... (1) sopra
l'area del Foro Romano. Nell'età romana era il centro della
vita politica ed economica: con il tempo ....
(2) romani hanno lasciato il posto a quelli ....
(3).

(1)	(2)	(3)
a) sorge	a) i resti	a) postmoderni
b) nasce	b) gli edifici	b) barocchi
c) delimita	c) i monumenti	c) medievali

2. Scegliete la parola corretta.

Sabato 14 Marzo Festa in Piazza "Aspettando la
Primavera", ... promossa ed organizzata
dall'Associazione San Leonardo da Porto Maurizio.

a) manifestazione ☐

b) sagra ☐

c) convegno ☐

3. Completate la frase.

Marco mi ha invitato ad andare con lui a vedere il Palio di
Siena. Lui non sa che io ....

a) l'abbia già visto ☐

b) l'ho già visto ☐

c) lo vedo ☐

4. Completate la frase.

Penso che molte piazze italiane .... (1)
un cambiamento non sempre positivo negli anni.
Altre invece .... (2) – per miracolo – intatte.
Sono degli esempi meravigliosi di architettura medievale
o rinascimentale. Credo che molti turisti le ....
(3).

1) hanno subito / abbiano subito

2) siano rimaste / sono rimaste

3) apprezzino / hanno apprezzate

5. Cosa manca?

Il mantenimento delle bellezze architettoniche non sarebbe
molto difficile .... tutti rispettino alcune regole
fondamentali.

a) sebbene ☐

b) affinché ☐

c) purché ☐

6. Segnate la posizione corretta degli aggettivi.

a) Questi vestiti d'epoca hanno sgargianti colori / colori
sgargianti.

b) Mi piace molto quell'edificio cinquecentesco /
quel cinquecentesco edificio.

c) Grandi tavoli rettangolari / rettangolari tavoli adornano
la sala medievale del castello sforzesco.

**7. Presumete che il vostro insegnante conosca la città
di cui si sta parlando.**

a) Mi immagino che sia già stato un po' dappertutto. ☐

b) Ritengo che sia stato là più volte e la conosca molto
bene. ☐

c) Credo che abbia visitato tutti i musei della città. ☐

**8. Accettate di andare ad una sagra con amici,
però solo se loro accettano le vostre condizioni.**

a) Guarda, vengo volentieri e resto finché tornate voi. ☐

b) Guarda, vengo volentieri a patto che torniamo presto
a casa, domani ho un esame. ☐

c) Guarda, vengo volentieri alla sagra, mi piacciono
tanto le feste! Spero che sia bella. ☐

Valutazione: 100% - 80% Hai una profonda conoscenza della materia della lezione
70% - 50%   Ripeti le parti nelle quali sei meno ferrato
40% o meno Ripassa bene la lezione: grammatica, lessico e fraseologia

acquedotto ....
adolescenziale ....
affresco ....
architettonico ....
arco ....
armonia ....
atleta ....
attico ....
barocco ....
bassorilievo ....
bronzeo ....
cavaliere s.m. ....
cavallo ....
cerchio ....
circolare ....
colonna ....
comitiva ....
concentrico ....
consistere ....
contemporaneamente ....
corda ....
costume s.m. ....
croccante ....
cruento ....
cupola ....
decorato ....
decorazione s.f. ....
degustare ....
discreto ....
disonesto ....
dispensare ....
diurno ....
emozione s.f. ....
esplosione s.f. ....
euforico ....
facciata ....
fare da cornice ....
festeggiamento ....
foglia ....
fontana ....
gastronomico ....
incanto ....
incomparabile ....
indelebile ....
indiscreto ....
innalzarsi ....
insegna ....
lesena ....
levarsi ....
ligneo ....
liscio ....
loggia ....
marmoreo ....
medievale ....
memoria ....

mente s.f. ....
merlato ....
meticolosità ....
misterioso ....
monumentalità ....
monumento ....
nicchia ....
nobile ....
nota ....
notturno ....
obelisco ....
onesto ....
ovale ....
panchina ....
pettegolo ....
pittore s.m. ....
pittorico ....
plasticità ....
poligonale ....
portico ....
quadrato ....
raffinato ....
re s.m. ....
recupero ....
regina ....
residenza ....
rettangolare ....
rettangolo ....
rettilineo ....
rinascimentale ....
rinnovare ....
rione s.m. ....
rosone s.m. ....
ruvido ....
sagrato ....
saporito ....
sbandieratore s.m. ....
scalinata ....
scandire ....
sconfitto ....
scontro ....
senso ....
sferico ....
solennità ....
sorprendente ....
spigolo ....
sporgenza ....
statua ....
stemma s.m. ....
suggestivo ....
superiore ....
triangolare ....
uniforme ....
valorizzare ....
vasca ....

Il congiuntivo imperfetto

Pensava che Credeva che Ha pensato che Pensò che Vorrebbe che	lavora- legge- parti-	**ssi** **ssi** **sse** **ssimo** **ste** **ssero**
	face- dice- ste- de- traduce- beve- propone- compone-	

Il congiuntivo trapassato

Pensava che Credeva che Ha pensato che Pensò che Vorrebbe che	**avessi** **avessi** **avesse** **avessimo** **aveste** **avessero**	lavorato studiato finito detto fatto preso	**fossi** **fossi** **fosse** **fossimo** **foste** **fossero**	partito/a andato/a venuto/a usciti/e entrati/e saliti/e	

Nota: la congiunzione *che* può essere omessa: *Pensavo avessi fame.*

Uso del congiuntivo imperfetto e trapassato con le congiunzioni

Nonostante avesse
la febbre è uscito.

Mi guardava **come se**
non mi riconoscesse!

Senza che parlassi
mi capiva…

Usi dei tempi del congiuntivo

Frase principale al presente

Penso che Credo che	sia partito ieri
	parta oggi

Frase principale al passato o condizionale

Pensavo che Ho pensato che Pensai che Vorrei che	fosse già partito
	partisse

Il congiuntivo nelle frasi indipendenti: desiderio [II]

Vorrei che fosse partita anche lei!	→	**Fosse partita** anche lei!
Vorrei che mi telefonasse!	→	Almeno mi **telefonasse**!
Ci vorrebbe una bella pioggia!	→	**Piovesse**!

(Vedi unità 5)

Uso di suffissi e prefissi per alterare le parole

Sono **super**contento della mia nuova moto.

Ho trovato un gatt**ino** per strada.

Cosa avete tanto da parl**ottare** voi due!

	diminutivi	accrescitivi	spregiativi
suffissi:	-ino -etto -ello	-one	-accio
prefissi:	mini- nano-	super- extra- stra- arci- maxi-	
suffissi verbali:	-cchiare -ellare -ottare		

I pronomi relativi: **il/la quale; i/le quali**

È la signora	**che**	=	**la quale**	ha telefonato ieri.
Era il programma	**in cui**	=	**nel quale**	mostravano le pubblicità.
Milano è la città	**in cui**	=	**nella quale**	nasce il design.
Sono gli anni	**in cui**	=	**nei quali**	si producono beni per tutti.
Sono le persone	**a cui**	=	**alle quali**	ho dato le informazioni.

In uno stile letterario o burocratico ai pronomi *cui* o *che* (soggetto) si possono sostituire i pronomi *il quale, la quale, i quali, le quali* con l'articolo.

La formazione delle parole [II]

-ezza	-ia	-tà/ità	-zione/-sione	-za	-ismo
certezza	energia	tranquillità	estinzione	speranza	ottimismo
purezza	allegria	verità	negazione	costanza	pessimismo
bianchezza	superbia	comodità	indecisione	forza	altruismo
grandezza	codardia	sincerità	estroversione	stravaganza	egoismo
...					

(Vedi unità 3)

1. Quali prefissi si possono abbinare alle seguenti parole?

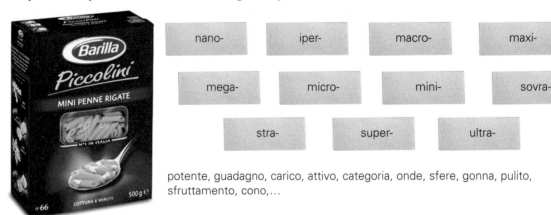

| nano- | iper- | macro- | maxi- |

| mega- | micro- | mini- | sovra- |

| stra- | super- | ultra- |

potente, guadagno, carico, attivo, categoria, onde, sfere, gonna, pulito, sfruttamento, cono,...

2. Quale suffisso va bene per le seguenti parole?

	-ino	-one	-etto	-accio	-ello
gatto	*il gattino*	*il gattone*	-	*il gattaccio*	-
casa					
posto	*il posticino*				
ragazzo					
uomo			*l'ometto*		
donna		*il donnone*			
tavolo					
cane	*il cagnolino*				
vino					

3. Inserire i verbi coniugandoli.

• Ho un po' di fame...

• Guarda che non abbiamo molto tempo.

• Solo un attimo! .... qualcosa e arrivo.

    • Che mal di testa!

    • E ci credo, hai passato tutta la notte a .... con i tuoi amici!

• Ragazzi, ora basta. Questo continuo .... è veramente fastidioso!

    • Sei bravo a cantare?

    • Ma, non veramente. .... ogni tanto sotto la doccia...

• La finisci di .... con il mio telefonino? Non puoi usare il tuo?

    • Marco, cosa fai stasera?

    • Mah, non so. Penso di .... un po' e poi esco con degli amici, andiamo al Velvet.

• Cosa avete fatto tutto il giorno?

• Una giornata relax: abbiamo .... un po' in albergo, poi siamo andati in spiaggia.

parlottare - studiacchiare - sbevazzare - dormicchiare - canticchiare - mangiucchiare - giocherellare

4. Completate la tabella con le forme del congiuntivo imperfetto.

stare	dare	essere	fare	dire
stessi				
	desse			
			facessimo	
		foste		diceste

5. Completate le frasi con i verbi al congiuntivo imperfetto e un complemento.

1. Pensava che (io - lavorare)	*lavorassi*	*in banca*
2. Credeva che (lui - vedere)		
3. Temeva che (noi - partire)		
4. Aveva paura che (loro - andare)		
5. Era possibile che (io - fare)		
6. Era probabile che (lei - essere)		
7. Non ero sicuro che (voi - avere)		
8. Immaginavamo che (lui - dire)		
9. Desiderava che (noi - dare)		
10. Volevamo che (voi - restare)		
11. Preferiva che (tu - venire)		
12. Era opportuno che (loro - proporre)		

6. Trasformate dal presente al passato.

1. Spero che sia contento.
2. Desideriamo che abbia successo.
3. Penso che non abbiano una soluzione.
4. Vogliono che tutto sia pronto.
5. Credono che nessuno si faccia influenzare.
6. Suppongo che vadano insieme all'incontro.
7. Non penso che capisca la nostra lingua.
8. Temo che non dica la verità.
9. È meglio che resti a casa.
10. È probabile che faccia brutto tempo.

a. *Speravo che fosse contento.*
b.
c.
d.
e.
f.
g.
h.
i.
l.

7. Leggete il testo e completate con le preposizioni semplici o articolate.

Dalla Moka al Pendolino 100 simboli per un secolo
Una giuria di esperti indica gli oggetti di culto del Novecento italiano.

La moka Express Bialetti .... 1933, l'Ape e la Vespa Piaggio

del 1946, la Nutella Ferrero del 1950, la macchina ....

scrivere Olivetti "Valentine" del 1969: sono alcune ....

icone del made .... Italy del Novecento e probabilmente

.... gli oggetti più amati .... italiani, secondo

una selezione realizzata dalla Scuola Italiana di Design ....

Padova. Designer di grosse aziende e studenti .... scuola

che collaborano .... industrie come Benetton, Fiat, Alfa Romeo hanno scelto oltre cento oggetti. Oggetti che

appartengono .... diversi settori merceologici e che hanno rappresentato un vero impulso innovativo, segnando

anche, in modo emblematico, il periodo storico in cui sono maturati. .... più segnalati compaiono il Bacio Perugina,

il WC Ideal Standard, lo zainetto Invicta, le scarpe .... tennis Superga. Infine tra i mezzi di trasporto che hanno

lasciato traccia .... immaginario collettivo, sono stati scelti la Vespa Piaggio, la Fiat Uno di Giugiaro (1983), i

modelli dell'ETR 500 Pendolino fino .... moto Ducati.

8. Reagite come nell'esempio.

Es.: La Piaggio ha cominciato a produrre la Vespa nel 1945.
    Davvero!? Credevo che avessero cominciato molto più tardi.

1. Leonardo dipinse la Gioconda intorno al 1505. ....

2. Raffaello nacque nel 1483. ....

3. Modigliani scolpì poche statue. .... molte!

4. De Chirico è morto a Roma. .... in Spagna!

5. Le prime banche ebbero origine a Venezia. .... a Milano!

6. Franco ha studiato ingegneria. .... chimica!

7. Gino si è trasferito in Australia. .... in Nuova Zelanda!

8. Carla si è sposata con un francese. .... con un tedesco!

9. Francesca si è appena laureata. .... l'anno scorso!

10. Piero ha deciso di licenziarsi. .... di rimanere!

9. Completate le frasi con il congiuntivo imperfetto o trapassato dei verbi fra parentesi.

1. Pensavo che Armani (essere) .... uno stilista francese.

2. Coco Chanel era dell'opinione che la moda (passare) .... e lo stile
   (restare) ....

3. Credevo che la Vespa l'(produrre) .... negli anni Trenta.

4. Non sapevo che Carla (occuparsi) .... di design.

5. Nessuno immaginava che Alessi (avere) .... tanto successo.

6. Non sapevo che la prima rivista di arredamento (nascere) .... nel 1954.

7. Pensavo che il design italiano (avere) .... inizio negli anni Sessanta.

8. Nonostante nel dopoguerra l'Italia (soffrire) .... di problemi economici, alcuni imprenditori
   ebbero il coraggio di sperimentare, progettare e produrre.

10. Completate con *il quale, i quali, la quale, le quali* e le preposizioni.

Fissare all'inizio degli anni Cinquanta del XX secolo la nascita in Italia del design dell'arredo è un dato storicamente accettato. Sono gli anni .... appaiono i primi arredi "progettati". Arredi grazie .... il design entra a fare parte della vita degli italiani, influenzando il gusto e le abitudini. L'acquisto e l'uso di questi prodotti diventerà, in poco tempo, il desiderio di possedere oggetti capaci di esprimere la modernità del tempo .... si vive. Milano, per ragioni storiche e geografiche, fu lo sfondo di tali vicende. Nel 1954 nascono *La Rivista dell'Arredamento* e poco dopo *Abitare*. Allo stesso modo *Carosello*, il programma .... venivano mostrate le réclame in TV, contribuì in modo decisivo alla diffusione del design.

11. Unite le frasi con il pronome relativo appropriato.

1. Sono gli amici	del quale	ho fatto il viaggio.
2. È bello avere amici	per il quale	contare.
3. È il motivo	del quale	abbiamo litigato.
4. Aldo è un amico	per le quali	mi fido completamente.
5. Sono persone	della quale	farei qualsiasi cosa.
6. È la scrittrice	con i quali	hanno parlato in TV.
7. Non conosco la ragione	per la quale	non vuole accettare l'offerta.
8. È uno stilista	ai quali	ho sentito parlare.
9. È un designer	sui quali	parlano tutti.
10. Sono oggetti grazie	del quale	il design ha ottenuto fama internazionale.

12. Completate con i pronomi relativi *il/la quale - i/le quali* e dove necessario con la preposizione.

Li chiamano gli inossidabili. Sono gli status symbol

.... l'Italia continua a sfidare il tempo. Oggetti

abituati a beffarsi delle mode; li citi e anche all'estero capiscono al volo di che

cosa parli.

Le mitiche storie dei "cult" mediterranei cominciano negli anni '50, con il

boom della couture. Cioè quando il marchese Giorgini convinse un piccolo

gruppo di sarti a sfidare la predominanza francese nel campo della moda. Fu

una sfilata indimenticabile .... parteciparono nomi

senza .... la moda italiana oggi non sarebbe quella

che è. Lo stile mediterraneo da quel momento cominciò a dettare legge.

Oggetti che da sempre rappresentano il made in Italy e

.... non si può rinunciare: dalla Vespa all'ormai

mitica Gaggia, dalla Nutella all'aceto balsamico, dalle Tods alle scarpe di

Ferragamo, decenni e decenni di gusto e stile.

13. Completate con l'infinito, *di* + l'infinito o *che* + il congiuntivo.

1. Pensate (essere) .... necessario seguire i nuovi trend o (potersi) .... essere eleganti anche senza farsi influenzare dai dettami della moda?

2. Preferisco (vestirsi) .... in modo pratico. Elegante, sì, ma pratico e portabile.

3. Penso che la moda (essere) .... anche una questione di misura. Non bisogna mai (esagerare) ....

4. Trovo che la moda di quest'anno (essere) .... troppo sgargiante.

5. Carla crede (essere) .... alla moda. Io invece trovo (vestirsi) .... in modo un po' ridicolo.

6. Pensavo (essere) .... di moda il nero, invece in tutti i negozi si vede solo il blu.

7. Vuoi (andare) .... alla Scala in jeans?! Non pensi (essere) .... vestito in modo poco adatto?

8. Credevo (tu-decidere) .... di venire con noi!

9. Credi (potere) .... essere puntuale?

10. Dubito (lei-avere) .... veramente buon gusto.

14. Trasformate le frasi in esclamazioni.

1. Vorrei che si vestisse meglio. → *Si vestisse un po' meglio!*

2. Mi auguro che si compri qualcosa di nuovo. → ....!

3. Spero che sia un ricevimento informale. → ....!

4. Ma perché non la pianta di parlare di moda! → ....!

5. Spero che non sia troppo costoso. → ....!

6. Ma perché non escono per una volta! → ....!

7. Vorrei che per una volta arrivasse puntuale. → ....!

8. Ma perché non mi regala mai una borsa! → ....!

15. Scegliete la congiunzione appropriata.

(Anche se - Sebbene - Perché) a me piaccia seguire la moda, non le permetto di tiranneggiarmi. Secondo me bisogna saper scegliere. Moda, sì, ma (senza che - purché - affinché) sia adatta al tipo, (perché - solo se - a condizione che) vada bene con l'aspetto fisico di una persona e che sottolinei la sua personalità.

Certo, cambiare ogni stagione il proprio modo di vestire può essere divertente, ma (a condizione che - perché - nonostante che) un vestito ci valorizzi bisogna scegliere con attenzione il modello e il colore. Troppo spesso le persone non si accorgono di rendersi ridicole o quantomeno di scegliere colori, modelli e abbinamenti che non solo non le valorizzano affatto, ma che addirittura mettono in evidenza i loro difetti. (Senza che - Purché - Sebbene) vi siano esperti che offrono i loro servizi, sono davvero in pochi quelli che se ne servono. E invece secondo me bisognerebbe farlo, per imparare a presentare noi stessi al meglio.

16. Completate con le congiunzioni appropriate.

Erano i tempi della minigonna. .... mi piacesse indossare i pantaloni mi ero adattata,

soprattutto .... mi piaceva che gli altri spalancassero gli occhi e mi seguissero con lo sguardo.

Non avevo dubbi su di me, ... non fossi bellissima. Poi giunse la maxi, ed io, da brava

oltranzista della moda, rivoluzionai tutto il mio guardaroba. Seguivo alla lettera ogni moda ....

qualcuno mi notasse e mi chiedesse di fare la fotomodella. Era il mio sogno! .... me ne

accorgessi gli anni passavano e non sono diventata una fotomodella.

.... i miei sogni non si siano realizzati, sono comunque felice. Oggi sono proprietaria

di una piccola boutique, mi piace seguire la moda e, per professione, far sì che anche gli altri la seguano.

affinché - nonostante - sebbene - benché - senza che - perché

17. Leggete il testo sulla nascita della moda italiana.

Il 25 febbraio 1951 con la sfilata organizzata dal conte Giorgini a Firenze per un pubblico internazionale iniziava la storia della moda italiana.

André Suarès scriveva che "la moda è la migliore delle farse, quella in cui nessuno ride, poiché tutti vi partecipano". L'abito è sempre stato inteso come espressione di affermazione sociale, importante mezzo di comunicazione di singoli e di popoli. È anche un linguaggio del desiderio: un gioco di ammiccamenti e di emulazioni che narra l'evoluzione del costume, del pudore e dell'immaginario nel corso del tempo; la motivazione erotica è quindi una delle grandi spinte nella scelta dell'abito.

Giorgini fa rinascere il mito della nobiltà che ora apre il suo palazzo alle sfilate, offre cioè un luogo mitico, aulico, ricco di storia alla presentazione delle collezioni.

Spesso sono le stesse nobili a indossare gli abiti, e per ovvie ragioni: solo loro, principesse e blasonate, signore o signorine sanno, per educazione, tradizione e cultura, come portare gli abiti che finiscono per presentare negli spazi aulici delle loro case oppure nei musei, accanto a notissime sculture che sono l'immagine stessa del bello. Anche il cinema è influenzato dalla moda. Tutto ciò contribuisce a creare il mito stereotipato finché si vuole, ma funzionale, del Paese del bello, dell'arte, dell'amore. L'abito assume la funzione di talismano perché, come nelle antiche favole, è l'elemento magico che permette la trasformazione.

Con gli anni '60 tutto cambia: cambiano i ruoli e gli status sociali, sono gli anni della contestazione e di un nuovo rilancio industriale.

Si capisce ormai che l'abito, magico strumento attraverso il quale ogni donna condivide e interpreta i miti del proprio tempo, dovrà essere visto come idea e progettazione. Nascono i modelli della confezione in serie, destinati a vestire elegantemente e a poco prezzo le donne di mezzo mondo. Si arriva così all'affermazione internazionale del made in Italy, con il trionfante prêt-à-porter degli anni Settanta e Ottanta quando Milano diventa polo di attrazione per la moda, fino alle nuove tendenze di questi ultimi anni legate alle avanguardie artistiche e ai diversi movimenti culturali del Novecento: dall'Alta Moda al prêt-à-porter, dalla minigonna ai blue-jeans, tra un continuo rinnovarsi e alternarsi di stili si attua l'evoluzione della moda.

Insomma, la moda in Italia è narrata come fiaba perché la sua funzione è profondamente diversa rispetto a Parigi oppure a Londra e a New-York.

Per noi la moda è strumento di un riscatto sociale e, quindi, di un innalzamento di classe attraverso l'abito; altrove tutto questo non appare neppure pensabile: fuori dai nostri confini la moda è solo uno strumento per confermare uno status.

18. Quali di queste informazioni sono presenti nel testo?

1. La moda italiana inizia ufficialmente con una sfilata organizzata da un privato.
2. La moda italiana inizia grazie al boom economico italiano.
3. La moda non è solo business ma anche linguaggio e comunicazione.
4. Lo sfondo delle prime sfilate italiane sono palazzi antichi ricchi di storia e nobiltà.
5. Le prime ad indossare abiti alla moda sono le stelle del cinema.
6. A metà del secolo si assiste a un cambiamento totale dell'economia italiana.
7. Gli anni '60 permettono anche alla gente comune di accedere ai capi di moda e oggetti del design.
8. Negli anni Ottanta Milano diventa il centro della moda italiana.
9. La moda in Italia ha un valore di fiaba: è un modo per riscattarsi socialmente.
10. All'estero la moda serve a contraddistinguere l'appartenenza ad un ceto sociale.

19. Collegate e completate le frasi liberamente.

Come fai per:

ampliare un concetto già espresso

puntualizzare

esprimere dubbio

esprimere certezza

esprimere un'opinione

Si deve anche tener presente che...
Vorrei sottolineare il fatto che...
Non sono convinto che...
È ovvio che...
Inoltre c'è da aggiungere che...
Sono del parere che...
Ritengo che...
Preciserei che...
Non mi convince questa affermazione...
Tutti concorderanno sul fatto che...
Aggiungerei anche che...

20. Rileggete il testo dell'esercizio 17 e completate le frasi seguendo le funzioni tra parentesi.

La moda nasce in Italia negli anni '50.
In occasione di una sfilata...

[ampliare il concetto]

1. Dice André Suarès che la moda è la migliore delle farse.

[puntualizzare]

2. Il desiderio di piacere agli altri è una delle grandi motivazioni alla moda.

[esprimere dubbio]

3. Le confezioni in serie permettono anche alle donne non ricche di seguire le mode.

[esprimere certezza]

4. La moda è solo un modo per confermare uno status.

[esprimere un'opinione]

21. Guardate immagini e didascalie e ampliate scrivendo un articolo per un giornale.

Caramelle da tasca
Alla vendita dei prodotti sfusi si sostituiscono le confezioni.
Tanto piccolo da stare in una tasca il pacchetto per le multicolori caramelle
Charms che raccoglie le caramelle che si vendevano sfuse.

Arriva il fustino
Con il boom economico scoppia anche il packaging. I fustini di detersivo
per lavatrice hanno forma cilindrica e sono di cartone spesso: occupano molto
spazio, ma danno un'idea di risparmio (grandi quantità a prezzo contenuto).

Buste col marchio
Prodotti così ben confezionati da sembrare artigianali.
La novità di questi anni è la busta richiudibile che fa tanto biscotto
artigianale (ma con il marchio bene in vista).

Il trionfo del McDonald's
Dalla ricerca della raffinatezza al trionfo dell'usa e getta. Nell'era dell'usa
e getta anche la confezione si adegua: è pensata per contenere gli
alimenti solo per breve tempo e poi buttata. Il modello McDonald's
prende sempre più piede.

Ritorno al cartone
Funzionale è bello, riciclato meglio ancora. Cassette di legno addio:
i contenitori di uova e arance sono in cartone spesso ottenuto da
materiali di riciclo.

22. Scrivete nel cruciverba i sostantivi che derivano dalle parole a lato.

Orizzontali
1. puro
3. certo
7. indeciso
10. ottimista
11. allegro

Verticali
1. appassionato
2. estroverso
4. tranquillo
5. sperare
6. negare
8. estinguere
9. energico

Soluzione attività a pag. 85
Pubblicità Fiat
Personaggi delle Foto: Giovanni Falcone - Paolo Borsellino - Carla
Fracci - Gino Bartali - Edoardo De Filippo - Alberto Sordi

1. Completate le frasi. Diversi punti di vista.

Tutto è più piccolo: una bambina racconta. "Ho appena visto un bel (gatto) *gattino*! Aveva un (muso) .... così simpatico, la (lingua) .... era tutta rosa... Aveva una (coda) .... tutta nera nera e le (zampe) .... erano bianche! Posso averlo mamma?"

Tutto è più brutto: un bambino racconta. "Mamma mia che spavento! Ho appena visto un (cane) *cagnaccio* grande e grosso, con una (testa) .... enorme e una (bocca) .... brutta brutta! Per fortuna era rinchiuso in un giardino!"

2. Quale prefisso si adatta a tutte e tre le parole: potente, grande, parlare?

a) stra- ☐
b) extra- ☐
c) super- ☐

3. Mettete le frasi al passato.

a) Non sono sicuro che sia vero.
b) Crede che la pubblicità dica la verità.
c) Desidera che tutto vada bene.

4. Completate.

Nonostante .... davvero una pubblicità molto moderna il pubblico non riusciva ad apprezzarla.

a) sia ☐
b) sia stata ☐
c) fosse ☐

5. Scegliete la preposizione corretta.

La pasta integrale Barilla è fatta solo .... (1) il 100% di semola integrale prodotta .... (2) mulini Barilla .... (3) un esclusivo metodo di macinazione del grano, per darti una pasta integrale buona da gustare, dall'inconfondibile colore dorato e naturalmente ricca di fibre.

a) a / con / di
b) nei / dei / ai
c) di / su / con

6. Completate la frase.

● La prima pubblicità Barilla è comparsa alla TV subito dopo gli inizi.
● Davvero?! Pensavo che .... solo verso gli anni Settanta.

a) era uscita ☐
b) fosse uscita ☐
c) è uscita ☐

7. Puntualizzate la vostra opinione.

a) A dire il vero non ho ben capito come funzioni. ☐
b) Sinceramente io non sono proprio sicura di essere d'accordo. ☐
c) Vorrei sottolineare il fatto che su questo punto non sono d'accordo. ☐

8. Quale frase esprime dubbio?

a) Guarda, secondo me è un malinteso. ☐
b) Guarda, pensavo che fosse così. ☐
c) Guarda, mi scuso perché so di aver torto. ☐

Valutazione: 100% - 80% Hai una profonda conoscenza della materia della lezione
70% - 50% Ripeti le parti nelle quali sei meno ferrato
40% o meno Ripassa bene la lezione: grammatica, lessico e fraseologia

a prescindere da	....	instaurare	....
ammiccamento	....	interpretativo	....
antropologico	....	marca	....
arretratezza	....	maturare	....
artefatto	....	mecenatismo	....
aulico	....	mediatico	....
blasonato	....	mitico	....
caffettiera	....	negazione s.f.	....
calma	....	orgoglio	....
calo	....	ottimismo	....
canale s.m.	....	pace s.f.	....
candore s.m.	....	parabola	....
casalingo	....	paradisiaco	....
certezza	....	passaggio	....
condiviso	....	passione s.f.	....
confezione s.f.	....	personalità	....
consumato	....	pioneristico	....
corteggiare	....	progettista	....
creatività	....	promotore s.m.	....
crisi s.f.	....	pudore s.f.	....
design s.m.	....	purezza	....
difetto	....	rapido	....
discendente	....	rigore s.m.	....
eccitante	....	riscatto	....
emulazione s.f.	....	risonanza	....
espressione	....	rivoluzione s.f.	....
estinzione s.f.	....	sensoriale	....
estroversione s.f.	....	sgargiante	....
evoluzione s.f.	....	sobrietà	....
farsa	....	soggettivo	....
fotogramma s.m.	....	specializzazione s.f.	....
frattura	....	speranza	....
freschezza	....	sperimentale	....
funzionalità s.f.	....	stile s.m.	....
gadget s.m.	....	stimolo	....
garanzia	....	subconscio	....
iconico	....	suscitare	....
impercettibile	....	talismano	....
indecisione s.f.	....	visivo	....
ingegneristico	....	vitale	....

La posizione degli aggettivi - ripresa

Testo descrittivo/soggettivo

Un **instancabile** viaggiatore.
Uno **smodato** consumatore.

Testo informativo/oggettivo

Un viaggiatore **instancabile**.
Un consumatore **smodato**.

Operò forse come spia al servizio dei dogi veneziani.

Il passato remoto - forme regolari

oper-**are**	cred-**ere**	costru-**ire**
oper**ai**	cred**ei** / **-etti**	costru**ii**
oper**asti**	cred**esti**	costru**isti**
oper**ò**	cred**é** / **-ette**	costru**ì**
oper**ammo**	cred**emmo**	costru**immo**
oper**aste**	cred**este**	costru**iste**
oper**arono**	cred**erono** / **-ettero**	costru**irono**

(Vedi unità 2)

Il passato remoto - verbi irregolari

essere	avere	dare	stare	dire	bere	fare
fui	**ebbi**	detti	stetti	dissi	bevvi	feci
fosti	avesti	desti	stesti	dicesti	bevesti	facesti
fu	**ebbe**	dette	stette	disse	bevve	fece
fummo	avemmo	demmo	stemmo	dicemmo	bevemmo	facemmo
foste	aveste	deste	steste	diceste	beveste	faceste
furono	**ebbero**	dettero	stettero	dissero	bevvero	fecero

Gli altri verbi sono irregolari, come **avere**, solo nelle forme di prima (**io**), terza persona singolare (**lui/lei**) e terza persona plurale (**loro**):

volere	voll-	
leggere	less-	-i
prendere	pres-	-e
correre	cors-	-ero
spegnere	spens-	
nascere	nacqu-	

doppia:	cadere (caddi), conoscere (conobbi), tenere (tenni)
doppia ss:	scrivere (scrissi), tradurre (tradussi), vivere (vissi)
una sola s:	decidere (decisi), chiedere (chiesi), chiudere (chiusi)
rsi:	perdere (persi),
nsi:	vincere (vinsi), piangere (piansi)
cqu:	piacere (piacqui), tacere (tacqui)

Uso del passato remoto, del passato prossimo e dell'imperfetto

Elessero il primo Presidente il 1° gennaio 1948.

Due ore fa **hanno eletto** il nuovo Presidente.

Aveva un grande intuito politico.

Passato remoto: passato lontano	Passato prossimo: legato al presente	Imperfetto
Azione compiuta e puntuale Sequenza di azioni Avvenimenti conclusi Uso letterario	Azione compiuta e puntuale Sequenza di azioni Avvenimenti conclusi Uso quotidiano	Azioni abitudinarie Descrizioni Azioni parallele

I numerali romani

I primo	**III** terzo	**V** quinto	**VII** settimo	**IX** nono	**XI** undicesimo
II secondo	**IV** quarto	**VI** sesto	**VIII** ottavo	**X** decimo	**XII** dodicesimo

L cinquantesimo   **C** centesimo   **D** cinquecentesimo   **M** millesimo

Presente storico

Dante **nasce** nel 1265.   →   Dante **nacque** nel 1265.

Il presente indicativo può sostituire il passato remoto in un registro più informale.

Pronomi personali soggetto nel linguaggio letterario

persone	cose	persone	cose
egli	esso	ella	essa
essi		esse	

Egli fu un personaggio davvero importante per l'unificazione d'Italia.

Connettivi - ripresa

Temporali	Consecutivi	Dichiarativi	Causali
appena, una volta che, dopo che, finché, mentre, quando, prima che	così... che, tanto/talmente... che, a tal punto che, di modo che	che, quindi, cioè, in effetti, allora, dunque	perché, siccome, poiché, giacché, dato che, visto che, non perché

1. Abbinate alla spiegazione corrispondente.

1. occultista
2. seduttore
3. libertino
4. avventuriero
5. regnante

a) sovrano di un paese, re
b) persona che ama le avventure
c) persona che riduce al proprio volere con promesse
d) persona che ama la bella vita
e) persona che pratica la magia

2. Rileggete il brano e sottolineate gli aggettivi che precedono i sostantivi.

Gian Giacomo Casanova nacque a Venezia nel 1725, venne ritenuto il più grande seduttore di tutti i tempi, e ancor oggi nella lingua italiana il suo nome è sinonimo di "rubacuori". Fu un brillante letterato, un instancabile viaggiatore, coraggioso avventuriero, operò forse come spia al servizio dei dogi e fu soprattutto noto libertino. Amò molto le donne, e pare che le sue armi "segrete" fossero il cacao presente nella cioccolata e lo zinco contenuto nelle ostriche, delle quali fu smodato consumatore. Se Venezia era ai suoi piedi, non meno successo ebbe in Francia, dove fu ospite dei regnanti e introdusse giochi e lotterie. Occultista di grande fama si arricchì, secondo la

moda del tempo, sulla credulità dei vecchi aristocratici, convinti di poter riottenere col suo aiuto medianico la perduta giovinezza. Tanto furono avventurose la sua giovinezza e maturità (fino alla reclusione nella prigione lagunare dei Piombi), tanto fu grigia e decadente la vecchiaia. Rimasto povero, ignorato dalla bella società, trascorse gli ultimi anni della vita ospite di un castello in Boemia, lamentandosi con i poveri camerieri perché non gli preparavano la polenta o l'amata pasta.

- Qual è normalmente la posizione degli aggettivi?
- Quando si usano prima del sostantivo?
- Quali aggettivi cambiano significato se usati prima o dopo il sostantivo?

3. Create delle frasi utilizzando gli aggettivi in fondo, prima o dopo il sostantivo.

1. viaggiatore: *Marco Polo fu un instancabile viaggiatore.*

2. persona: ....

3. uomo: ....

4. letterato: ....

5. tipo: ....

dotato - famoso - interessante - versatile - colto - immortale - noto - grande - terribile
importante - dubbioso - superficiale - instancabile - previdente - acuto - saggio - incapace

4. Parafrasate secondo l'esempio.

È una *grande* donna nel campo della letteratura.   *Una donna molto importante.*
È una bambina *grande* per la sua età.   *Una bambina di statura alta.*

1. È un vecchio amico con la passione per la poesia. Un amico ....
2. È un amico vecchio che trascorre le vacanze qui da me. Un amico ....
3. Sono proprio dei poveri ragazzi, sempre a casa da soli! Dei ragazzi ....
4. Amerigo è un mio caro amico d'infanzia. Un amico ....
5. È proprio un ristorante molto caro. Un ristorante ....
6. Luca è un uomo solo. Luca ....
7. Luca ha un solo amico. Luca ....

5. Completate lo schema con le desinenze corrette.

	am**are**	combatt**ere**	fin**ire**
io	am*ai*	combatt....................	fin....................
tu	am....................	combatt....................	fin....................
lui / lei / Lei	am....................	combatté	fin....................
noi	am....................	combatt....................	fin....................
voi	am....................	combatt....................	fin....................
loro	am....................	combatt....................	fin*irono*

6. Volgete al passato remoto le seguenti informazioni.

1. Romolo e Remo secondo la leggenda fondano Roma nel 753 a.C.

2. Dante Alighieri ama Beatrice e le dedica la sua opera principale.

3. Il grande scienziato Galileo Galilei inventa il cannocchiale.

4. Durante i suoi viaggi in Cina Marco Polo scopre una cultura diversa da quella europea.

5. Carlo Magno diventa imperatore del Sacro Romano Impero.

6. L'Italia entra in guerra nel 1915.

7. Completate lo schema dei verbi irregolari.

fare	essere	avere	bere	scrivere	dire	volere
feci						*volli*
			bevesti			
	fu					
				scrivemmo		
					diceste	
		ebbero				

8. Completate e rispondete alle domande. Fate riferimento alle biografie di pag. 96 usando il passato remoto.

1. Che cosa (scrivere) .... Dante Alighieri? Dove (nascere) ....?

....

2. Chi (essere) .... il fondatore dei fasci di combattimento?

....

3. Chi (prendere) .... con sé i gemelli Romolo e Remo salvandoli dalla morte sicura?

....

4. In quale libro Marco Polo (descrivere) .... le proprie avventure? Dove rimase per quasi diciassette anni?

....

5. In quale anno la Chiesa (costringere) .... Galileo Galilei a ritrattare le proprie tesi?

....

9. Leggete il testo. Sottolineate i verbi irregolari al passato remoto e completate lo schema.

Adriano divenne imperatore nel 117 d.C. Sposò la nipote dell'imperatore Traiano. Adriano ispirò la sua politica estera al mantenimento della sicurezza e della pace dell'impero. Gli interessi di Adriano si rivolsero soprattutto all'amministrazione del grande Stato romano, e volle rendersi conto personalmente durante lunghi viaggi delle condizioni delle province dell'impero. Ovunque curò imponenti opere pubbliche: famoso il Vallo di Adriano in Britannia ed imponenti sono gli edifici che eresse ad Atene. Amò e protesse particolarmente la cultura ellenistica, di cui riconobbe il ruolo essenziale nella vita dell'impero. Raccolse per primo tutte le sentenze dei pretori nell'*Edictum Perpetuum* che rappresenta il primo codice giuridico dell'antichità.

Infinito	divenire							
1a persona singolare	*divenni*							
3a persona singolare	*divenne*							
3a persona plurale	*divennero*							

10. Completate la biografia di Giuseppe Garibaldi con i verbi al passato remoto.

Giuseppe Garibaldi (nascere) .... a Nizza nel 1807. La sua storia è quella di un uomo irrequieto e portato alle avventure. Nel 1821 (iniziare) .... a lavorare come marinaio e l'amore per il mare gli (rimanere) .... per tutta la vita. Nel 1823 (diventare) .... capitano e (conoscere) .... una persona che (rivelarsi) .... molto importante per il suo futuro: Giuseppe Mazzini. Solo pochi anni dopo (iscriversi) .... al partito "la Giovine Italia" che Mazzini (fondare) .... allo scopo di unificare l'Italia. Garibaldi (prendere) .... parte a diverse rivolte e (decidere) .... di partire per l'America del Sud per salvarsi dalla Polizia. Anche qui (essere) .... attivo nelle lotte contro il governo. In Brasile (sposare) ....

Ana Maria Ribeiro detta anche Anita. (Ritornare) .... in patria nel 1848 e (combattere) .... nuovamente per l'indipendenza dagli austriaci. Dopo molte peripezie e avventure (partire) .... con un gruppo di uomini alla conquista del Sud Italia nel 1860. (Avere) .... successo e dalla Sicilia arrivò a Napoli dove (consegnare) .... simbolicamente in mano a re Vittorio Emanuele il Regno delle Due Sicilie appena conquistato. Negli ultimi anni della sua vita (ritirarsi) .... sull'isola di Caprera dove (morire) .... nel 1882.

11. Completate la tabella.

1000	il Mille	XI	l'undicesimo secolo
1100	il Millecento	XII	il dodicesimo secolo
1200	il Milleduecento / il Duecento		
1300			
1400			
1500	.... / il Cinquecento	XVI	il sedicesimo secolo
1600			
1700			
1800			
1900			
2000			il ventunesimo secolo

12. Sottolineate il passato remoto e l'imperfetto e completate.

Chi era esattamente questa donna di cui si è tanto parlato, Lucrezia Borgia?
Era una donna molto bella e molto infelice, almeno nel primo periodo della sua vita.
Perché infelice?
Sposò Giovanni Sforza per volere del padre a soli dodici anni, per motivi politici.
Giovanni Sforza poi annullò il matrimonio. In seconde nozze sposò Alfonso d'Aragona che morì in un attentato nel 1500.
Ma quanti anni aveva Lucrezia al tempo?
Aveva poco più di vent'anni quando il padre combinò nuove nozze tra lei e Alfonso d'Este Signore di Ferrara.
Città in cui visse fino alla sua morte.
Quindi non è vero ciò che si dice di lei, cioè che ha assassinato il marito?
Si dicevano molte cose cattive e sciocche su di lei. Probabilmente fu il fratello di Lucrezia, sempre per motivi d'interesse
politico, a ucciderlo per poter poi combinare nuove nozze quindi nuove alleanze.

Imperfetto	Uso
Chi era...	Descrizione di...

Passato remoto	Uso
Sposò	Fatti...

13. Completate con il passato remoto o l'imperfetto.

LA ROMA MEDIEVALE

Soppiantata da Costantinopoli come capitale
dell'impero nel IV secolo, Roma all'inizio del Medioevo
(essere) _____ una città
di poche migliaia di abitanti; il suo potere (essere)
_____ ormai un ricordo e
i monumenti poco più che rovine. Nell'VIII e nel IX
secolo, l'importanza crescente del papato (rivitalizzare)
_____ la città, che (tornare)
_____ a essere un centro di
potere. Ma i continui conflitti tra papato e impero la (indebolire) _____ ben presto. Il X,
l'XI e il XII secolo (essere) _____ tra i più bui della storia di Roma: saccheggi e invasioni
(ridurre) _____ la città in miseria e i signori locali, sempre in guerra tra loro, (fare)
_____ il resto. Ciò nonostante Bonifacio VIII (proclamare) _____
il primo Anno Santo, che (richiamare) _____ a Roma migliaia di pellegrini. Nel 1309 il papato
fu costretto a trasferirsi ad Avignone, lasciando Roma in una condizione ancora più grave di squallore e disordini.

14. Scrivete un breve trafiletto per una rivista modificando il racconto di Paolo. Usate il passato remoto.

Paolo è innamorato della storia e da grande vorrebbe diventare un famoso archeologo scoprendo città dimenticate. Una storia che gli piace moltissimo è quella della fondazione di Roma. Ce la racconta...

"Secondo la leggenda i due gemelli Romolo e Remo erano i figli di Marte e Rea Silvia che li hanno abbandonati lungo le sponde del Tevere. Qui una lupa li ha trovati e li ha allevati in una grotta sul colle Palatino. Infatti se andate a vedere sul colle si vedono dei resti dell'Età del ferro, più o meno il IX secolo a.C. I due gemelli sono cresciuti in una famiglia di pastori, sono diventati forti e coraggiosi e hanno formato un gruppo di giovani.
Nel 753 hanno fondato Roma e sono successi dei pasticci tra i due fratelli e Romolo ha ucciso il povero Remo. Poi Romolo per popolare la città è andato a rapire delle donne sabine. La leggenda poi racconta che un giorno Romolo è scomparso tra nubi e fulmini durante una battaglia. Interessante, no?"

crebbero
successero
scomparve

15. Scrivete la biografia dell'attore e regista italiano Roberto Benigni. Cercate in rete maggiori informazioni.

Verbi importanti:

....
....
....
....
....
....
....
....

- Castiglion Fiorentino 1952
- 1977 esordio cinema con **Berlinguer ti voglio bene**
- 1990 attore per Fellini in **La voce della luna**
- 1999 tre Oscar con **La vita è bella**
- Lavora con la moglie

16. Completate con i connettivi più adatti.

Donne nel Rinascimento

La zia del duca Ercole II, Isabella Gonzaga, era marchesa della Mantova rinascimentale, ed era *quindi / allora / siccome* un tipico e meraviglioso prodotto di quel mondo. *Quando / mentre / visto che* finalmente Isabella e Lucrezia Borgia si trovarono faccia a faccia, Isabella decantò l'eleganza della cognata al marito, che sarebbe diventato uno dei più tenaci amanti della duchessa Lucrezia, descrivendone il vestito d'oro, la collana di perle grosse e il modo in cui portava i capelli. Lei, Isabella, *invece / quindi / in effetti* era fantasticamente se stessa. *Una volta / allora / dunque* la marchesa di Cotrone, che l'accompagnava, scrisse al fiero e geloso marito di Isabella, facendo capire che Isabella, con la sua veste ricamata a spartito musicale, aveva dato una lezione d'eleganza alla Borgia. Aggiungeva *cioè / inoltre / quindi* che tutti la guardavano ammirati e che in mezzo alle altre dame sembrava un sole che col suo splendido raggio tutte le stelle oscurasse.

Se poi Lucrezia ballava con grazia, Isabella cantava con professionalità. *Dato che / in effetti / perché* tra le due donne non corse mai veramente buon sangue, si può tranquillamente affermare che si odiavano cortesemente.

17. Scrivete con le vostre parole il contenuto dell'intervista radiofonica seguendo gli spunti.

- La città cambiò struttura dopo il 1000: Sopravvivenza in città / i contadini… in città / condizioni di vita migliori / l'integrazione / "razze" diverse
- Salute pubblica: condizioni igieniche / inquinamento / norme specifiche
- Violenza: risse / le violenze civiche / le famiglie potenti
- I quartieri: necessità di difesa / intera vita in un quartiere
- Differenziazione sociale: ricchezza / mentalità mercantile
- Scuole laiche: villaggi / città

18. Riscrivete il brano mettendo al presente storico i verbi in corsivo.

Anno 1492

Un navigatore italiano, Cristoforo Colombo, *salpò* da Palos il 3.8.1492 con una flotta di tre navi (Nina, Pinta e Santa Maria) con un equipaggio di 120 uomini, fra cui i fratelli Martin Alonso e Vicente. *Sbarcò* dopo un lunghissimo viaggio pieno di privazioni e malattie il 12 ottobre dello stesso anno nell'isola di Guanahani nelle Bahamas (oggi isola di Watling), che egli *chiamò* San Salvador. *Proseguì* la navigazione, *toccò* Cuba e poi Haiti, da lui denominata Hispaniola, dove *naufragò* con la Santa Maria. *Lasciò* parte dell'equipaggio in un forte sull'isola, *salpò* con la Nina e *rientrò* il 15 marzo a Palos, dove lo *accolsero* trionfalmente. Non *raggiunse*, né in questa né nelle successive spedizioni, la convinzione di aver toccato un nuovo continente, bensì *credé* di aver raggiunto le coste orientali dell'Asia, che *si sforzò* di riconoscere e individuare. Nel 1493 *salpò* per un secondo viaggio con 17 navi e oltre 1500 uomini, con intenti di colonizzazione e di ricerca dell'oro promesso ai sovrani spagnoli che *finanziarono* il viaggio. *Toccò* Dominica, Guadalupa, Portorico, Antigua e Giamaica, ma le difficoltà ambientali, le rivolte degli indigeni *iniziarono* a mettere in difficoltà C. Colombo che *tornò* in patria.

19. Sostituite le parole in corsivo con le parole in fondo modificando, dove necessario, il testo.

Risorgimento

Questo termine indica il periodo di storia italiana tra il 1820 e il 1870 circa, in cui nacquero i movimenti d'indipendenza che portarono all'unificazione dell'Italia.

Dalla Restaurazione al 1848 - Fin dagli inizi il *programma* dell'indipendenza si legò con lo sviluppo dei ceti borghesi, commerciali e manifatturieri, delle regioni più sviluppate nel periodo delle riforme e del *dominio* napoleonico. La Carboneria sostenne i *moti* nel '20-'21 in diverse parti d'Italia. Questo *raggruppamento* aveva un carattere di setta che le impedì di estendersi fuori dei gruppi aristocratici, intellettuali e militari.

Giuseppe Mazzini viene considerato *l'iniziatore* di una più moderna forma di azione politica in Italia, *fondata* sulla necessità di un programma nazionale. Egli fondò la Giovine Italia - il primo partito politico democratico nella storia italiana - che *chiamò* alla lotta contro l'Austria. [...]

La rivoluzione del 1848-49 fino al 1860 - Questi anni videro il Piemonte *impegnato* nella guerra contro l'Austria. La partecipazione degli strati cittadini ai moti rivoluzionari era *elevata*. Cavour, diplomatico *di spicco* dei Savoia, mirava ad un'unificazione italiana come un processo di successive *aggregazioni* delle diverse regioni italiane, a questo scopo non esitò a servirsi di Garibaldi. In questo senso si mosse la sua politica internazionale, *culminata* con l'alleanza con la Francia di Napoleone III e con la guerra contro l'Austria del 1859. La Lombardia è conquistata ma il Tri-Veneto resta austriaco. Il meccanismo ormai è *inarrestabile* e i ducati del centro-nord si ribellano creando repubbliche e nei primi mesi del 1860 votano la richiesta di essere accolti nel regno dei Savoia. [...]

irrefrenabile - importante - annessioni - basata - gruppo - occupato - sfociata - molto alta - le insurrezioni - l'idea - egemonia - fondatore - mobilitò

20. Scrivete di un fatto o di un personaggio storico importante del vostro Paese. Usate i pronomi *egli/ella, esso/essa, essi/esse*.

Fu un personaggio molto importante. Egli... ....

Nel... accadde... ....

....

....

....

....

1. Completate.

Ugo Foscolo .... (1) nel 1778 a Zacinto
(oggi Zante), una delle isole Ionie che in quell'epoca erano
sotto il dominio della Repubblica di Venezia; suo padre era
veneziano e sua madre greca. Il padre .... (2)
nel 1792 e la famiglia .... (3) a Venezia.

(1)	(2)	(3)
a) si trovò	a) morì	a) venne
b) nacque	b) visse	b) partì
c) visse	c) andò	c) si trasferì

2. Qual è il significato dell'aggettivo?

Garibaldi fu un grande condottiero del Risorgimento italiano.

a) Ricco signore ☐

b) Di grande importanza ☐

c) Di statura alta ☐

3. Completate la biografia con il verbo al passato remoto.

Nerone .... (nascere) ad Anzio il 15
dicembre del 37. .... (studiare) con il filosofo
Cheremone di Alessandria. Dal 49 .... (avere)
come precettore il filosofo Seneca. A sedici anni, nel 53,
.... (sposare) Ottavia, la figlia di Claudio.
Nerone .... (governare) Roma tra il 54 ed il 68
d.C.

4. Completate la frase.

Durante gli ultimi anni del XIX secolo molti italiani
.... (1) verso l'America del Nord e del Sud.
Molti di loro .... (2) in Brasile, in Argentina.
Un grande numero .... (3) a Ellis Island,
cercando un lavoro e un po' di speranza negli Stati Uniti
d'America.

(1)	(2)	(3)
a) sono emigrati	a) si stabilirono	a) sbarcava
b) emigravano	b) si sono stabiliti	b) è sbarcato
c) emigrarono	c) si stabilivano	c) sbarcò

5. Completate la frase con il verbo al passato remoto.

Garibaldi non .... (vincere) sempre tutte
le sue battaglie, anzi. Ne .... (perdere) molte
e dovette alla fine ritirarsi esule sull'isola di Caprera.
Sicuramente questo personaggio .... (vivere)
molte avventure, non solo in Italia ma anche in Brasile e
in Argentina.

6. Completate.

La Chiesa accusò Galileo Galilei di voler sovvertire
la filosofia naturale aristotelica e le Sacre Scritture,
.... lo condannò come eretico il 22 giugno
1633.

a) bensì ☐

b) perché ☐

c) quindi ☐

7. Volete motivare un fatto.

a) Si merita davvero una grande lode dal momento
che si è davvero sforzato a scuola. ☐

b) È un ragazzo molto bravo a scuola. I suoi voti
sono buoni. ☐

c) Luca ha appena vinto un premio a scuola. ☐

8. Come chiedete informazioni su personaggi storici?

a) Ho appena letto qualcosa su Giulio Cesare. ☐

b) Sai dirmi qualcosa su Giulio Cesare? ☐

c) Non so chi sia Giulio Cesare. ☐

Valutazione: 100% - 80% Hai una profonda conoscenza della materia della lezione
70% - 50% Ripeti le parti nelle quali sei meno ferrato
40% o meno Ripassa bene la lezione: grammatica, lessico e fraseologia

accogliere	laico
allevare	liberare
amministrativo	libertino
amministrazione s.f.	lista
annessione s.f.	manifatturiero
antichità	mentalità
arruolarsi	mercante s.m.
artigiano	ministro
assumere	mobilitare
astuto	moneta
avventuriero	moti s.pl.
bicamerale	nascita
borghese	naufragare
brillante	navigazione
cannocchiale s.m.	oblio
capitale s.m.	oscurantismo
circa	parlamento
coalizione s.f.	patriota s.m.
codice s.m.	peripezia
combattimento	personaggio
commerciale	politica
commercio	presidente s.m.
condannare	prigione s.f.
condottiero	principe s.m.
conflitto	promuovere
conquista	proporzionale
consumatore s.m.	provincia
coordinare	quartiere s.m.
costringere	raccogliere
denaro	reggenza
di spicco	repubblica
diplomatico	ribellarsi
disordine s.m.	riconoscere
dittatoriale	riforma s.f.
divenire	rissa
doge s.m.	rivoluzionario
dominio	saccheggio
egemonia	sbarcare
elevato	scomparire
elezione s.f.	sconfiggere
epoca	seduttore s.m.
equipaggio	senatore s.m.
eretico	sfociare
erigere	simbolicamente
esclusione s.f.	solidarietà
esecuzione s.f.	sostenere
esordire	spia
evento	squallore
giuridico	struttura
governare	sviluppo
governo	teoria
igiene s.f.	testimonianza
immobilità	tutela
impegnato	unificazione s.f.
inarrestabile	usura
incarico	vagare
incontrastato	vendetta
instancabile	violenza
insurrezione s.f.	votare
invasione s.f.	

Il periodo ipotetico della realtà

PRESENTE	PRESENTE
FUTURO	FUTURO
PRESENTE	IMPERATIVO

Se **ho** tempo, ti **chiamo**.

Se **avrò** tempo, ti **chiamerò**.

Se **hai** tempo, **chiamami**!

Il periodo ipotetico della possibilità

CONGIUNTIVO IMPERFETTO	CONDIZIONALE PRESENTE

Se **avessi** i soldi, **farei** una vacanza in Brasile.

Se **l'avessi saputo, non avrei accettato** questo lavoro.

Il periodo ipotetico dell'impossibilità

CONGIUNTIVO TRAPASSATO	CONDIZIONALE COMPOSTO

Se non **fossi** tu, mi **sarei** già **incavolato**.

Casi particolari

CONGIUNTIVO IMPERFETTO	CONDIZIONALE COMPOSTO
CONGIUNTIVO TRAPASSATO	CONDIZIONALE PRESENTE

Se **avessi studiato** arte, ora **sarei** un pittore.

I plurali irregolari

SINGOLARE	PLURALE
l'arma	le armi
l'ala	le ali

SINGOLARE	PLURALE
il dio	gli dei
il tempio	i templi
il bue	i buoi

SINGOLARE	PLURALE
il paio	le paia
l'uovo	le uova
il dito	le dita
il braccio	le braccia
il ginocchio	le ginocchia
il ciglio	le ciglia
il migliaio	le migliaia
il centinaio	le centinaia

Uso del **si** con i verbi al presente e al passato

Si	mangi**a**	bene.
	organizz**a**	un concerto. una mostra.
	organizz**ano**	molti concerti. molte mostre.

Si	è mangiat**o**	bene.
	è organizzat**o**	un concerto.
	è organizzat**a**	una mostra.
	sono organizzat**i**	molti concerti.
	sono organizzat**e**	molte mostre.

Si	part**e**	in orario.
	è partit**i**	

C'era troppa gente e **si è visto** poco!

Si **sono** organizzat**e** **molte mostre** quest'anno.

Uso del **si** con i verbi riflessivi al passato

Ci si	incontr**a**	spesso.
	è incontrat**i**	spesso.

1. Parole d'arte. Completate il cruciverba.

Orizzontali
2. Lo sono Giotto, Caravaggio e Picasso.
6. Movimento pittorico della seconda metà del XIX secolo.
9. Tecnica di pittura murale eseguita sull'intonaco fresco.
11. Stile artistico del Seicento molto ricco e scenografico.
12. Oggetto che si appende al muro.

Verticali
1. Opera di pittura.
3. Aggettivo che definisce l'arte attuale.
4. Rappresentazione di oggetti e figure fatta con linee.
5. Esposizione di quadri, foto o sculture.
7. Opera d'arte che rappresenta una persona.
8. Complesso di ambienti destinati a contenere opere d'arte.
10. Opera fatta di marmo o pietra.

2. Completate il dialogo con le seguenti espressioni.

come sarebbe a dire, a dire il vero, d'altra parte, se la pensi così, ma che c'entra, ma dai, non interessa

Marco: Allora, cos'hai deciso, vuoi venire all'inaugurazione del nuovo spazio espositivo di Marina Piccola?

Giovanna: Mah, (1)............................... non mi interessa molto. Ho letto che non espongono grandi artisti, ma che vogliono semplicemente dare spazio a nuovi talenti nel campo della fotografia e a me questo tema (2)...............................

Marco: Beh, (3)............................... e non sei aperta a cose nuove, restatene pure a casa. Peccato che tu sia così poco interessata all'arte.

Giovanna: (4)..............................., scusa! Io sono interessata all'arte, ma di certo non ai dilettanti!

Marco: (5)..............................., adesso non esageriamo! Può essere un modo per passare la serata in modo piacevole. (6)............................... tranne che andare al cinema o a mangiare una pizza qui non c'è un granché da fare.

Giovanna: (7)...............................! Allora pur di passare il tempo si fa qualsiasi cosa.

Marco: Uffa, quanto sei complicata. Beh, allora stattene a casa. Ciao!

3. Combinate le frasi della colonna di sinistra con quelle della colonna di destra.

1. Se glielo chiedi
2. Se ho tempo
3. Se gli scrivi
4. Se avessi i soldi
5. Se l'avesse saputo
6. Se fosse educato
7. Ci sarei andata volentieri
8. Se non dovessimo lavorare
9. Vi raggiungerò
10. Se avessi la macchina

a. lo comprerei.
b. te l'avrebbe detto.
c. non si comporterebbe così.
d. se mi avesse invitato.
e. usciremmo volentieri con voi.
f. ti aiuta di sicuro.
g. solo se riuscirò a trovare il tempo.
h. ti accompagnerei.
i. vengo a trovarvi.
j. ti risponderà.

4. Completate le frasi con i seguenti verbi:

avere - avere - sapere - potere - essere - partire

1. Se .... tempo, ti chiamo.

2. Non lo comprerei neanche se .... soldi da buttare.

3. Se .... che c'era anche lui, non sarei venuta.

4. Se ...., telefonami!

5. Se non .... tanto egoista, ieri non si sarebbe comportato così.

6. Se .... prima, ora saremmo già a Milano.

5. Trasformate le frasi secondo il modello.

Es.: *a. Non gli parlo perché è un gran maleducato.*
Se non fosse un gran maleducato, gli parlerei.
b. Non sono venuti perché non li avete invitati.
Se li aveste invitati, sarebbero venuti.

1. Mi sono trasferito a Milano perché ho trovato un buon lavoro.

    ----

2. Non riesce a superare l'esame perché non studia.

    ----

3. Non vado in vacanza perché non ho soldi.

    ----

4. Non ti ha telefonato perché ha perso il tuo numero.

    ----

5. Mi sento sola perché non ho amici.

    ----

6. Mi licenzio perché il mio lavoro non mi piace.

    ----

7. Non l'ho salutata perché non l'ho vista.

    ----

8. Sono arrivati in ritardo perché hanno perso il treno.

    ----

9. Ho messo la macchina in seconda fila perché non c'era posto.

    ----

10. Sono arrivato in ritardo perché non ho sentito la sveglia.

    ----

6. Completate le frasi con le parti mancanti.

1. Se eventualmente fosse necessario, (voi - chiamarmi) ....!

2. Se (essere) .... interessati, avvertitemi in tempo!

3. Se (io - saperlo) ...., te l'avrei detto.

4. Se avessimo i soldi, (venire) .... con voi a Cortina.

5. Se (riuscire) .... a finire entro le sette, passo un attimo da voi.

6. Se non fossero sempre tanto arroganti e maleducati, ieri (noi - cercare) .... di fare qualcosa per loro.

7. Non (io - scusarlo) .... neanche se mi pregasse in ginocchio.

8. Se (lui - stare) .... meglio, ci avrebbe già chiamato.

9. Se fossimo partiti prima, ora (essere) .... già a casa.

10. Se cambi idea, (farmelo) .... sapere, eh!

11. Se (potere) .... decidere noi, avremmo fatto diversamente.

12. Se (loro - sapere) .... che c'eri anche tu, sarebbero venuti certamente.

13. Se (fare) .... freddo, si (restare) .... a casa, altro che mare!

14. Non (io - poterlo) .... aiutare neanche se (io - volere) ....

7. Completate la mail con le parti mancanti.

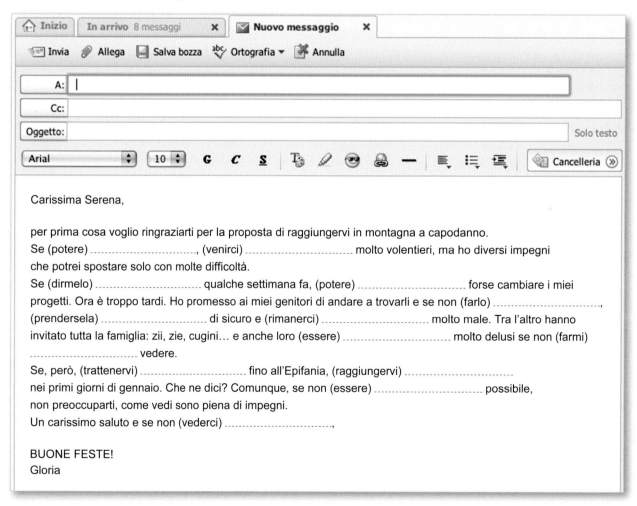

Carissima Serena,

per prima cosa voglio ringraziarti per la proposta di raggiungervi in montagna a capodanno.
Se (potere) ...., (venirci) .... molto volentieri, ma ho diversi impegni
che potrei spostare solo con molte difficoltà.
Se (dirmelo) .... qualche settimana fa, (potere) .... forse cambiare i miei
progetti. Ora è troppo tardi. Ho promesso ai miei genitori di andare a trovarli e se non (farlo) ....,
(prendersela) .... di sicuro e (rimanerci) .... molto male. Tra l'altro hanno
invitato tutta la famiglia: zii, zie, cugini... e anche loro (essere) .... molto delusi se non (farmi)
.... vedere.
Se, però, (trattenervi) .... fino all'Epifania, (raggiungervi) ....
nei primi giorni di gennaio. Che ne dici? Comunque, se non (essere) .... possibile,
non preoccuparti, come vedi sono piena di impegni.
Un carissimo saluto e se non (vederci) ....,

BUONE FESTE!
Gloria

8. Tornate a pagg. 110-111 e rispondete.

In quale dei musei...

1. Si propongono itinerari che fanno toccare con mano la vita del periodo mediceo? ....
2. Sono stati portati alla luce reperti di un periodo lungo circa 10 secoli? ....
3. C'è un grande parco in cui si possono ammirare sculture moderne? ....
4. Si possono visitare sale che hanno come tema il Natale? ....
5. Si percorrono itinerari artistici del '900? ....
6. Sono esposte opere di nuovi talenti? ....

9. Completate il testo con le parole nel riquadro.

librerie - musei - visitatori - iniziative - collezione - calchi - artisti - medievale - antichi - arte - laboratori - pubblico

I NUOVI TEMPLI DELLA CULTURA

Si trovano in palazzi .... o in edifici realizzati da famosi architetti.

In comune hanno una nuova concezione dell'.., e cioè invitare il pubblico a vedere nel

modo più piacevole mostre e rassegne. Infatti mettono a disposizione caffetterie eleganti, ...

specializzate, ristoranti accoglienti, ... didattici per adulti e bambini e spazi di relax per

una giornata davvero speciale. Nel nostro Paese esistono ben 4120 .... Due di loro sono tra

i primi sei al mondo per numero di .... Si tratta dei Musei Vaticani di Roma e della Galleria

degli Uffizi di Firenze. Oggi, però, il prestigio di un museo non si basa solo sul numero di persone che riesce a

richiamare e sulla fama della sua .... Contano anche le ....,

i servizi e i comfort che mette a disposizione del .... Dal bookshop specializzato ai

laboratori per bambini, dagli incontri con gli .... ai caffè e i ristoranti. Numerosi i musei

settoriali, come per esempio il Museo Omero di Ancona. È l'unico museo italiano per non vedenti. Qui si trovano i

.... di gesso e le copie in legno delle più celebri sculture e architetture dell'arte greca, romana,

.... e contemporanea. Tutte da conoscere attraverso il tatto. Un'emozione unica anche per i

visitatori che ci vedono benissimo.

10. Completate la lista con la forma mancante.

SINGOLARE	PLURALE
l'arma	le ....
l'uomo	gli ....
il	gli dei
il tempio	i ....
l'ala	le ....
il	le paia
il dito	le ....

SINGOLARE	PLURALE
il	i buoi
l'................	le uova
la mano	le ....
il	le migliaia
il centinaio	le ....
il	le miglia
il braccio	le ....

11. Scrivete delle frasi o un breve racconto fra l'assurdo e il fantasioso utilizzando i plurali dell'esercizio n.10.

Un giorno gli uomini decisero ....

....

....

....

12. Completate i testi con alcuni dei plurali dell'esercizio n.10.

MUSEI PER TUTTI I GUSTI

Non ci credete? Esiste veramente! È il museo delle .... di Pasqua. .... di ogni dimensione e

colore per la gioia di grandi e piccini. All'interno c'è un laboratorio per imparare a farle, un negozio dove acquistarle e una stanza

arredata con oggetti di cioccolata.

_____

Un museo dedicato all'antichità classica. Nelle sue sale troverete reperti provenienti da tutto il bacino del Mediterraneo. Colonne

e capitelli provenienti da .... greci, statue di .... e divinità, numerose .... come

lance, pugnali e spade. Inoltre spazi confortevoli e ben organizzati che fanno diventare questo museo un polo di attrazione per gli

appassionati dell'antichità classica.

_____

Un museo all'aperto dedicato esclusivamente al tema volo. Aerei di diverse epoche e di diversi Paesi. Vi verrà spiegato

il funzionamento di ogni singola parte dell'aereo: dalle .... al motore, dal sistema di areazione al carrello

di atterraggio. E per i più coraggiosi… ci sarà anche l'emozione di un volo su un aereo d'epoca!

13. Descrivete le foto con gli elementi dati.

1. Atleta greco fiero bronzeo sguardo plasticità.
2. Venere nascita conchiglia elegante delicatezza.
3. Santo Assisi predica spiritualità semplicità realismo.

14. Leggete la biografia di Modigliani e poi fate gli esercizi.

Amedeo Modigliani nasce a Livorno nel 1884. Amedeo è un bambino viziato, segnato dalla tubercolosi, malattia che in qualche modo contribuirà a farne un genio della pittura: lui vorrebbe scolpire, ma la polvere è micidiale per i suoi polmoni. Decide di trasferirsi a Parigi nel 1906, una Parigi in cui arrivano artisti da tutto il mondo: Picasso, Utrillo, Epstein, Jacob...

Sconvolto e affascinato da una realtà che così poco somiglia alla sua Livorno piccola e provinciale, beve, si droga e si riduce in miseria. Sono in pochi a credere in lui. Muore povero all'ospedale della Carità nel 1920. Poche settimane dopo il valore dei suoi quadri sale vertiginosamente. Sessantaquattro anni più tardi il destino si servirà delle mani abili di tre studenti per riscattare Modigliani. Tutto il mondo ormai lo ha riconosciuto come uno degli artisti più grandi e una burla così profondamente toscana, così leggera, va in ogni caso raccontata. Tre studenti livornesi riescono a seppellire nel ridicolo il mondo della critica d'arte. Chi non ricorda quell'anno in cui fu gridato al miracolo per il ritrovamento di due teste scolpite dal grande artista? Le sculture erano false, ma critici d'arte di tutto il mondo le attribuirono a Modigliani. Questo bastò a pareggiare i conti fra "Modì" e una categoria che non aveva saputo riconoscerne il valore. Modigliani, l'ultimo romantico, con i capelli neri, gli occhi grandi e scuri, insofferente alle regole, incarna sicuramente quell'ideale di personaggio malinconico, solitario e frainteso. In effetti Modigliani fu una delle prime gioventù bruciate su cui poté contare il nostro immaginario moderno. E i suoi quadri nei quali si evidenzia la forza espressiva, ritmica e costruttiva della linea; quelle meravigliose donne e uomini dal collo lunghissimo, simili a divinità africane; quei colori violenti; quegli sguardi vuoti e persi per la mancanza di pupille, rendono ineguagliabili le sue opere.

15. Cercate nel testo il corrispettivo delle seguenti espressioni.

1. Abituato a fare e ottenere ciò che vuole: ....

2. Molto dannoso, mortale: ....

3. Incredibilmente/velocemente: ....

4. Scherzo: ....

5. Impaziente/intollerante: ....

6. Impersonare: ....

7. Capire male: ....

8. Irraggiungibile/che non ha eguali: ....

16. Leggete la biografia di Modigliani e riesponetela dividendola nelle seguenti parti:

Dati biografici - Atteggiamento della critica nei confronti dell'artista - Caratteristiche delle sue opere - Carattere e aspetto fisico dell'artista

Modigliani nacque...

....

....

....

....

17. Di quale città o regione parliamo? Completate con i verbi e il *si* impersonale.

In questa città (potere) *si può* visitare la Torre Pendente.   *PISA*
In questa regione (potere) *si possono* vedere i Nuraghi.   *SARDEGNA*

1. Da noi in settembre (festeggiare) .... una regata storica famosa

   in tutto il mondo.

2. Nella nostra regione (mangiare) .... le trenette al pesto.

3. In questa città (potere) .... ammirare un celebre affresco

   di Leonardo da Vinci.

4. In questa città (correre) .... un famosissimo Palio.

5. Da noi (potere) .... visitare le rovine di un'antica città romana

   sepolta da un'eruzione del Vesuvio.

6. Nella nostra regione hanno avuto origine e (produrre) ....

   i famosissimi grissini.

7. Da noi (potere) .... visitare il più grande anfiteatro italiano.

8. Città del Veneto in cui (organizzare) .... un celebre festival lirico.

18. Completate il programma di viaggio mettendo i verbi in corsivo alla forma impersonale.

Pasqua in Campania.
Il nostro viaggio durerà 7 giorni: **visiteremo → si visiterà** Napoli, **faremo** delle soste in alcuni dei suoi celebri caffè, **gusteremo** le sue celebri pizze e naturalmente **faremo** un'escursione sul Vesuvio.
Dedicheremo il terzo e il quarto giorno a Ercolano e Pompei: **visiteremo** gli scavi e **concluderemo** le due giornate in un ottimo ristorante della costiera amalfitana. Gli alberghi in cui **pernotteremo** sono tutti a quattro stelle. Il quinto e il sesto giorno **ci fermeremo** a nord di Napoli: **vedremo** i Campi Flegrei, **andremo** a Caserta e **visiteremo** la sua celebre Reggia.

19. Purtroppo il viaggio è finito. Raccontatelo seguendo l'esempio.

Il nostro viaggio è durato una settimana: si è visitata Napoli...

....

....

....

....

20. Trasformate le frasi usando il *si*.

1. Abbiamo fatto molte gite ed escursioni.

----

2. Abbiamo fatto un viaggio interessante.

----

3. Hanno visto qualche mostra.

----

4. Hanno chiuso alcune sale al pubblico.

----

5. Ci siamo riposati tre giorni a Napoli.

----

6. Hanno inaugurato la nuova ala del museo.

----

7. Abbiamo visitato due antichi castelli.

----

8. Abbiamo fatto una pausa nel ristorante del museo.

----

9. Hanno descritto le opere più significative dell'artista.

----

10. Ci siamo fermati a Pompei.

----

21. Leggete il testo e scrivete un vostro commento seguendo i punti indicati.

Il corpo come materia. Gunther von Hagens e la plastinazione.

Con la sua mostra, **Body World**, ha scandalizzato l'Europa e il mondo. La plastinazione è una tecnica completamente nuova che permette di conservare un corpo attraverso i derivati del silicone.

Il mondo di von Hagens è un mondo surreale, macabro e quasi sempre al limite della sopportazione. Un mondo popolato di streghe, cavalieri, sportivi,... tutti ex cadaveri.

Le sue opere, così von Hagens, sono da intendere come teatro anatomico e riprendono l'ambivalenza che c'era fra arte e anatomia al tempo di artisti e medici rinascimentali.

Le sue esposizioni hanno avuto un grandissimo **successo**, ma non sono state poche le voci che hanno protestato e parlato di oltraggio all'etica.

1. Un'esposizione di questo tipo sarebbe possibile nel vostro Paese?
2. Anche secondo voi si tratta di un oltraggio all'etica?
3. Secondo voi è arte?
4. Andreste a vedere questa mostra? Perché?
5. Che tipo di mostra non sarebbe eticamente possibile nel vostro Paese?
6. Da voi ci sono musei particolari o scioccanti?

1. Completate.

Descrizione di un quadro: dunque… .... (1)
possiamo vedere una donna sdraiata mollemente su un
grande divano dorato, ... (2) notiamo una
serie di animali fantastici che sono .... (3)
contrasto con la figura femminile sul davanti.

(1)	(2)	(3)
a) in primo piano	a) al fondo	a) in vero
b) al primo piano	b) sullo sfondo	b) in tanto
c) sul primo piano	c) sul fondale	c) in netto

2. Completate.

Nella .... (1) dei Musei civici sarà possibile
fra breve ammirare la .... (2) del giovane
pittore B. Lauri. La .... (3) di quadri è esposta
assieme a dei capolavori classici, che sottolineano il punto
d'incontro tra l'antico e il moderno.

(1)	(2)	(3)
a) galleria	a) pittura	a) quantità
b) museo	b) mostra	b) scelta
c) stanza	c) vernice	c) collezione

3. Quale frase esprime impossibilità?

a) Se ho tempo ti chiamo. ☐
b) Se avessi avuto tempo ti avrei chiamato. ☐
c) Lo comprerei subito se avessi soldi. ☐

4. Quale frase esprime un'eventualità difficilmente realizzabile?

a) Se avessi avuto soldi avrei comprato quel bellissimo
   quadro. ☐
b) Guarda, non ho soldi per comprare quel bellissimo
   quadro. ☐
c) Cosa vuoi che ti dica, se avessi soldi lo comprerei
   subito quel quadro. ☐

5. Mette al plurale le parole in corsivo.

Un giorno un giovane pittore si ruppe un *braccio* e chiese
aiuto al suo miglior amico per finire un quadro. Il suo amico
prese un paio di pennelli, un *uovo* e un *migliaio* di coriandoli
e… finì il quadro a modo suo.

6. Completate la frase.

.... (1) a un vero assalto alla mostra d'arte
moderna. .... (2) al pubblico opere di arte
contemporanea del tutto originali. .... (3)
di presentare la città sotto diversi aspetti.

(1)	(2)	(3)
a) Si sono assistiti	a) Si è presentata	a) Ci si è proposti
b) Si è assistito	b) Si sono presentate	b) Ci si sono proposte
c) Si è assistita	c) Si sono presentati	c) Si è proposta

7. Fate una controproposta.

● Ho proprio voglia di andare a vedere una bella mostra,
  che ne dici? Andiamo a vedere quella su Modigliani?
● Modigliani? No, non mi piace…
a) Che ne dici invece se andassimo a vedere quella
   sul Rinascimento? ☐
b) Non vado mai a vedere mostre di artisti
   contemporanei, non mi piacciono. ☐
c) Che vuoi che ti dica, non ne ho proprio voglia.
   Voglio andare a quella sulla fotografia moderna. ☐

8. Esprimete con decisione il vostro disaccordo sulla seguente opinione.

I dipinti di De Chirico sono insuperabili!
a) Beh, è vero che sono belli e che piacciono al grande
   pubblico, ma forse non si possono proprio definire
   insuperabili. ☐
b) Mi permetto di dirti che non tutti la pensano così. ☐
c) Se fosse davvero arte incomparabile mi sarei già
   comprato almeno una stampa. ☐

Valutazione: 100% - 80% Hai una profonda conoscenza della materia della lezione
70% - 50% Ripeti le parti nelle quali sei meno ferrato
40% o meno Ripassa bene la lezione: grammatica, lessico e fraseologia

ala	gomito
anfora	gotico
arcaico	gradevole
archeologico	immagine s.f.
architrave s.m.	imponente
area	impressionismo
arma	inaugurazione s.f.
arte s.f.	insediamento
artista s.m. / f.	integrante
artistico	luce s.f.
atelier	macabro
basilare	macchinario
calco	mediateca
cantastorie s.m.	mento
ceramica	movimento
chiaroscuro	museo
cinematografico	natura morta
civiltà	ombra
concentrazione s.f.	patrizio
conservazione s.f.	presepio
cornice s.f.	prospettiva
corrente s.f.	pupilla
costruttivo	reperto
critico d'arte	restauro
cubismo	ripercorrere
descrivere	ritmico
didattico	ritratto
dilettante	salone s.m.
dinamismo	scenografico
dipingere	scoraggiare
dipinto	sguardo
divinità	specialità
epigrafe s.f.	spersonalizzato
esagerare	staticità
espositivo	stilizzato
esposizione s.f.	strega
espressivo	surreale
esprimere	talento
estro	teatrale
etrusco	tecnica
fiducia	tensione s.f.
fluttuante	torsione
fraintendere	vaso
funzionale	veranda
gara	vestibolo
ginocchio /ginocchia	vetrata

Il discorso indiretto al presente o riferito ad un passato recente

Pettegolezzi!

> Sai che Carla ha avuto una discussione con suo marito!!

> Ho incontrato Marta e mi ha detto che Carla ha litigato con suo marito.

Il discorso indiretto introdotto da un tempo passato riferito ad una azione finita

Discorso diretto		
"**Sono** stanca"		
"**Ha dato** l'esame"		
"Non **rispose**"		
"**Verrà** in primavera"		
"**Vorrei** partire"		
"Penso che **sia** tardi"		
"Credo **sia partito**"		
"**Non uscire!**"		

Discorso indiretto		
Ha detto		**era** stanca.
Disse		**aveva dato** l'esame.
Notai		non **aveva risposto**.
Ci comunicò	che	**sarebbe venuta** in primavera.
Ripeté		**sarebbe voluto** partire.
Ribatté		pensava **fosse** tardi.
Rispose		credeva **fosse partito**.
Gli disse		**di non uscire /che non uscisse**.

Discorso diretto	Discorso indiretto
presente	imperfetto
passato prossimo	trapassato prossimo
passato remoto	trapassato prossimo
futuro semplice	condizionale composto
condizionale presente	condizionale composto
congiuntivo presente	congiuntivo imperfetto
congiuntivo passato	congiuntivo trapassato
imperativo	di + infinito/che + congiuntivo imperfetto

Gli altri tempi non cambiano.

Il periodo ipotetico nel discorso indiretto

Discorso diretto	Discorso indiretto
Se **ho** tempo, ti **chiamo**.	
Se **avessi** tempo, ti **chiamerei**.	Mi ha detto che se **avesse avuto** tempo mi **avrebbe chiamato**.
Se **avessi avuto** tempo, ti **avrei chiamato**.	(aveva) (chiamava)*

*Nota: L'uso dell'imperfetto è sempre più frequente nella lingua parlata.

Le domande nel discorso indiretto

Domanda diretta		Domanda indiretta		
"**Sei** stanca?"			**se**	era/fosse stanca.
"**Perché** non rispondi?"			**perché**	non rispondeva/rispondesse.
"**Chi** verrà oggi?"			**chi**	sarebbe venuto quel giorno.
"**Che cosa** hanno fatto?"	→	Ha chiesto	**che cosa**	avevano fatto/avessero fatto.
"**Dove** dormono?"		Chiese	**dove**	dormivano/dormissero.
"**Quando** parte?"		Ha domandato	**quando**	partiva/partisse.
"**Quanto** costa?"		Domandò	**quanto**	costava/costasse.
"**Come** ti trovi?"		Domandava	**come**	si trovava/si trovasse.

In uno stile letterario sono frequenti le forme del congiuntivo.

Cosa cambia nel passaggio dal discorso diretto al discorso indiretto

Aggettivi e pronomi dimostrativi
questo → quello

Avverbi di luogo
qui → lì

Verbi
venire → andare

Avverbi di tempo		
domani	→	il giorno dopo
fra	→	il giorno dopo/seguente
ieri	→	il giorno prima
fa	→	prima
oggi	→	quello stesso giorno
ora	→	allora/ in quel momento

Vieni **qui**!
Subito.

Mi ha ordinato
di andare **lì**
subito!

La concordanza dei tempi all'indicativo e al congiuntivo

Dice	che	**sono partiti** ieri
		stanno dormendo/**dormono**
		arriveranno domani

Pensa	che	**siano partiti** ieri
		stiano dormendo/**dormano**
		arriveranno/**arrivino** domani

Disse	che	**erano partiti** il giorno prima
		stavano dormendo/**dormivano**
		sarebbero arrivati il giorno dopo

Pensava	che	**fossero partiti** il giorno prima
		stessero dormendo/**dormissero**
		sarebbero arrivati/**arrivassero** il giorno dopo

1. Abbinate le parole alla definizione.

a. Cortometraggio
b. Colonna sonora
c. Scena
d. Effetti speciali
e. Sceneggiatura
f. Personaggio
g. Regista
h. Attore
i. Costumista

1. È un film la cui durata normalmente non supera i 30 minuti.
2. Spazio che deve essere inquadrato da una macchina da presa.
3. È un testo destinato ad essere girato o filmato.
4. È la musica scritta per un film.
5. È il responsabile artistico e tecnico-professionale di un film.
6. È specializzato nel disegno di costumi per rappresentazioni.
7. Sono un insieme di tecniche e tecnologie utilizzate nel cinema, nella televisione e nel teatro per simulare degli eventi altrimenti impossibili da rappresentare.
8. È una persona che interpreta un ruolo in una produzione artistica.
9. È una persona che appare in un'opera di narrativa, cinematografica o teatrale.

2. Leggete le brevi biografie e completate.

FEDERICO FELLINI è nato a Rimini il 20 gennaio 1920 .... famiglia piccolo-borghese. Il giovane Federico frequenta .... liceo classico della città ...., lo studio non fa molto .... lui. Comincia allora .... procurarsi i primi piccoli guadagni .... caricaturista. Esordisce alla regia all'inizio............. anni Cinquanta. Nel 1954 .... "La strada" conquista l'Oscar. Il secondo Oscar arriva .... 1957 con "Le notti di Cabiria". Nel 1963 .... "8½", forse il momento .... alto dell'arte felliniana. Vincitore dell'Oscar per .... miglior film straniero e per i costumi, è .... storia di un regista .... racconta, in modo sincero .... sentito, le sue crisi di uomo e .... autore. Il decennio successivo si apre con una serie di film .... cui il passato riminese torna alla ribalta. "Amarcord" (1973), in particolare, segna il ritorno .... Rimini dell'adolescenza, degli anni del liceo. I protagonisti sono la città stessa con i .... personaggi grotteschi. La critica e il pubblico .... acclamano con il quarto Oscar. Qualche mese .... morire, nella primavera del 1993 Fellini .... il suo quinto Oscar, alla carriera.

ALBERTO SORDI, (Roma, 15 giugno 1920 - Roma, 24 febbraio 2003), è stato .... popolare attore, regista, cantante e doppiatore .... Fu una .... colonne portanti della commedia all'............. per molti anni nonché portavoce .... romanità nel .... italiano. È considerato .... dei più grandi interpreti nella .... del cinema italiano, e, alla pari .... Totò, sicuramente il più celebre. Non si è mai sposato, giustificando tale .... con la nota argomentazione: "Che mi metto un'estranea in casa?".

SERGIO LEONE (Roma, 3 gennaio 1929 - 30 aprile 1989) è stato .... regista, sceneggiatore e produttore italiano. È stato .... dei più importanti registi .... storia del cinema, particolarmente noto per i .... film del genere spaghetti-western. Leone è considerato uno dei .... importanti registi della storia del cinema, nonostante abbia diretto pochi film nella sua carriera: la .... regia innovativa, ... di originalità e stile, ha fatto scuola ed ha contribuito .... rinascita del western negli anni Sessanta, ... film come *Per un pugno di dollari, Per qualche dollaro in più, Il buono, il brutto, il cattivo* (............. formano la cosiddetta trilogia del dollaro), *C'era una volta il West* e *Giù la testa*, ... si affianca *C'era una volta in America*, un gangster-movie, che vanno a formare la "trilogia del tempo".

ENNIO MORRICONE, nome tra i più leggendari della musica .... film internazionale, ... a Roma il 10 novembre 1928, primo di 5 figli. All'età di 10 anni .... a frequentare il Conservatorio di S.Cecilia. È .... 1955 che Ennio Morricone imbocca .... che riconoscerà come la sua vera strada, iniziando ad arrangiare .... per il cinema. La collaborazione .... Sergio Leone e il .... cinema western gli darà grande fama. Negli .... '90 Ennio Morricone ha ricevuto una .... infinita di riconoscimenti: proposto per il dottorato *honoris causa* all'Università di Goeteborg, nominato membro della Commissione artistica della Istituzione Universitaria dei Concerti .... Roma e invitato a far parte .... giuria della 49a Mostra del Cinema di Venezia. Nel 2007 l'Academy Awards americana .... ad Ennio Morricone l'Oscar alla carriera.

3. Il testo è la trascrizione di un brano audio. Quali elementi lo differenziano da un testo scritto? Analizzatelo con l'aiuto degli spunti in fondo e parlatene in classe.

...E qui vengo al secondo problema che è quello appunto dei valori e del rapporto con il linguaggio. Nella polemica che ci fu sette otto mesi fa sui giornali, su questo argomento del cinema e del linguaggio del cinema, fu detto, da alcuni, che il linguaggio era scarso, i prodotti erano insufficienti non soddisfacenti perché la nostra è una società priva di valori.

Ora questo non è vero. Io dissento totalmente da questo. Non perché sia una società che abbia valori: non ce li ha! i valori correnti, che sono disvalori, secondo me... Ma le forme di comunicazione artistica proliferano anche in società prive di valori! Secondo me prolificano addirittura di più nelle società prive di valori! Tutta la fioritura artistica del Rinascimento avviene in corti e società totalmente corrotte, totalmente deturpate. Pensiamo a cos'è la corte pontificia in quell'epoca e non solo quella pontificia. Quali valori! Non esistevano valori! Esistevano disvalori! Eppure c'è una fioritura nella pittura, nella scrittura, nella poesia. I grandi italiani, da un punto di vista del pensiero e dell'arte, avvengono in quel periodo in una società totalmente desertificata dai valori...

ripetizioni di parole o concetti - uso della dislocazione del pronome - esclamazioni - frasi sospese - ripresa del soggetto - frasi prive di verbo...

4. Leggete il dialogo e completate.

● Ciao Carlo! come stai?
● Bene, bene mamma e voi?
● Noi qui tutto bene. Ma raccontami, come ti trovi, ti piace Londra? E il cibo? Ti prepari qualcosa da mangiare o vai sempre fuori e il tempo com'è, non fa freddo?
● ...mamma, mi trovo benissimo e Londra mi piace veramente. La mattina vado a scuola, non è lontana da casa, comunque a pranzo mangio in una mensa per studenti.
Ieri abbiamo mangiato pesce e patatine, non è male ma... certo mi manca la tua cucina... comunque non morirò di fame non preoccuparti. Il tempo non è bellissimo, grigio e piove ma hanno detto che questo fine settimana torna il bello. E papà come sta? È andato allo stadio oggi?
Digli che quando torno gli porto una maglietta della sua squadra preferita.
● Certo glielo dico. Oggi è andato allo stadio con zio Franco e non è ancora tornato.
Ma mi raccomando, copriti bene che lì fa freddo e non sei abituato...
● Mamma tranquilla, me la cavo benissimo, ti chiamo la settimana prossima va bene?
● Va bene ciao!

La sera la mamma racconta al papà la conversazione che ha avuto con il figlio.

● Oggi ha telefonato Carlo.

● Ah! Sì, e che ha detto?

● Dice che sta bene e che Londra .... veramente tanto. La mattina .... a scuola

e a pranzo .... in mensa. Figurati se si cucina da solo. Ieri .... pesce e patatine.

Tutta salute quella frittura! .... brutto tempo e piove in continuazione, anche se gli hanno detto

che questo fine settimana .... un po' di sole.

● Almeno può andare a vedere una partita di calcio!

● Non è mica come te che ci vai ogni settimana. Comunque ha detto che .... una maglietta

della tua squadra preferita.

● Ma se non sa nemmeno qual è la mia squadra preferita!

● Beh! Lui ha detto così. Comunque ha detto che .... la settimana prossima e fatti trovare così ci parli

anche tu con tuo figlio!

5. Scrivete liberamente il racconto che fa Laura alla vicina di casa.

- Ehi! Francesca come stai? Da quanto non ci vediamo!
- Laura! Che coincidenza! Anche tu qui dal parrucchiere! Io sto benissimo. Sai che mi sposo domani! Per questo mi taglio i capelli oggi e domani ritorno per l'acconciatura. Finalmente ho trovato l'uomo giusto, dopo tutto questo tempo.
- Ma come? Non ti sposi con Alberto?!
- No, no! Per fortuna ci siamo lasciati l'anno scorso! È stata una tragedia all'inizio perché Alberto non voleva lasciarmi andare. Ma non facevamo altro che litigare. E poi a me Alberto non è mai piaciuto: così possessivo, geloso. Non voleva nemmeno che avessi un lavoro qui in città e delle amiche. Insomma… a un certo punto mi sono stufata e sono partita per la Francia. Lì ho conosciuto un ragazzo molto gentile e completamente diverso da Alberto, ci siamo innamorati e domani ci sposiamo…
- Ma che bella notizia! E dove andate in viaggio di nozze?
- Credo il più lontano possibile! Non l'abbiamo detto a nessuno per evitare che venga a saperlo Alberto e rovini la festa!
- Bene allora auguri! E fatti viva qualche volta!

Il pomeriggio per strada con la vicina di casa.

- Sai chi ho incontrato oggi dal parrucchiere?
- No, chi?
- Laura, Laura Santini. Mi ha detto che domani si sposa… Ma non immagini sicuramente con chi…
- Con chi? Con Alberto! È da una vita che stanno insieme!
- Nooo! Mi ha detto che…

----

6. Riportate e ampliate la notizia con gli spunti a lato.

TG1 Notizie

Miss onestà
È una dipendente di Cagliari e centosessantamila euro trovati per caso le avrebbero fatto comodo. Ma li ha riconsegnati. Senza rimpianti. In cambio le hanno offerto un cenone di Capodanno per lei e la famiglia.

- Hai sentito il telegiornale oggi?
- Sì, è appena finito.
- E cosa hanno detto?
- Ho sentito solo l'ultima parte con le notizie di cronaca. Pensa che hanno detto che una signora di Cagliari che lavora --

Dove lavora?
Dove ha trovato i soldi?
Perché le avrebbero fatto comodo?
Quando li ha riconsegnati?
Chi le ha offerto la cena?
Cosa ne pensa chi riferisce la notizia?
Cosa risponde l'amico?

7. Ricostruite le due opinioni una pro e una contro sul cinema italiano oggi.

A ....

B ....

1
Lo stato attuale del cinema italiano non è quello di una crisi, al contrario. La qualità non manca in molti film recenti prodotti, ma vengono poco pubblicizzati.

2
Ecco il punto, il cinema italiano oggi non è più in grado di raccontare, di inventare storie originali, emozionanti, epiche o paurose che siano, e di farlo con gusto e con onesto professionismo.

3
È evidente che il cinema di oggi non sia all'altezza di quello del passato, ma che dobbiamo fare, piangerci addosso per tutta la vita? Meglio è, probabilmente, indagare su quali siano le ragioni dell'odierno stato delle cose.

4
Da anni il cinema di genere in Italia ha rinunciato alla sua funzione di strumento di cultura popolare. L'unica tradizione che ancora si conserva è quella della commedia, tutto il resto della tradizione italica dei generi è morto e sepolto.

5
Anche Ozpetek ci è riuscito con *Le fate ignoranti*, e si è ripetuto nella *Finestra di fronte*, ma il vero squillo di tamburi lo ha dato Marco Tullio Giordana, già ottimo autore de *I cento passi* e di *Pasolini-un delitto italiano*, ed ora esploso con il fenomeno *La meglio gioventù*.

6
Dunque ciò che si vede è il ritorno ad un cinema fatto di onesto professionismo ma soprattutto di grande coinvolgimento emotivo, di storie intense e di personaggi nei quali identificarsi, magari ci si augura, con un poco più di attenzione per la storia e la cultura del nostro Paese.

7
Ad esempio Muccino è autore originale e moderno, a volte si è ripetuto un po' nello stile visivo ed ha banalizzato l'approccio alle storie cadendo in luoghi comuni abbastanza clamorosi. Ma almeno si è fatto conoscere, ed il successo è giunto anche per una certa attenzione ai meccanismi del racconto, ben oliati e sapientemente utilizzati per emozionare il pubblico.

8
La motivazione di fondo di tutto ciò, oltre ad una evidente crisi creativa da parte dei singoli artisti è una volontà da parte dei registi di oggi a puntare in alto a tutti i costi, di fare gli "Autori" (peraltro come detto con risultati imparagonabili al passato), dimenticandosi che Il cinema esiste se c'è un pubblico che è disposto a scucire sette euro per entrare in sala.

8. Leggete le opinioni sul tema: Come vi sembra il cinema italiano oggi? Inserite un vostro commento.

a. Fa schifo. Prima avevamo Fellini, Rossellini, Vittorio De Sica, Totò, la Loren, ecc.
Adesso abbiamo Massimo Boldi, Cristian De Sica, ecc. C'è una caduta abissale.

b. La colpa, però, è di coloro che vanno al cinema e preferiscono vedere cose demenziali a film bellissimi. Per questo
motivo, il cinema si adegua per sopravvivere e perde di qualità.

c. In America puntano sui super eroi che sono molto amati dai giovani. Purtroppo la maggior parte dei nostri giovani
preferisce spendere per vedere idiozie e il cinema li accontenta.

----

9. Leggete le trame e esprimete per ciascuna una impressione personale.

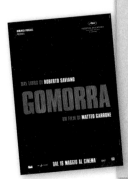

Gomorra
Potere, soldi e sangue. In un mondo apparentemente
lontano dalla realtà questi sono i "valori" con i
quali gli abitanti della provincia di Caserta devono
scontrarsi ogni giorno. Quasi sempre non puoi
scegliere, quasi sempre sei costretto a obbedire alle
regole del Sistema, la Camorra, e solo i più fortunati
possono pensare di condurre una vita "normale".
Gomorra è un viaggio nel mondo affaristico e
criminale della Camorra. Si apre e si chiude nel segno
delle merci, del loro ciclo di vita.

Mi ispira / Non mi ispira perché...

Il Postino
In un paesino del Sud Italia giunge il poeta Pablo
Neruda. Per il periodo in cui l'artista rimarrà, sarà
necessario un postino per consegnare la grande mole
di lettere che arriveranno. Mario, che non ha nessuna
voglia di fare il pescatore, decide di prendere al volo
il temporaneo impiego. Piano piano riesce a fare
amicizia con il poeta che lo aiuta nel corteggiamento
di una bella ragazza e fa da testimone alle loro nozze.

Il Postino

L'ultimo bacio
Otto personaggi intrecciano le loro vite amorose
e le loro passioni. "L'ultimo bacio" parla della paura
di crescere. La paura di crescere quando si hanno
trent'anni e quella di invecchiare quando se ne hanno
cinquanta.

L'ultimo bacio

☺ Mi ispira / mi attira / mi incuriosisce / avrei voglia di vederlo... perché...

☹ Non mi attira affatto / non mi ispira per niente / non vorrei proprio vederlo / secondo me non vale la pena andarci...
perché...

10. Dopo aver ascoltato il dialogo a pag. 126, completate le frasi liberamente con un verbo secondo il modello.

Antonia dice che			Sua madre pensa che Antonia	*abbia sbagliato*
				sia insicura
				sarà infelice per sempre

Le ricorda che			Sembra che il loro rapporto	

Crede che Massimo			È probabile che loro	

Pensa che l'amante			Forse lei	

11. Trasformate le frasi che avete scritto introducendole con un tempo passato.

Antonia ha detto che			Sua madre pensava che Antonia	*avesse sbagliato*
				fosse insicura
				sarebbe stata infelice per sempre

Le ricordava che			Sembrava che il loro rapporto	

Credeva che Massimo			Era probabile che loro	

Pensava che l'amante			Forse lei	

12. Leggete l'intervista a Ozpetek e sintetizzatela in un articolo.

"Le fate ignoranti" descrive la storia dell'incontro/scontro di due persone appartenenti a mondi molto diversi tra loro. Margherita Buy è Antonia, una donna medio-borghese che, dopo la morte del marito Massimo, scopre casualmente che il marito la tradiva da sette anni con un gay, Michele, interpretato da Stefano Accorsi. Decisa ad indagare su quella relazione, stringerà con Michele un legame molto sincero e profondo.

Chi sono per lei "Le fate ignoranti"?

Le fate ignoranti sono le persone che incontriamo e che ci cambiano la vita. Non sono quelle delle fiabe, perché loro qualche bugia la dicono. Sono ignoranti, esplicite, anche pesanti a volte, ma non mentono sui sentimenti.

Ha incontrato nella sua vita delle "fate ignoranti"? Se sì, come l'hanno cambiata?

Ne ho incontrate moltissime, anch'io sono stato una fata nella mia vita. Mi hanno cambiato in mille modi. Questo è il bello delle amicizie e dei rapporti. Ho incontrato delle persone che amavano il cinema e che mi hanno fatto amare il cinema; ho incontrato delle persone che mi hanno cambiato anche nel quartiere in cui abito ora. Oltre alle persone, ci sono anche delle situazioni speciali: dovevo andare al festival di Berlino con "Il bagno turco", poi non mi hanno scelto e sono andato a Cannes ed è stato un totale cambiamento della mia vita perché ho avuto un grande successo.

Come mai ha scelto di ambientare il suo terzo film a Roma?

Avevo innanzitutto voglia di impegnarmi in un progetto più rilassante, meno difficile da realizzare ed essenzialmente divertente per me. Desideravo inoltre guardare all'aspetto italiano della mia vita. In questa pellicola racconto gli anni che fino ad oggi ho trascorso nel quartiere Ostiense di Roma.

Quanto sono importanti le passioni per lei?

Sono la cosa più importante in assoluto. A volte, se fra una coppia sento una passione molto forte, sono quasi invidioso.

Il film affronta il tema della sincerità. Ma la verità, in amore, si deve dire o no?

Dipende. È molto relativo. Se fa bene al rapporto, si può dire.

Ha detto, forse ironicamente, che la casa di produzione avrebbe dovuto presentare il suo film con la frase "Puoi avere delle preferenze sessuali, ma sentimentali no". Ci spiega meglio?

Questa è una cosa che penso. Lo dico sempre: tutte le grandi amicizie sono dei grandi amori, per me. Due uomini o due donne che sono molto amici hanno un grande amore, gli manca solo il lato sessuale. Hanno quindi delle preferenze sessuali: una ragazza magari preferisce gli uomini, ma può amare "sentimentalmente" una ragazza che è sua amica. Questo mi è capitato mille volte nella vita. Mi sono innamorato di donne con cui non sono mai andato a letto.

Molta parte della storia fra Antonia e Michele si svolge in cucina. C'è secondo lei un rapporto fra amore e cibo?

Sì, sono i piaceri principali della vita. Amore, cibo, sesso e amicizie: sono queste le cose essenziali della vita.

Nel film la casa di Michele è molto stravagante e ricca di colori. Come mai questa scelta?

È colorata perché venivo da un periodo molto allegro e volevo tanti colori, mi piacevano. Anche la mia casa è così, molto colorata, allegra e piena di oggetti stravaganti.

[Adattato da http://www.comzine.it]

13. Trasformate le seguenti frasi dal discorso diretto all'indiretto.

1. Ora sono stanco e non posso!   *Mi ha detto che in quel momento era stanco e non poteva.*

2. Ci vediamo domani.   ....

3. Ho finito l'università un anno fa.   ....

4. Vieni al cinema con noi!   ....

5. Mi sono trasferita l'anno scorso.   ....

6. Ho trovato lavoro un mese fa.   ....

7. Partirò per l'Inghilterra fra un mese.   ....

8. Quest'anno non è stato molto fortunato.   ....

9. Domani sicuramente piove.   ....

10. Fra un anno saremo in un'altra città.   ....

14. Completate il dialogo 2 in base al primo.

1
- Ehi Marcello!
- Ciao Rosaria. Allora ci vediamo stasera da Marco?
- Veramente non posso proprio venire. Mia madre non sta tanto bene e non me la sento proprio di lasciarla da sola. Chiedi scusa da parte mia a Marco e dagli, per favore, questo pacchetto. Digli anche di accendere il cellulare che gli ho mandato un SMS di auguri e non vorrei che non lo leggesse.
- Peccato che tu non venga! Sai quanto Marco ci tiene!

2
- Ciao Marcello! Hai visto Rosaria? Sai se è già arrivata?
- Veramente l'ho incontrata in piazza qualche giorno fa e mi ha detto che non .... venire alla festa perché

  sua madre non .... tanto bene.
- Ma come! Proprio stasera che compio gli anni!
- Mi ha pregato .... scusa, ma proprio non se la .... di lasciare sua madre da sola.

  Mi ha chiesto anche .... questo pacchetto e .... che ti avrebbe mandato un SMS

  con un messaggio speciale, perciò accendi il cellulare e non fare come al solito che ce l'hai spento.
- Peccato però! Sai che Rosaria mi piace proprio e avevo deciso di dirglielo stasera…

15. Completate il dialogo 2 in base al primo.

1. Il padre al figlio
- Quali sono i tuoi progetti per questo nuovo anno? Ormai hai 30 anni e sei ancora da noi!
- Beh! A febbraio mi laureo e voglio subito partire per un lungo viaggio in Sud America. Penso di restarci almeno tre mesi. Poi in estate cercherò un lavoretto in un albergo al mare giusto per recuperare un po' di soldi e dopo l'estate comincerò seriamente a cercare lavoro. Forse a fine anno finalmente deciderò di sposarmi con Francesca e andrò via di casa…

2. Dopo un anno
   Allora che cosa hai combinato quest'anno! Sei ancora qui da noi e non hai concluso nulla. Ma non avevi detto
   che a febbraio ti saresti laureato e

   ....

   ....

   ....

16. Trasformare le seguenti frasi in discorso indiretto usando uno dei verbi in fondo al passato.

1. "Non ho ancora finito di studiare."

---

2. "Sono certa di avere ragione!"

---

3. "Non devono dare questo esame!"

---

4. "È troppo tardi."

---

5. "Ti dico ancora una volta che non voglio che tu prenda la mia moto."

---

6. "Mi dispiace, ma non posso prestarti la mia macchina oggi."

---

7. "Al diavolo questo ufficio e tutti voi che ci lavorate!"

---

8. "Per favore non partire!"

---

9. "Adesso basta! Sono stufa di questo continuo rumore!"

---

10. "Allora se tutti sono daccordo, si comincia il lavoro la settimana prossima."

---

inveire - pensare - ripetere - concludere - ribadire - urlare - dire - rispondere - pregare - affermare

17. Quale stile è più letterario [L], quale più colloquiale [C] e quale quotidiano [Q]?

1. *Hai il giornale di oggi?*
   [C] Gli ha chiesto se aveva il giornale del giorno.
   [L] Gli ha chiesto se avesse il giornale di quel giorno.
   [Q] Gli ha chiesto il giornale di oggi.

2. *Ti va di andare al cinema?*
   L'ha invitata al cinema.
   Le ha chiesto se voleva andare al cinema.
   Le chiese se volesse andare con lui al cinema.

3. *Metti la pentola sul fuoco e accendi il gas!*
   Mi ha detto di preparare la pasta.
   Gli urlò che mettesse la pentola sul fuoco e accendesse il gas.
   Gli ordinò di mettere la pentola sul fuoco e accendere il gas.

4. *Scusi sa per caso che ore sono?*
   Chiese a un passante che ore fossero.
   Ha chiesto a un uomo l'ora.
   Ha chiesto a un passante che ore erano.

5. *Perché non vuoi uscire con me?*
   Le ha chiesto perché non voleva uscire con lui.
   Le chiese perché non volesse uscire con lui.
   Le ha chiesto perché non vuole mai uscire con lui.

6. *Dove sono i miei pantaloni?*
   Ha chiesto alla madre dov'erano i suoi pantaloni.
   Ha chiesto alla mamma dove sono i suoi pantaloni.
   Chiese a sua madre dove fossero i suoi pantaloni.

18. Immaginate il dialogo tra i due protagonisti e scrivetelo in fondo al testo.

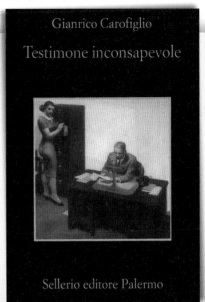

La mattina dopo mi svegliai che lei si era già alzata. Entrai in cucina
con la faccia del sonno e lei, senza dire niente mi versò una tazza di caffè
americano. Il caffè americano, lungo, era sempre piaciuto a tutti e due.
Bevvi due sorsi e stavo per domandarle a che ora fosse rientrata la notte
prima, quando mi disse che voleva la separazione. Dopo molti secondi di
silenzio assordante fui costretto alla domanda più banale. Perché?
Me lo disse il perché. Fu calma e implacabile. Forse pensavo che non si
fosse accorta di come era stata la mia vita degli ultimi, diciamo almeno
due anni. Quello che l'aveva più umiliata non era la mia infedeltà -
quella parola mi colpì in faccia come uno sputo - ma il fatto che le avessi
veramente mancato di rispetto trattandola come fosse una stupida. Lei
non sapeva se ero sempre stato così o se lo ero diventato. Non sapeva quale
ipotesi preferire e forse non gliene importava nemmeno. Mi stava dicendo
che ero diventato un uomo mediocre o che forse lo ero sempre stato. E lei
non aveva voglia di vivere con un uomo mediocre. Non più. Da vero uomo
mediocre non trovai niente di meglio che chiederle se aveva un altro. Lei
rispose semplicemente di no e che comunque, da quel momento, non erano
più affari miei.

[Gianrico Carofiglio, *Testimone inconsapevole*, Sellerio pagg.15-16]

• Vuoi del caffè?
• Sì, grazie… Senti… ieri sera…

• ....

• ....

• ....

19. Trasformate il dialogo in racconto.

Pietro:	Ho invitato a pranzo mia madre e mia sorella per domani.
Giuliana:	Ma tua madre non aveva detto che non avrebbe mai messo piede in questa casa?
Pietro:	L'aveva detto. Io però l'ho convinta a venire, domani a pranzo. […]
Giuliana:	Sei mammone tu?
Pietro:	Non sono mammone, ma non voglio essere in guerra con mia madre. Preferisco essere in pace, se la cosa è possibile. Non andiamo a casa di mia madre, perché lì c'è la zia Filippa. La zia Filippa non ha voluto nemmeno guardare la tua fotografia. Mia madre sì, un momento l'ha guardata.

Giuliana:	E cosa ha detto, della mia fotografia, tua madre?
Pietro:	Niente. Mia madre non ti piacerà. E tu non piacerai a lei. Niente le piacerà di questa casa. Nemmeno Vittoria.
Giuliana:	Perché non le deve piacere nemmeno Vittoria?
Pietro:	Ha delle donne di servizio di un altro tipo.
Giuliana:	E allora se io non piacerò a lei, e se lei non piacerà a me, e se in questa casa niente le piacerà, perché la fai venire qui?
Pietro:	Perché è mia madre.

[Natalia Ginzburg, *Ti ho sposato per allegria*, Einaudi]

Pietro ha detto a Giuliana che aveva invitato a pranzo sua madre e sua sorella per il giorno dopo…

....

....

....

1. Completate.

In rete trovate delle schede che contengono i dati tecnici, ... (1) del film, ... (2) di importanti critici che scrivono per i maggiori quotidiani ed un'intervista .... (3) che ha girato il film. Inoltre spesso esiste la possibilità di vedere il trailer.

(1)	(2)	(3)
a) la storia	a) una lettura	a) al regista
b) la vicenda	b) una recensione	b) allo sceneggiatore
c) la trama	c) un'opinione	c) al produttore

2. Completate.

Come definireste un film che tratta di problemi di una coppia portando solo esempi negativi?

a) cinico ☐

b) comico ☐

c) ironico ☐

3. Riferite quello che dice il critico.

Questo film è senz'altro uno degli esempi migliori per il debutto di un regista italiano. Il nuovo regista è riuscito a descrivere nel suo film un ambiente familiare che rispecchia i cambiamenti sociali degli ultimi dieci anni. Avanti così!

Anni dopo. Ha detto che quel film...

4. Completate.

Giovanna ha detto che sua madre .... (1) al cinema con un'amica e .... (2) un film davvero bellissimo. .... (3) rivederlo ancora e così aveva chiesto a lei se l'accompagnava.

(1)	(2)	(3)
a) è andata	a) ebbe visto	a) Le sarebbe piaciuto
b) era andata	b) aveva visto	b) Le era piaciuto
c) sarebbe andata	c) avrebbe visto	c) Le è piaciuto

5. Scegliete le due frasi corrette.

Ieri Laura mi chiese: "Ma perché Elena non va mai al cinema?".

a) Mi chiese perché Elena non andava mai al cinema. ☐

b) Mi chiese perché Elena non andasse mai al cinema. ☐

c) Mi chiese perché Elena non sarebbe andata mai al cinema. ☐

6. Riferite.

Lucia: "Giorgio è venuto a casa mia due giorni fa".

a) Lucia ha detto che Giorgio è andato a casa sua due giorni prima. ☐

b) Lucia ha detto che Giorgio è andato a casa sua due giorni dopo. ☐

c) Lucia ha detto che Giorgio è andato a casa sua due giorni fa. ☐

7. Fate ipotesi su un film che uscirà tra poco.

a) Credo che il regista di questo film sia una persona davvero in gamba. ☐

b) Tra poco uscirà il nuovo film del mio regista preferito! ☐

c) Non so se il regista riuscirà nuovamente a stupirmi come con il primo film, era stupendo! ☐

8. Esprimete una critica negativa.

a) Trovo che sia un film abbastanza interessante. ☐

b) L'ultimo film di questo regista tratta di un tema molto difficile. ☐

c) Questo film non mi ispira affatto, se devo dirti la verità. ☐

Valutazione: 100% - 80% Hai una profonda conoscenza della materia della lezione
70% - 50%   Ripeti le parti nelle quali sei meno ferrato
40% o meno Ripassa bene la lezione: grammatica, lessico e fraseologia

approccio	....
ariosità	....
banalizzare	....
campeggiare	....
caricatura	....
cialtrone s.m.	....
cinematografia	....
cinico	....
cinismo	....
collettività	....
colonna sonora	....
combattere	....
compiangere	....
concezione s.f.	....
conseguente	....
corrotto	....
cortometraggio	....
costumista	....
crudeltà	....
dare libero sfogo	....
decoro	....
depresso	....
deturpato	....
di massa	....
dirigere	....
distaccato	....
disvalore s.m.	....
doppiatore s.m.	....
effetti speciali s.pl.	....
emancipato	....
epico	....
esplodere	....
evocare	....
film	....
fioritura	....
fragile	....
grottesco	....
guadagno	....
indagine s.f.	....
indisponibilità	....
indugio	....
indulgenza	....
inedito	....
innovativo	....
insufficiente	....
intento	....
interpretare	....

intreccio	....
inventare	....
ipocrita	....
irrobustirsi	....
irrompere	....
locandina	....
malinconico	....
maschera	....
montaggio	....
moralismo	....
musicare	....
narrativa	....
nemico	....
neorealismo	....
odierno	....
onirico	....
opportunista	....
papa s.m.	....
pauroso	....
perbenismo	....
persecutorio	....
piangersi addosso	....
plumbeo	....
pontificio	....
professionismo	....
proliferare	....
promettente	....
quotidianità	....
regista	....
riconoscimento	....
ripresa	....
satirico	....
scarsità	....
sceneggiatore s.m.	....
schermo	....
sepolto	....
sfondo	....
sfruttamento	....
soddisfacente	....
soggetto	....
spostamento	....
stravagante	....
suicida s.m. / f.	....
tradire	....
valore	....
vessato	....

La forma passiva

Hanno mandato in onda la prima trasmissione televisiva nel 1954.

La prima trasmissione televisiva **è stata** mandat**a** in onda nel 1954.

1. Nella forma passiva il tempo è dato dall'ausiliare **essere**:

Gli studenti **organizzano** una festa.
    (presente)

La festa **è** organizzata dagli studenti.
    (presente)

2. Nei tempi semplici l'ausiliare **essere** è sostituito dal verbo **venire** quando si vuole sottolineare la dinamicità dell'azione:

Lo spettacolo **viene** replicato ogni sera su Canale 5.

3. Quando la frase ha un significato di obbligo/necessità si può anche usare il verbo **andare**:

La situazione attuale **va** cambiata.   →   La situazione attuale **deve essere** cambiata.

La preposizione **da**

soggetto		oggetto
Il presentatore	commenta	il documentario

Il documentario	è commentato	**dal** presentatore

Il soggetto della frase attiva si trasforma in agente nella passiva ed è preceduto dalla preposizione *da*.

Modi indefiniti: forme e usi

Prima di **accendere** la TV, metti via i giocattoli!

Dopo **aver messo** in ordine, lavati le mani!

Contemporaneità o posteriorità	Anteriorità
Infinito	**Infinito passato**
- are / -ere / -ire	avere / essere + participio passato
Prima di guardare la TV finisci i compiti. Penso **di** finire in tempo. **Per** arrivare in tempo abbiamo preso il tram.	**Dopo** aver visto il film, sono uscito. Penso **di** aver fatto tutto il possibile. **Per** aver preso l'autobus siamo arrivati in ritardo.
Gerundio	**Gerundio passato**
-ando / -endo	avendo / essendo + participio passato
Avendo poca esperienza, non trova lavoro. (causale) Pur essendoci molta scelta, la qualità non è alta. (concessivo) L'ho riconosciuto guardando la TV. (temporale) Osservando s'impara molto. (modale) Preparandosi meglio, si potrebbe offrire un servizio di qualità. (condizionale)	Avendo visto molti documentari, sa molte cose. (causale) Pur avendo visto la difficoltà, ci ha provato lo stesso. (concessivo)
Participio presente	**Participio passato**
-ante / - ente **soprattutto usato come un sostantivo o aggettivo**	-ato / -uto / -ito /, irregolari
Il partecipante può parlare. È stato uno spettacolo divertente. Gli italiani residenti all'estero possono votare per posta.	Visto il film, usciamo. Finita la trasmissione, andiamo a cena. Detto questo, terminiamo il programma.

1. Leggete il brano tratto dall'ascolto e rimettete in ordine i fatti.

[............] Durante la guerra vi è una sospensione delle trasmissioni, ma nel dopoguerra riprende anche se non regolarmente con una trasmissione sperimentale dalla Triennale di Milano presentata da Corrado, ma il servizio regolare cominciò soltanto dal 3 gennaio 1954, a cura della RAI, in bianco e nero.

[............] La diffusione della TV crebbe subito a ritmi stupefacenti, come precedentemente accaduto sul mercato americano. In quegli anni la televisione era un bene di lusso che pochi italiani potevano permettersi, tanto che i bar o le case dei propri vicini diventarono luoghi prediletti per visioni di gruppo, soprattutto in occasione delle trasmissioni del primo e subito popolarissimo telequiz italiano, i primi pionieri furono Mario Riva con *Il Musichiere*, e Mike Bongiorno con *Lascia o raddoppia?*.

[............] In Italia le prime prove di diffusione della televisione furono effettuate a partire dal 1939 in occasione della mostra nazionale della Radio a Milano. Si poteva vedere la televisione per due ore al giorno. La prima annunciatrice italiana, Lidia Pasqualini, lavorava in una stanza con un operatore, l'orchestra alle spalle e la telecamera, che a quell'epoca si chiamava ancora iconoscopio.

[............] Con il progresso dell'economia, il televisore divenne accessorio di sempre maggior diffusione, sino a raggiungere anche classi sociali meno agiate; l'elevato tasso di analfabetismo riscontrato fra queste suggerì la messa in onda di *Non è mai troppo tardi* (1959-1968), un programma di insegnamento elementare condotto dal maestro Alberto Manzi e che, è stato stimato, avrebbe aiutato quasi un milione e mezzo di adulti a conseguire la licenza elementare.

2. Leggete la frase tratta dall'ascolto e commentatela seguendo gli spunti.

Almeno nella fase iniziale la televisione italiana era una delle più *pedagogiche* al mondo. Le sue finalità erano certamente educative e se da un lato, non cercando il consenso dei telespettatori, era considerata *soporifera*, ha indubbi meriti nei confronti di una situazione di partenza di una nazione arretrata e culturalmente divisa. Non è solo una battuta umoristica dire quindi che, almeno a livello linguistico, "L'unità d'Italia non l'ha fatta Garibaldi, ma l'ha fatta Mike Bongiorno".

- Quanto può essere considerata pedagogica la TV oggi?
- Quale modello linguistico offre oggi la TV?
- Qual è la situazione linguistica nel tuo Paese? È unitaria? Quando si è unificata? La TV ha avuto o ha un ruolo?

3. Cosa sapete di...? Rispondete alle domande aiutandovi con le espressioni in fondo. Controllate poi quanto vi siete avvicinati alla risposta corretta.

- Quando è stata inventata la TV?   _____

- Quando è stata scoperta l'America?   _____

- Quando è arrivato sulla luna l'uomo?   _____

- Quando è stato inventato il telefono?   _____

- Quando si è diffuso internet?   _____

- A quando risalgono i primi computer?   _____

Nel... circa / Intorno al... / Verso il... / Credo nel... / Approssimativamente nel... / Al... o giù di lì.

4. Leggete le opinioni e scrivete voi un'opinione pro e una contro.

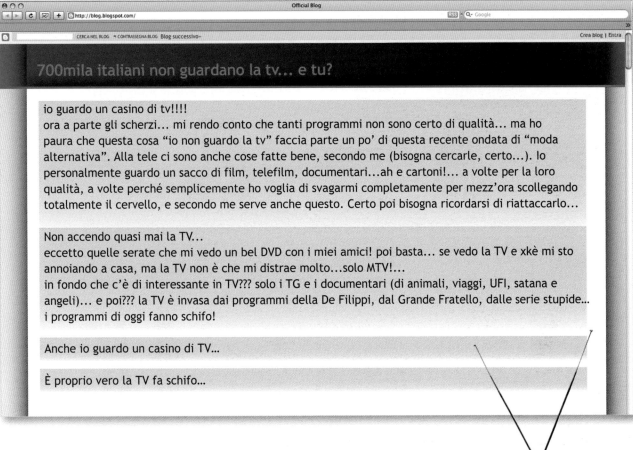

700mila italiani non guardano la tv... e tu?

io guardo un casino di tv!!!!
ora a parte gli scherzi... mi rendo conto che tanti programmi non sono certo di qualità... ma ho paura che questa cosa "io non guardo la tv" faccia parte un po' di questa recente ondata di "moda alternativa". Alla tele ci sono anche cose fatte bene, secondo me (bisogna cercarle, certo...). Io personalmente guardo un sacco di film, telefilm, documentari...ah e cartoni!... a volte per la loro qualità, a volte perché semplicemente ho voglia di svagarmi completamente per mezz'ora scollegando totalmente il cervello, e secondo me serve anche questo. Certo poi bisogna ricordarsi di riattaccarlo...

Non accendo quasi mai la TV...
eccetto quelle serate che mi vedo un bel DVD con i miei amici! poi basta... se vedo la TV e xkè mi sto annoiando a casa, ma la TV non è che mi distrae molto...solo MTV!...
in fondo che c'è di interessante in TV??? solo i TG e i documentari (di animali, viaggi, UFI, satana e angeli)... e poi??? la TV è invasa dai programmi della De Filippi, dal Grande Fratello, dalle serie stupide... i programmi di oggi fanno schifo!

Anche io guardo un casino di TV...

È proprio vero la TV fa schifo...

5. Completate il cruciverba.

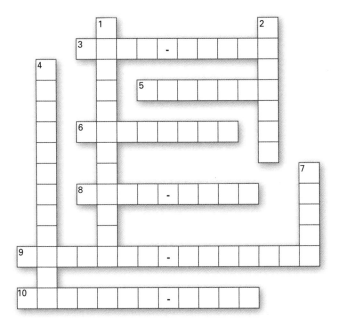

Verticali
1 Programma di carattere culturale informativo.
2 Programma d'intrattenimento fatto di musica, curiosità, interviste, giochi.
4 Trasmissione delle notizie di attualità.
7 Programma d'intrattenimento a quiz.

Orizzontali
3 Film in serie che racconta storie di vita quotidiana.
5 Programma per bambini e...
6 Film a puntate prodotto per la televisione.
8 Programma di discussione su un tema.
9 Film realizzato con disegni.
10 Programma che rappresenta dei personaggi in contesti di vita reale.

6. Cosa danno in TV? Guardate la pagina e commentate i programmi facendo un confronto con un canale TV del vostro Paese.

Da noi la mattina presto danno…

I telegiornali di solito sono verso le…

Le repliche dei programmi sono di solito…

I programmi di attualità riguardano…

Abbiamo anche noi un programma di cucina che…

Le previsioni del tempo sono dopo…

7. Scegliete fra *essere, venire* e *andare*. Più soluzioni sono possibili.

1. Nel 1957 la RAI decise di iniziare a trasmettere messaggi pubblicitari, e per questa innovazione, fu/venne/andò creato un apposito format televisivo.

2. Nacque così Carosello, in cui i messaggi pubblicitari per evitare la promozione diretta dei prodotti andavano/erano/venivano inseriti in un contesto di tipo teatrale.

3. Il programma veniva/andava/era introdotto dall'apertura del sipario con accompagnamento di una specie di fanfara.

4. Ogni sketch andava/veniva/era seguito da una situazione o frase che faceva da tramite con l'annuncio pubblicitario finale, il cosiddetto codino, dove andava/era/veniva evidenziato il prodotto, destando spesso perplessità tra il pubblico per la scarsa pertinenza con lo sketch.

5. La pubblicizzazione di un dato prodotto veniva/era/andava fatta con un ciclo di quattro sketch con cadenza settimanale, diversi l'uno dall'altro sebbene con soggetto comune. Nella sigla di chiusura infatti era/veniva/andava annunciata la data della successiva messa in onda.

6. Gli spot inclusi nel palinsesto venivano/andavano/erano pubblicati sul settimanale TV Radio Corriere, proprietà dell'ente RAI, così i lettori potevano conoscere in anticipo le storie che avrebbero visto.

7. Questa soluzione ebbe un enorme successo; Carosello rimase per molti anni fra le trasmissioni televisive più amate, diventando un tipico appuntamento della famiglia italiana. Dopo lo spettacolo i bambini venivano/andavano/erano messi a letto tanto che ancora oggi la frase "a letto dopo Carosello" è rimasta parte del linguaggio parlato.

8. Rispondete alle domande.

1. Da chi è stata inventata la radio? *Da Guglielmo Marconi.*
2. Da quale regista e attore italiano è stato vinto l'Oscar nel 1999? ....
3. Da chi è stato scritto il romanzo *I Promessi Sposi*? ....
4. Da chi è stata affrescata la Cappella Sistina? ....
5. Da chi è stata promossa l'Unità d'Italia? ....
6. Da chi è stata composta l'Opera il *Nabucco*? ....
7. Da chi è stata prodotta la macchina *500*? ....

9. Leggete i testi su alcuni programmi italiani che hanno fatto storia. Completateli con le forme dei verbi in fondo al passivo.

SAMARCANDA È STATO UN TALK SHOW DI RAI TRE, ANDATO IN ONDA DAL 1987 AL 1992.

.... nella prima stagione il sabato e nella seconda il mercoledì in prima serata,

per poi collocarsi stabilmente dal 10 novembre 1988 il giovedì in prima serata.

Il programma .... con l'intenzione di parlare in diretta sulle questioni di

attualità e di cronaca, in collaborazione con la testata giornalistica del TG3. Lo studio centrale del programma

.... frequentemente con l'esterno, dando voce ai cittadini comuni.

La trasmissione si trova ad affrontare i temi caldi di una stagione politica tumultuosa (dal crollo del Muro di Berlino

alle vicende di Tangentopoli), e diviene quindi portavoce degli umori e alle denunce della "piazza".

trasmettere - realizzare - collegare

IL *MAURIZIO COSTANZO SHOW* È IL TALK-SHOW PIÙ LONGEVO DELLA TELEVISIONE

PRODOTTA IN ITALIA, ... DA ALBERTO SILVESTRI, E CONDOTTO

DA MAURIZIO COSTANZO PRIMA SU RETEQUATTRO E POI SU CANALE 5.

In onda dal 1982 dal Teatro Parioli di Roma ha visto passare sul proprio palcoscenico i personaggi più importanti dello

spettacolo, della cultura e della politica italiana, premi Nobel, musicisti, scrittori, gente comune. L'accompagnamento

musicale ...., per molti anni, a Franco Bracardi.

Nel 2004 Costanzo decide di chiudere il programma, che .... sempre più a tarda notte

per il protrarsi dei programmi di prima serata. Ma è un arrivederci e non un addio: già nella stagione 2005-2006 il

programma torna in onda sul digitale terrestre Mediaset, senza la presenza del pubblico.

ideare - affidare - trasmettere

LASCIA O RADDOPPIA? È IL TITOLO DI UNO DEI PIÙ FAMOSI PROGRAMMI TELEVISIVI
A QUIZ DELLA RAI - RADIOTELEVISIONE ITALIANA.

.... da Mike Bongiorno, è andato in onda a partire dal 19 novembre 1955 ogni sabato

sera, alle ore 21:00, fino al 1956 e ogni giovedì sera fino al 1959, data di sospensione del programma. Lo spostamento

dal sabato al giovedì .... dai gestori dei locali pubblici che avevano visto assottigliarsi

gli incassi, proprio per la serata considerata più lucrativa della settimana. I concorrenti che partecipavano al gioco si

presentavano come esperti di un particolare argomento. Agli inizi l'argomento .... tra

quelli proposti da numerosi monitor presenti in studio, successivamente i monitor ....

ed i concorrenti erano liberi di presentarsi su qualunque materia.

Nel corso della prima serata il concorrente doveva rispondere obbligatoriamente ad una serie di domande pena

l'immediata eliminazione. Si partiva da un valore di Lire 2.500 fino ad arrivare, rispondendo esattamente, alla somma

di Lire 320.000.

condurre - richiedere - scegliere - eliminare

10. Rileggete i testi e collegate le frasi.

1. Il programma *Samarcanda*	a. se sbagliava.
2. È stato realizzato	b. da Maurizio Costanzo.
3. Il programma era collegato spesso	c. da Silvestri.
4. Il *Maurizio Costanzo Show* è stato ideato	d. da Mike Bongiorno.
5. Il programma era condotto	e. in tarda serata.
6. Il talk show veniva trasmesso	f. con l'esterno.
7. *Lascia o raddoppia?* era condotto	g. in collaborazione con il telegiornale di Rai3.
8. Lo spostamento al giovedì fu richiesto	h. dai computer.
9. L'argomento era scelto a caso	i. dai gestori dei ristoranti.
10. Il concorrente era subito eliminato	j. è stato trasmesso su Rai Tre.

11. Leggete l'articolo e trasformatelo in dialogo tra i quattro protagonisti: Veltroni - Gasparri - Del Noce e Donelli.

Il mondo della politica si scaglia contro la televisione.

A far sentire la propria voce Walter Veltroni e Maurizio Gasparri.

Walter Veltroni ha definito "marziane" le trasmissioni televisive. "Con quello che sta vivendo il Paese - ha detto il segretario del Pd - certe trasmissioni televisive mi appaiono marziane". Veltroni ha criticato quelle trasmissioni nelle quali "si possono guadagnare centinaia di migliaia di euro senza saper fare nulla, mentre ci sono persone che non possono comprare un maglione. È un messaggio sbagliato specie in un momento in cui il Paese dovrebbe trovare la via della sobrietà, della solidarietà, che ha smarrito".

Alle parole di Veltroni hanno replicato il direttore di Raiuno Fabrizio Del Noce e il direttore di Canale5 Massimo Donelli.

"Sentendo le parole di Veltroni - ha detto Del Noce - mi viene da pensare che allora bisognerebbe abolire pure il Superenalotto e magari applicare una regola contro i guadagni facili dei calciatori. Francamente non sono affatto d'accordo sull'additare alcune trasmissioni tv per affrontare una questione molto più generale. Ma specialmente da un politico ci si aspetta che certe affermazioni vengano accompagnate da proposte alternative. Anche perché abolire certe trasmissioni significherebbe togliere programmi che aiutano comunque a generare una ventata di ottimismo e danno speranza".

Donelli ha, invece, così commentato: "I premi in tv esistono dalla notte dei tempi. Il refrain di 'vince due milioni di lire in gettoni d'oro' fa parte della storia della tv, non solo italiana. E ne ha fatto parte anche in periodi di particolari congiunture economiche. In tutto il mondo la tv dispensa premi in denaro o in gettoni. Dopodiché credo che, anche in questo caso, si debba distinguere tra la tv commerciale, che non gode né di un canone né di un abbonamento, e la tv pubblica che invece ne gode e che ha una funzione diversa rispetto alla tv commerciale. La tv commerciale - ha aggiunto il direttore di Canale5 - agisce all'interno di una logica commerciale e promozionale, chiaramente sempre nel rispetto dei telespettatori e del buon gusto. Quanto alla tv pubblica - ha affermato Donelli - essendo sottoposta alla vigilanza di una commissione parlamentare, credo esistano tutti gli strumenti per intervenire sulle trasmissioni Rai che quotidianamente dispensano centinaia di migliaia di euro. Detto questo - ha concluso il direttore di Canale5 - credo che non vi sia nulla di insano nei programmi a premi, anzi ogni tanto si fa la fortuna di qualcuno che ne ha bisogno".

Anche Maurizio Gasparri ha avanzato aspre critiche soprattutto nei confronti dei reality show. "Avranno anche successo - ha affermato Gasparri - ma questi reality sono ormai la pattumiera della televisione. Si fa clamore ad ogni costo e si lanciano messaggi sempre peggiori".

Dialogo:

Veltroni: *Secondo me certe trasmissioni sembrano cose da marziani...*

....

Del Noce: ....

....

Donelli: ....

....

Gasparri: ....

....

12. Completate i seguenti commenti con le espressioni a lato.

TV Pubblica o privata?

1. .... che il canone costa tanto, non ci dovrebbe essere così tanta pubblicità nelle TV pubbliche.

2. .... un confronto tra la TV pubblica e la privata non mi sembra ci sia così grande differenza nella qualità dei programmi.

3. .... la TV italiana guarderei anche cosa succede in altri Paesi.

4. .... alcuni programmi, come il Grande Fratello o l'Isola dei famosi, ho deciso di non guardare più la TV e leggere più libri.

5. .... così tanto di canone, vorrei avere un servizio migliore, o almeno qualcuno che chiedesse l'opinione del pubblico a cui si rivolge!

6. .... che ci sono anche in altri Paesi non credo che la differenza tra la TV italiana e il resto del mondo sia così grande.

> Visti i programmi
> Dopo aver visto
> Tenendo presente
> Avendo pagato
> Prima di criticare
> Facendo

13. Completate le frasi con gerundio presente, infinito o infinito passato.

1. (Guardare) .... tanta TV si finisce per non capire più qual è la realtà.

2. Prima di (guardare) .... un programma, leggo qual è il contenuto.

3. Dopo (parlare) .... così male della TV italiana, vediamo cosa danno negli altri Paesi.

4. Dopo (vedere) .... il film *Io non ho paura,* ho comprato il libro di Ammaniti.

5. Prima di (guardare) .... il film *I cento passi,* dovresti leggere qualcosa sulla Sicilia.

6. (Parlare) .... di pubblicità italiana mi è venuta in mente la serie di spot del Mulino Bianco.

7. È diventato famoso (condurre) .... diversi documentari di scienze.

8. Prima di (fare) .... la presentatrice televisiva era commessa in un negozio di abbigliamento.

14. Trasformate le seguenti frasi usando un tempo finito. Indicate poi la funzione del verbo indefinito scegliendo tra quelle indicate in fondo.

Finito il film, abbiamo spento la TV.
Dopo che il film era finito, abbiamo spento la TV. [Temporale]

1. Pur avendo visto il film due volte, non ho capito la fine.

   ....

2. Avendo studiato tecniche pubblicitarie, sa sempre cosa dire in pubblico.

   ....

3. Fatta la selezione delle canzoni più belle, hanno cominciato il programma.

   ....

4. Considerati tutti gli aspetti pro e contro, la TV italiana non è così male.

   ....

5. Pur non essendo una grande fan dei documentari, amo vedere Quark.

   ....

6. Essendo nato da attori, sicuramente ha avuto dei vantaggi nella carriera televisiva.

   ....

7. Molti hanno imparato l'italiano standard guardando la TV.

   ....

Temporale - Concessiva - Condizionale - Modale - Causale

15. Scegliete la trasmissione televisiva più adatta ai diversi bambini. Motivate.

A	B	C	D

1. Non sempre è facile trovare il giusto equilibrio tra tutte le attività che sono possibili nel tempo libero. Assolutamente definitiva per lo sviluppo dei ragazzi comunque è una certa attività fisica. Questo programma potrebbe aiutare chi ancora non ha trovato ciò che più gli si addice, dare qualche idea a genitori poco portati all'attività sportiva in generale. Lasciatevi sorprendere!

2. Purtroppo al giorno d'oggi i bambini sono sempre più isolati anche a causa del troppo consumo di TV. Forse si potrebbe pensare un programma per giovanissimi che li portasse anche fuori casa, a indagare tra la gente o a fare piccole inchieste tra altri gruppi di bambini.

3. A tutti gli under 15 che si sentono nati per il grande palco è diretta questa trasmissione. Vi trascineremo in un mondo nuovo e sempre in cambiamento, duro lavoro e grande soddisfazione per coloro che si applicano tenacemente. Alla fine di ogni trasmissione verranno dati consigli per allenare voce e gesti in determinate situazioni. Vi divertirete.

4. Il sogno di vostro figlio è sempre stato quello di diventare esploratore? Questo meraviglioso documentario sulle bellezze della zona Ovest delle Dolomiti potrebbe essere il modo giusto per avvicinarlo all'esplorazione vicino a casa vostra (e non solo in Cina o Perù).

Motivazione:

----

16. Piccola discussione a tre. Completate la parte della moderatrice.

Aprire la discussione *Oggi...*		
	Quando io ero piccola non si poteva guardare tutto il giorno la TV. Da noi c'era una regola molto fissa: dopo Carosello si andava subito dritti a letto. E io penso che i miei genitori abbiano fatto bene a non permetterci di passare le ore davanti allo schermo.	
Incoraggiare		
		Secondo me non si possono imporre le stesse regole che valevano per noi vent'anni fa. Oggi i ragazzini passano più tempo davanti alla TV e se non permetti a tuo figlio di seguire certe trasmissioni si riduce ad essere un emarginato, non è così semplice.
Proporre *Ma...*		
	No, non sono d'accordo. Certo per i genitori è più difficile proporre qualche alternativa alla comoda baby-sitter. Però secondo me ne vale la pena. Prima di tutto il rapporto con i figli non dipende dagli orari delle trasmissioni in TV e si passa anche più tempo insieme. Ci vuole un po' di fantasia.	
Rimandare		
		Io mi chiedo se Lei parli per esperienza personale o...

17. Leggete il testo seguente e scrivete in una lettera al giornale la vostra opinione sul tema. Seguite i punti a seguito del testo.

IL PICCOLO SCHERMO CRESCE IN RETE
Questo sarà l'anno delle tv via Internet

La tv generalista è in crisi. Ma intanto c'è la tv in Internet: contenuti alternativi, di nicchia, sperimentali. Una tv che vuole lo spettatore più attivo, partecipe al programma. Queste da tempo le promesse, e forse da quest'anno la tv via Internet prenderà forma matura. Il problema sono i contenuti disponibili. "Alcuni sono già andati in onda sulla tv tradizionale", dice Adam Daum, analista del gruppo di ricerca Gartner. Il fenomeno riguarda le due categorie di tv via Internet. La prima è visibile solo su computer, attraverso siti come YouTube o software come Joost e Babelgut. La seconda permette di vedere i contenuti nella tv di casa. In entrambi i casi è richiesto un collegamento veloce a Internet (Adsl). In questa seconda categoria c'è il tipo di tv che è più rivolta al grande pubblico: l'Iptv, offerta da grandi operatori telefonici. In Italia ha raccolto solo 300 mila utenti, contro gli 1,8 milioni della Francia; ma è stata penalizzata dai contenuti: l'offerta di Telecom Italia e di Fastweb è stata centrata sui canali tradizionali e su Sky. Il valore in più rispetto alla solita tv è un catalogo con migliaia di contenuti che l'utente può vedere in qualsiasi momento, con un clic sul telecomando. La buona notizia è che sono arrivate anche le Iptv di Tiscali e di Wind. Cresce la concorrenza e, stando agli operatori, nel corso del tempo ci si differenzierà di più dalla tv tradizionale: sia nei contenuti sia nell'interattività.

Siete un giovane utente e:
- trovate molto positivo lo sviluppo
- tv in Internet significa ancora più contatti con tutto il mondo
- i costi non sono enormi
- mille possibilità di interazione
- punto negativo: i contenuti finora molto scarsi
- desiderio: integrazione del pubblico nella scelta

18. Per concludere. Sottolineate la forma verbale adatta.

Ricordi d'infanzia davanti alla tv

Stanotte, mentre *cercavo/cercai* con fatica di addormentarmi, *cominciavo/ho cominciato* a pensare alla casa di mio nonno, deceduto nel 2003. *Rivedevo/avevo rivisto* il salotto elegante, con la libreria e strani oggettini, e la tv, sempre sintonizzata su Rai Uno. E allora, non so per quale motivo, mi *erano venute/sono venute* in mente quelle musichette che *usava/avrebbe usato* la Rai per annunciare l'inizio e la fine della pubblicità. Mi *venne/è venuto* in mente tutto quello che *mi sarebbe piaciuto/mi fosse piaciuto* vedere ancora, tutte cose di 4 secondi apparentemente insignificanti, che *avevo chiuso/avrei dovuto chiudere* in un cassettino per diventare "adulta"... e quando *cominciavo/ho cominciato* ad essere triste per essere un'adulta, *ho cercato/cercavo* ogni piccola cosa che *potesse/potrebbe* essere degli anni '80, o tutt'al più dei primissimi anni '90... quando ancora *facevo/avevo fatto* le elementari. E, davanti a piccoli spezzoni, *avevo trovato/ho trovato* i miei ricordi, e mi *sembrava/è sembrato* di essere tornata bambina. E mi sorprendo di come *sia/è* facile tornare indietro guardando cose, come per esempio la pubblicità dell'Orzo Bimbo, ma pure quella del Cif Ammoniacal, o quella di Ciak (il giornale di cinema) e altre cose... E rimango lì a chiedermi cosa sono queste situazioni, a volte, rivedendo queste cose, mi dispiace di non essere più bambina, e questo mi spaventa... ma proprio tanto! Vorrei fare un'ode al Forum Memoria, un sito dove ognuno *può/potrebbe* "parlare" di com'*era/fu* bella la scritta "ITALIA" sul rombo di Italia uno, senza che qualcuno ti *prenda/prenderebbe* per scema. Vorrei decantare un'ode a quelle persone che mi *hanno fatto/avevano fatto* ricordare tante cose, senza che *viene/venisse* qualcuno a ridermi in faccia, è bello poter tornare indietro di tanto in tanto, anche se attraverso 30 secondi di pubblicità... vuol dire che nessun secondo della tua vita *venne/è stato sprecato*.

1. Completate.

Scegliete il termine più corretto per la seguente definizione:
Film che si propone di illustrare fatti, avvenimenti, luoghi,
tratti direttamente dalla realtà, a scopo divulgativo o
didattico.

a) Palinsesto ☐

b) Cartone animato ☐

c) Documentario ☐

2. Completate.

La prima .... (1) di «Squadra Antimafia -
Palermo oggi» è stata vista da 6.137.000 ....
(2), pari al 23,03% di share. La nuova .... (3)
di Canale 5 ha vinto la sfida con «Rex» di Raiuno, mentre
«X Factor» su Raidue è tornato sopra quota 3 milioni.

(1)	(2)	(3)
a) visione	a) telespettatori	a)
b) puntata	b) vedenti	programmazione
c) edizione	c) uomini	b) idea
		c) fiction

3. Completate.

Questa trasmissione in onda ogni sabato sera sul primo
canale .... da un gruppo di amanti della
musica classica.

a) ha organizzato ☐

b) viene organizzata ☐

c) si organizza ☐

4. Mettete la frase al passato prossimo.

Molti spettacoli sono creati per il grande pubblico,
per il loro gusto e bisogni.

5. Mettete al passato.

Essendo chiaro a tutti riteniamo non opportuno ripetere.

6. Cosa significa la seguente frase?

Finita la partita, andiamo subito.

a) Aspetta la partita. ☐

b) Aspetta che finisca la partita. ☐

c) Aspetta di andare a vedere la partita. ☐

7. Esprimete la vostra incertezza su date.

a) Non mi ricordo bene quali sono state le prime
trasmissioni televisive. ☐

b) Non sono proprio sicura di quando esattamente
sia nata la TV in Italia. ☐

c) La TV ha una "data di nascita" non del tutto precisa. ☐

8. Proponete un'alternativa.

a) Se non ti piace la trasmissione perché la guardi?
Cambia canale, no? ☐

b) Perché non ti piace questa trasmissione?
È interessante e varia! ☐

c) Dovresti anche tener conto di altri fattori
prima di giudicare. ☐

Valutazione: 100% - 80% Hai una profonda conoscenza della materia della lezione
70% - 50%   Ripeti le parti nelle quali sei meno ferrato
40% o meno Ripassa bene la lezione: grammatica, lessico e fraseologia

abbonato	messa in onda
acquisire	monitor
additare	moralistico
agiato	occulto
alternativa	operatore s.m.
analfabetismo	palcoscenico
apparecchio	palinsesto
assistente s.m. / f.	pattumiera
attualità	pedagogico
bombardato	pioniere s.m.
buon gusto	prediletto
canone s.m.	rapina
carenza	reclamizzato
cartone animato	regolarmente
clamore s.m.	rubrica televisiva
collocarsi	sacrificare
collocazione	schifo
concorrente s.m.	scorretto
condotto	segnale s.m.
diffusione s.f.	sequestro
dilettante	slogan s.m.
educativo	smontaggio
ente s.m.	sobrietà
episodio	soporifero
format	sospensione s.f.
formula	svelare
gag	tecniche pubblicitarie s.pl.
ginnasta	telecamera
identificarsi	telegiornale s.m.
imbonitore	telespettatore s.m.
impresso	tendenza
in prima visione	testata
incentrato	trasmettere
inquadrare	trasmissione s.f.
insano	trucco
invenzione s.f.	truffaldino
legittimare	tumultuoso
locale s.m.	utente s.m.
logica	valutare
longevo	via etere
lusso	

chiavi*

Unità 1

1.

```
U S Y Z G B C A N Z O N E
O W T I E O T L A P U V F
R S H F D K O G O X X O A
C T V H T H U T U R W M M
H R K J Z Q R E E L I U O
E O A W U E T N R A H S S
S F W C C N P Q T Y W I O
T A O N A H Q O X I N C E
R N O T O Y N Z K N J A P
A C N S T R U M E N T O A
J A R I T O R N E L L O G
C E D X G J C J A Z Z W T
V A L B U M M A B D L J U
```

2.
Claudio Baglioni; Milano, Roma, Napoli; Q.P.G.A.; Vasco Rossi; Udine, Bologna, Bari, Torino; Vasco.08 Live in Concert; Luciano Ligabue; Verona; -; Elisa; Verona, Pesaro; Mechanical Dream.

3.
metronomo; violinista; chitarra; corista; organista; compositore.

4.
Miseria; ma va là; obbligata; sensibile; in mente; in giro.

5.
1c; 2e; 3d; 4b; 5a.

6.
Hai lavorato; ha assistito; hanno accompagnato; volevi; è stata; è piaciuto - era; conoscevate; ha seguito; sono piaciute; ha provato; sono andato; hai conosciuto; ho incontrato; piaceva; ho deciso; era; hai sottolineato; ho cercato.

7.
1. Prima andavo al concerto ogni settimana. 2. Una volta non mi piaceva la musica jazz. 3. Ascoltavo sempre con piacere la musica rock. 4. Da giovane, quando andavo ai concerti, mi divertivo sempre molto. 5. L'anno scorso sono andato/a al club Jazzline per ascoltare musica. 6. Ho imparato a suonare la chitarra tre anni fa.

8.
Me le ha date - le canzoni a me; me le ha chieste - le canzoni a me; me la mandi - la mail a me; ve li prendo - i biglietti a voi; me le hanno date - le vacanze a me.

9.
Ve la; te la; gliele.

10.
1. Quando te li dà?; 2. Quando me lo regali?; 3. Perché non glieli prendi tu?; 4. Chi ce le prepara? 5. Quando glielo spedite? 6. Perché non gliele restituisci? 7. Dove te la lasciamo? 8. Non ve la ricordate più?

11.
1. Glieli abbiamo regalati. 2. Gliel'avete già comprata? 3. Ve li hanno restituiti? 4. Me l'ha prestato. 5. Non gliele ho date. 6. Te li ha presi? 7. Gliel'abbiamo riportato. 8. Non gliel'avete ridata?

12.
1. in grande agitazione; 2. rischiare; 3. ricoperta da; 4. chiede suggerimenti; 5. disturbate; 6. pregate i santi; 6. vola giù.

13.
bellissima; sanissima; ti nascondevi; piccole; fragile; godevi; soggezione.

14.
1. sono stato; 2. stavano; 3. sono stato/a; 4. era; 5. è stata; 6. stavo; 7. sono stato; 8. è stato.

15.
cantautore; musica; autodidatta; strumento; strumentista; musicale; album.

16.
a. è voluto entrare; b. hanno potuto muoversi; c. non ha potuto cantare; d. abbiamo voluto scrivere; e. si sono dovuti adattare/hanno dovuto adattarsi; f. è potuto entrare.

17.
1. L'ha potuto comprare perché la nonna gli ha regalato i soldi. 2. Hanno voluto vedere il concerto perché gli piace Vasco Rossi. 3. Sono voluti andare via perché la città è troppo caotica. 4. Non ho potuto dirgli la verità perché lui non può capire. 5. Non ho potuto finire oggi perché il computer era rotto.

18.
liriche; commedie; semiserie; successo; Il barbiere di Siviglia.
si trasferisce; familiari; comporre; titoli; La Traviata; clamoroso; politico; Alessandro Manzoni.

19.
libero.

20.
1. a) Glielo voglio proprio dire. b) Voglio proprio dirglielo. 2. a) Glielo deve assolutamente dare. b) Deve assolutamente darglielo. 3. a) Forse ci possiamo andare insieme. b) Forse possiamo andarci insieme. 4. a) Domani la devo vedere. b) Domani devo vederla. 5. a) Dove la posso mettere? B) Dove posso metterla?

21.
1. Non gli dite / non ditegli che abbiamo ricevuto i biglietti gratis! 2. Me lo dovresti prestare per qualche giorno. 3. Perché non glielo chiedi tu? 4. Non ho mai detto loro la verità. 5. Secondo me quel disco gliel'ha già regalato Francesco. 6. Perché non gli dite di venire alla festa?

22.
1. né...né; 2. sia... sia / che; 3. né...né; 4. sia... sia / che; 5. sia... sia / che; 6. né... né.

Test: 1. b; 2. c; 3. c; 4. a; 5. Non sono voluta andare da sola; 6. c; 7. c; 8. b.

Unità 2

1.
1c; 2h; 3d; 4g; 5f; 6e; 7a; 8b.

2.
sulla; della; dei; della; di; della; della.

3.
1f; 2h; 3a; 4b; 5g; 6d; 7e; 8c; 9j; 10i.

4.
si era rimesso; avevamo fissato; avevamo deciso; era uscita; ci aveva aspettato; si era stancata; aveva preso; era andata; aveva avvertita; avevamo deciso; aveva telefonato; aveva comunicato.

5.
era partito; dovevo; mi sono ricordato; ero stato; ero venuto; ho cercato; ci sono riuscito; c'era; ho cominciato; avevo; avevo mangiato; ho visto; sembrava; ho bussato; ho intravisto; puliva; aveva chiuso; ho spiegato; ha aperto; ha offerto; aveva preparato; abbiamo bevuto; abbiamo passato; sono uscito; sono andato; provavo.

6.
1b; 2a; 3d; 4c; 5f; 6g; 7e.

7.
1. maggiori; 2. meglio; 3. superiore; 4. migliore; 5. peggio; 6. inferiore; 8. minore.

8.
migliore; maggior; meglio; peggio; superiore.

9.
1. da quando; 2. alla fine; 3. prima... poi; 4. ogni due giorni; 5. appena; 6. ormai; 7. all'inizio; 8. prima di; 9. finora; 10. d'ora in avanti.

10.
a un certo punto; da allora; finora; a volte; ormai; d'ora in avanti; prima o poi; da quando; a volte; un giorno.

11.
Trecento; Trecento; Quattrocento; Cinquecento; Cinquecento; Seicento; Settecento; Ottocento; Novecento.

12.
passai; passasti; passò; passammo; passaste; passarono.
credei, credesti; credé; credemmo; credeste; crederono.
partii; partisti; partì; partimmo; partiste; partirono.
fui; fosti; fu; fummo; foste; furono.
risposi; rispondesti; rispose; rispondemmo; rispondeste; risposero.

13.
cominciò; scrisse; soggiornò; assistette; iniziò; dedicò; istituì; ritirò; morì.
- - -
si è laureato; ha lavorato; ha insegnato; ha lavorato; ha ricevuto; ha esordito; ha avuto; sono seguiti.

14.
aveva deciso; partì; arrivò; andò; trovò; fu; si offrì; invitò; offrì.

15.
conquistò; sono andato; passavo; partì; ho telefonato; era; ha finito; ci siamo trasferiti; ci fu; partì.

16.
Quell'anno; a metà luglio; dall'anno precedente; a fine estate; in quel periodo; prima delle sei di sera; dall'alba fino al tramonto.

17.
1. Marciana; 2. Nazionale Centrale di Firenze; 3. Nazionale Centrale di Firenze; 4. Ambrosiana; 5. Apostolica Vaticana; 6. Nazionale Centrale di Firenze.

18.
libero.

Test: 1. a; 2. (1)c - (2)a - (3)b; 3. era stato; aveva trovato; 4. nacque; fu; iniziò; 5. male; migliore; minimo; 6. (1)c - (2)c - (3)b; 7. b; 8. b.

Unità 3

1.
libero.

2.
certo; tipo; tale; uno.

3.
1. il cui; 2. i cui; 3. la cui; 4. la cui; 5. il cui; 6. la cui.

4.
a. Francesco, la cui sorella studia all'Università, si è trasferito in Germania.
b. Ho conosciuto un certo Riccardo, il cui padre andava a scuola con il mio.
c. Ho invitato Rosanna, i cui genitori sono amici dei miei.
d. Caravaggio, le cui opere sono considerate rivoluzionarie, era noto per il suo brutto carattere.

5.
s.m. sostantivo maschile; s.f. sostantivo femminile; der. derivato; comp. composto; cfr. confronta; fr. francese; fig. figurato; sim. simili; psic. psicologia; ling. linguistica.

6.
Ma che dici!; Mi dispiace, ma la penso diversamente; Non sono d'accordo; Non esagerare; È assurdo; Ma figurati!

7.
libero.

8.
cortesi; avari; efficienti; bevitori; passionali; chiusi; burini; scaramantici; testardi; gelosi; sospettosi; ironici.

9.
leggetecela; consigliamelo; indicagliela; mostrategliela; raccontatecela; dimmela; faccelo; dammene; compragliene.

10.
1. restituiscimela; 2. diglielo; 3. compratelo; 4. mangialo; 5. dammelo; 6. guardatelo; 7. prendiamoci; 8. smettila; 9. fammela; 10. stammi.

11.
raccontamela; me lo faccia; compratela; mostratecele; me le spedisca; prendetevelo/prendetelo.

12.
verità - vero; teatralità - teatrale; curiosità - curioso; solitudine - solo; altitudine - alto; altezza - alto; saggezza - saggio; magrezza - magro; cambiamento - cambiare; insegnamento - insegnare; affollamento - affollare; spremuta - spremere; entrata - entrare.

13.
loquacità; teatralità; saggezza; importanza; solitudine; affollamento; democrazia; insegnamento.

14.
della; di un; dei; di un; di un; di una; della; di una; degli; dei; del; del; degli.

15.
l'; una; i; i; le; l'; gli; un; la; le; il; la.

16.
il; le; l'; il; i; un; l'; la; il; il - le - un'; un; un.

17.
1. /; 2. /; 3. /; 4. il; 5. il; 6. le; 7. la; 8. il; 9. la; 10. /.

18.
l' - il film; la - la partita; ci - Napoli; ci - Pizzeria; l' - sito; l' - lavoro; l' - scena; l' - non farlo; ne - caramelle.

19.
2. A Milano ci vado volentieri; 3. Di questo prosciutto ne voglio solo un etto; 4. I biglietti li avete comprati?; 5. Da casa ci siete passati?; 6. Marta e Francesca le hai invitate?; 7. I tuoi genitori li hai chiamati?

20.
2. Li hai fatti i compiti? 3. Ne hai comprato abbastanza di prosciutto? 4. Li hai avvisati i tuoi genitori? 5. Lo avete spento il fornello? 6. L'hai messa in borsa la chiave? 7. Li hanno presi i passaporti?

21.
1. ciascuno, ognuno, nessuno, chiunque, qualcuno 2. qualcosa, niente 3. ogni, qualche, quale, tutti, alcuni, qualsiasi, altri.

22.
1. ogni; 2. ognuno/ciascuno - qualcosa; 3. tutti; 4. nessuno; 5. niente; 6. qualcuno; 7. qualche; 8. quale; 9. qualsiasi; 10. ciascuno; 11. alcuni - altri; 12. tutti/chiunque.

23.
libero.

Test: 1. a; 2. (1)c-(2)b-(3)a; 3. b; 4. a) Perché non gliele porta lei?; b) Perché non gliele dai tu?; c) Perché non glieli portate voi?; 5. (1)c-(2)a-(3)b; 6. c; 7. c; 8. c.

Unità 4

1.
Protestare: Bell'incivile!; Ma lei è proprio un bel tipo!; Non ci posso credere!; Ma dove vive!; Scusi, se ne va così?;
Giustificarsi: Mi allontano solo un attimo!; Ma insomma non sono affari Suoi!; Sono spiacente, ma…; Eh sì, ma sa…; Cosa ho fatto? Io non ho fatto nulla!; Ma, perché se la prende con me, scusi?

2.
3-5-7-2-6-8-1-4.

3.
farà; saranno; resterà; si occuperà; andrà; cucinerà; sarà; elimineranno; ridurrà; prenderanno; passerà; scenderà; assesterà.

4.
1. andrà; 2. verrete-avremo finito; 3. partirà; 4. verrà-verranno; 5. arriveranno; 6. avrà - sarà; 7. saranno state; 8. saremo arrivati-ti telefoneremo.

5.
sarà arrivati; sarà; avremo consumato; l'avremo resa; sarà scesa; avrà abbandonato; avrà cercato.
succederà; avrà imparato; vivrà; avrà smantellato; si dedicherà; potrà.

6.
saranno; potranno; lavorerà; terranno; favorirà; viaggerà; simuleranno; piacerà; andremo; entrerà; faranno; avranno finito; sposterà; asciugheranno; calcolerà; azionerà; eliminerà; avrà completato; metterà.

7.
1c; 2d; 3e; 4f; 5b; 6a.

8.
1. te ne vai; 2. non ce la faccio; 3. ce l'ha; 4. non prendertela; 5. se la sente; 6. se la prende; 7. me la cavo.

9.
se la cava; non me ne ero accorta; me ne frego; non ce la faccio; te ne vai; smettila.

10.
1. ti servono - me ne servono; 2. Le occorre - mi occorrono; 3. ci vogliono - ci vuole/vorrà; 4. ci vuole - bisogna; 5. sono necessari.

11.
1. Si devono usare i mezzi pubblici; 2. Si può fare molto di più; 3. Si devono usare pochi detersivi; 4. Ci si deve rifiutare…; 5. Si possono limitare…; 6. Ci si deve rendere conto…; 7. Si deve riciclare…; 8. Insomma, ci si deve impegnare di più.

12.
ci si alzava; si faceva; si andava; si seguivano; ci si incontrava; si chiacchierava; si discuteva; si rideva; ci si incontrava; si dovevano; si organizzavano; ci si vedeva; ci si sveglia; si corre; ci si veste; si beve; si sale; ci si arrabbia; si arriva.

13.
libero.

14.
libero.

15.
1l; 2k; 3d; 4j; 5f; 6i; 7h; 8g; 9e; 10c; 11b; 12a.

16.
1. Vacanza mordi e fuggi; 2. Veleggiare e poi gettare l'ancora; 3. Panorami mozzafiato; 4. Faggi secolari; 5. Limpidi ruscelli; 6. Siti archeologici; 7. Itinerario turistico; 8. Dune.

17.
1. al contrario; 2. al contrario; 3. o meglio; 4. addirittura/persino; 5. al contrario; 6. addirittura.

18.
invece; insomma; inoltre; anzi; infine; invece.

19.
1. ci credo; 2. ci tiene; 3. ci sto; 4. ci sono riuscito; 5. ci penso; 6. ci vogliono; 7. contarci; 8. ci andiamo.

20.
1. ne abbiamo; 2. ne ho; 3. ne occupo; 4. ne siamo; 5. ne so; 6. ne hanno; 7. ne siamo rimasti; 8. ne è.

21.
ve ne; ne; ci; ne; ci; ce n'; dirmene.

22.
deltaplano; mountain bike; ciclismo; equitazione; pattinaggio artistico; arrampicata; immersioni; vela; bungi jumping.

23.
settentrionale; vulcanica; meridionali; marina - insulare; meridionale; sudorientale - sudoccidentale; mozzafiato.

Test: 1. (1)c-(2)b-(3)a; 2.a; 3. ce la metteremo; farcela; la smetteremo; 4.a; 5.c; 6.b; 7.a; 8.c.

Unità 5

1.
europeo, asiatico, australiano, africano, americano.

2.
albanese; marocchino; tunisino; cinese; magrebino; filippino; canadese; brasiliano; algerino; indiano.

3.
1d; 2g; 3a; 4f; 5c; 6e; 7b.

4.
d – c – e – a – b.

5.
Cristianesimo; Protestantesimo; Buddismo; ebraica; ebraico; Induismo; Islamismo; islamica.

6.
essere: sia; siamo; siate; siano.
avere: abbia; abbiamo; abbiate; abbiano.

7.
Opinione: dipenda; possano; presenti; debbano.
Dubbio: patiscano; si sentano.
Necessità: aumentino.
Volontà: si sentano.

8.
Aumentare: aumenti; aumentiamo; aumentiate; aumentino.
Presentare: presenti; presentiamo; presentiate; presentino.
Dipendere: dipenda; dipendiamo; dipendiate; dipendano.
Sentirsi: mi senta; ti senta; si senta; ci sentiamo; vi sentiate; si sentano.
Patire: patisca; patiamo; patiate; patiscano.
Potere: possa; possiamo; possiate; possano.
Dovere: debba; dobbiamo; dobbiate; debbano.

9.
abbia; possa; vogliate; finiscano; lavoriate; si senta.

10.
2. Non credo che si debbano abolire…; 3. Trovo che si debbano aiutare…; 4. Ritengo che si debba conoscere…; 5. Non credo che ci siano… e che gli italiani non trovino…; 6. Ritengo che non si debbano inasprire…; 7. Sono del parere che si debbano aprire…; 8. Trovo che si debbano sostenere…

11.
sia necessario cercare...; bisogni conoscere...; si debba cercare...; non bisogni rinunciare...; sia necessario essere...; non si debba rinunciare...; bisogni adattarsi.

12.
Opinione: presumo; immagino.
Dubbio: non sono sicura; dubito.
Timore: temo; ho paura.
Desiderio: speriamo; mi auguro.

13.
sappia; finisca; si senta; decida; incominci; ponga; avveleni; vengano; riesca.

14.
Sapere: sappia; sappiamo; sappiate; sappiano.
Produrre: produca; produciamo; produciate; producano.
Uscire: esca; usciamo; usciate; escano.
Venire: venga; veniamo; veniate; vengano.
Porre: ponga; poniamo; poniate; pongano.
Finire: finisca; finiamo; finiate; finiscano.

15.
1m; 2b; 3c; 4l; 5e; 6q; 7a; 8p; 9g; 10j; 11r; 12k; 13i; 14h; 15o; 16n; 17f; 18d.

16.
libero.

17.
libero.

18.
1. vuole dimostrare.../ voglia dimostrare...; 2. devi pensarci.../ tu debba pensarci...; 3. sa molto bene.../ sappia molto bene...; 4. non è semplice.../ non sia semplice...; 5. non pensano.../ non pensino...; 6. siete... / siate...

19.
1. di; 2. che; 3. (–); 4. di; 5. di; 6. (–).

20.
2. Scusa, non avresti mica una sigaretta?; 3. Mi scusi, non avrebbe mica del pane?; 4. Non ha mica detto che...; 5. Non voglio mica fare tutto io da sola...; 6. Non sono mica stato io a rompere il vaso; 7. Non avrebbe mica spiccioli,...; 8. Non mi tirare! Non sono mica un sacco di patate!

21.
a) 1. Che abbia fame? 2. Che voglia venire a cena?
3. Che senta freddo? 4. Che parta per l'Africa?
b) 1. Parli piano! 2. Ascolti attentamente! 3. Esca presto la mattina! 4. Lavori meno!
c) 1. Venga pure! Che venga! 2. Mangi pure! Che mangi!
3. Finisca pure! Che finisca! 4. La spenga pure! Che la spenga!

22.
occorre che cambi; bisogna che ti abitui; è necessario che tu impari; bisogna che condivida.

Test: 1. (1)c-(2)a-(3)b; 2. a; 3. b; 4. (1)a-(2)b; 5. facciano; sia; fanno; 6. esca; sappia; bevano; 7. b; 8. a.

Unità 6

1.
Rettangolare; La fontana dell'Elefante; Vaccarini; Sontuosa facciata a due ordini di colonne, statue e ricca ornamentazione, grande cupola ottagonale.

2.
1. cupola; 2. obelisco; 3. fontana; 4. facciata; 5. statua; 6. attico; 7. balcone; 8. rosone; 9. lesene; 10. colonna.

3.
1. trecentesca; 2. quattrocentesche; 3. cinquecentesco; 4. seicenteschi; 5. settecentesco; 6. ottocentesche; 7. novecenteschi.

4.
quadrata; triangolare; ovale; rettangolare; circolare; poligonale.

5.
celebre Fontana; famoso Gian Lorenzo Bernini; monumentale scalinata; ambasciata spagnola; spettacolo architettonico; naturale configurazione; totale approvazione; poeta inglese.

6.
forma: triangolare, sferico, quadrato;
tempo: quotidiano, diurno, pomeridiano;
colore: giallognolo, violaceo;
sensazioni fisiche: ruvido, morbido, stanco, esausto;
stati d'animo: ansioso, malinconico, euforico;
valutazioni morali: pettegolo, maleducato, generoso;
dimensioni: largo, vasto, stretto;
materia: ligneo, ferroso, marmoreo, bronzeo.

7.
1. cartacea; 2. giottesca; 3. trecentesco; 4. marmoreo; 5. triangolare; 6. ruvida; 7. romantica; 8. medievale; 9. barocca; 10. rinascimentale.

8.
educato; diurno; ruvido; amaro; invernale; infelice; egoista; indiscreto; onesto; stretto; triste; duro.

9.
libero.

10.
la; a; a; la; il; il; per; l'; a; su; della; all'; in; alla; la.

11.
dipende; se mai; piuttosto; comunque; al contrario; invece.

12.
possibili soluzioni:
1. È possibile che sia partito; 2. Gli sembra che abbia fatto; 3. Pensa che abbiamo acceso; 4. Crede che sia sceso; 5. Pensa che siano saliti; 6. Teme che siamo partiti; 7. Spera che abbiate letto; 8. Si augurano che abbia tolto; 9. Sperano che abbiamo scelto; 10. Ha paura che abbia saputo.

13.
1. sia nato; 2. abbia superato; 3. abbiate vinto; 4. abbia tradito; 5. abbiamo svolto; 6. abbiate finito; 7. abbia avuto; 8. abbia perso; 9. abbia sbagliato; 10. abbia telefonato.

14.
stia; siate andati; parliamo; abbia perso; finisca; telefoni; abbiano fatto; facciamo; parli; siano stati; sia partita; andiamo.

15.
sia; faccia; sta; si lava; pulisce; è; perda; si dedichi; siano; coccoli; si sposi; è.

16.
libero.

17.
storia; allo stesso tempo; abitudine; sanguinoso; lotta; perdente; stemmi; atmosfera.

18.
benché; a condizione che; perché/affinché; a patto che; senza che; sebbene; prima che; affinché/perché; nonostante.

19.
Congiuntivo:
concessive: sebbene; nonostante; benché.
condizionali: a patto che; a condizione che.
finali: affinché; perché.
temporali: prima che.
eccettuative: senza che.
Indicativo:
causali: siccome; poiché.
conclusive: quindi; perciò; allora.
temporali: dopo che; quando; mentre; fino a quando.
concessive: anche se.

20.
nonostante; prima che; senza che; quando; mentre; siccome; a condizione che; fino ad allora; quindi.

21.
mozzarella: Campania; parmigiano: Emilia; orecchiette: Puglia; cannoli: Sicilia; pesto: Liguria; spaghetti: Lazio; tartufo: Piemonte; polenta: Veneto.

22.
libero.

23.
libero.

Test: 1. (1)a-(2)b-(3)c; 2. a; 3. b; 4. abbiano subito; sono rimaste; apprezzino; 5. c; 6. colori sgargianti; edificio cinquecentesco; tavoli rettangolari; 7. b; 8. b.

Unità 7

1.
possibili soluzioni:
strapotente; megaguadagno; sovraccarico; iperattivo; maxicategoria; microonde; nanosfere; minigonna; ultrapulito; sovrasfruttamento; maxicono.

2.
casa: casina; casetta; casaccia.
posto: posticino; postaccio.
ragazzo: ragazzino; ragazzone; ragazzetto; ragazzaccio.
uomo: omino; omone; ometto; omaccione.
donna: donnina; donnone; donnetta; donnaccia.
tavolo: tavolino; tavolone; tavolaccio.
cane: cagnolino; cagnolone; cagnaccio.
vino: vinello.

3.
mangiucchio; sbevazzare; parlottare; canticchio; giocherellare; studiacchiare; dormicchiato.

4.
Stare: stessi; stessi; stesse; stessimo; steste; stessero.
Dare: dessi; dessi; desse; dessimo; deste; dessero.
Essere: fossi; fossi; fosse; fossimo; foste; fossero.
Fare: facessi; facessi; facesse; facessimo; faceste; facessero.
Dire: dicessi; dicessi; dicesse; dicessimo; diceste; dicessero.

5.
2. vedesse; 3. partissimo; 4. andassero; 5. facessi; 6. fosse; 7. aveste; 8. dicesse; 9. dessimo; 10. restaste; 11. venissi; 12. proponessero.

6.
2. Desideravamo che avesse successo; 3. Pensavo che non avessero; 4.Volevano che tutto fosse pronto; 5. Credevano che nessuno si facesse; 6. Supponevo che andassero; 7. Non pensavo che capisse; 8. Temevo che non dicesse; 9. Era meglio che restassi a casa; 10. Era probabile che facesse.

7.
del; da; delle; in; tra / fra; dagli; di; della; con; a; tra i / fra i; da; nell'; alla.

8.
1. Credevo che l'avesse dipinta…; 2. Credevo che fosse nato…; 3. Credevo ne avesse scolpite…; 4. Credevo fosse morto…; 5. Credevo avessero avuto origine…; 6. Credevo che avesse studiato…; 7. Credevo si fosse trasferito…; 8. Credevo si fosse sposata…; 9. Credevo si fosse laureata…; 10. Credevo che avesse deciso…

9.
1. fosse; 2. passasse - restasse; 3. avessero prodotta; 4. si occupasse; 5. avesse; 6. fosse nata; 7. avesse avuto; 8. soffrisse.

10.
nei quali; ai quali; nel quale; nel quale.

11.
1. con i quali; 2. sui quali; 3. per il quale; 4. del quale; 5. per le quali; 6. della quale; 7. per la quale; 8. del quale; 9. del quale; 10. ai quali.

12.
con i quali; alla quale; i quali; ai quali.

13.
1. che sia; si possa; 2. vestirmi; 3. sia; esagerare; 4. sia; 5. di essere; che si vesta; 6. che fosse; 7. andare; di essere; 8. che avessi deciso; 9. di poter; 10. che lei abbia.

14.
2. Si comprasse qualcosa di nuovo! 3. Fosse un ricevimento informale! 4. La piantasse di parlare di moda! 5. Fosse meno costoso! 6. Uscissero per una volta! 7. Una volta arrivasse puntuale! 8. Mi regalasse una borsa!

15.
Sebbene; purché; a condizione che; perché; sebbene.

16.
Sebbene; perché; benché; affinché; senza che; nonostante.

18.
1-3-4-7-9-10.

19.
A= ampliare; P= puntualizzare; D= dubbio; C= certezza;
O= opinione.
Si deve anche tener presente che... (A); Vorrei sottolineare
il fatto che... (P); Non sono convinto che... (D); È ovvio
che... (C); Inoltre c'è da aggiungere che...(A); Sono del
parere che... (O); Ritengo che... (O); Preciserei che...
(P); Non mi convince questa affermazione... (D); Tutti
concorderanno sul fatto che... (D); Aggiungerei anche
che...(A).

20.
libero.

21.
libero.

22.

```
                  P U R E Z Z A
  C E R T E Z Z A       S         S
        R           S   T         S
        A           S   R         P
  N   I N D E C I S I O N E
  E     Q   S       O   V         R
  G     U   T       N   E     A   E
  A     I   I           E     N   N
  Z     L   N           R     N   E
  I     L   Z           S     E   R
  O T T I M I S M O     O     A   G
  N     T   O           N         I
  E     À   N   A L L E G R I A
            E
```

Test: 1. musetto; linguetta; codina; zampette; una testona;
boccaccia. 2. stra; 3. Non ero sicuro che fosse vero;
Credeva che la pubblicità dicesse la verità; Desiderava
che andasse bene; 4. c; 5. con; nei; con; 6. b; 7. c; 8. b.

Unità 8

1.
1e; 2c; 3d; 4b; 5a.

2.
dopo il sostantivo; in uno stile più ricercato; prima:
sottolineano soggettività e descrizione; dopo: oggettività
e informazione.

3.
libero.

4.
1. di lunga data; 2. anziano; 3. che fanno pena; 4. a cui
voglio bene; 5. costoso; 6. non ha amici; 7. ne ha soltanto
uno.

5.
Amare: amai, amasti, amò, amammo, amaste, amarono.
Combattere: combattei, combattesti, combatté,
combattemmo, combatteste, combatterono.
Finire: finii, finisti, finì, finimmo, finiste, finirono.

6.
fondarono; amò – dedicò; inventò; scoprì; diventò; entrò.

7.
Fare: feci, facesti, fece, facemmo, faceste, fecero.
Essere: fui, fosti, fu, fummo, foste, furono.
Avere: ebbi, avesti, ebbe, avemmo, aveste, ebbero.
Bere: bevvi, bevesti, bevve, bevemmo, beveste, bevvero.
Scrivere: scrissi, scrivesti, scrisse, scrivemmo, scriveste,
scrissero.
Dire: dissi, dicesti, disse, dicemmo, diceste, dissero.
Volere: volli, volesti, volle, volemmo, voleste, vollero.

8.
1. scrisse - nacque; 2. fu; 3. prese; 4. descrisse;
5. costrinse.

9.
Rivolgersi: mi rivolsi, si rivolse, si rivolsero.
Volere: volli, volle, vollero.
Erigere: eressi, eresse, eressero.
Proteggere: protessi, protesse, protessero.
Riconoscere: riconobbi, riconobbe, riconobbero.
Raccogliere: raccolsi, raccolse, raccolsero.

10.
nacque; iniziò; rimase; diventò; conobbe; si rivelò; si
iscrisse; fondò; prese; decise; fu; sposò; ritornò; combatté;
partì; ebbe; consegnò; si ritirò; morì.

11.
il Milletrecento / il Trecento; il Millequattrocento / il
Quattrocento; il Millecinquecento; il Milleseicento / il
Seicento; il Millesettecento / il Settecento; il Milleottocento
/ l'Ottocento; il Millenovecento / il Novecento; il Duemila;
il tredicesimo secolo; il quattordicesimo; il quindicesimo;
il diciassettesimo; il diciottesimo; il diciannovesimo; il
ventesimo.

12.
era una donna molto bella; aveva poco più di vent'anni
(descrizione); si dicevano molte cose cattive (azione
abitudinaria);
sposò, annullò, morì, combinò, visse, fu (azioni uniche
e concluse).

13.
era; era; rivitalizzò; tornò; indebolirono; furono; ridussero;
fecero; proclamò; richiamò.

14.
li abbandonarono; li trovò; li allevò; crebbero;
diventarono; formarono; fondarono; successero; uccise;
andò; scomparve.

15.
libero: con il passato prossimo.

16.
quindi; visto che; invece; una volta; inoltre; in effetti.

17.
libero.

18.

salpa; sbarca; chiama; prosegue; tocca; naufraga; lascia; salpa; rientra; accolgono; raggiunge; crede; si sforza; salpa; finanziano; tocca; iniziano; torna.

19.

l'idea; l'egemonia; le insurrezioni; gruppo; il fondatore; basata; mobilità; occupato; molto alta; importante; annessioni; sfociata; irrefrenabile.

20.

libero.

Test: 1. (1)b-(2)a-(3)c; 2. b; 3. nacque; studiò; ebbe; sposò; governò; 4. (1)c-(2)a-(3)c; 5. vinse; perse; visse; 6. c; 7. a; 8. b.

Unità 9

1.

2.

1. a dire il vero; 2. non interessa; 3. se la pensi così; 4. come sarebbe a dire; 5. ma dai; 6. d'altra parte; 7. ma che c'entra.

3.

1f; 2i, 3j; 4a; 5b; 6c; 7d; 8e; 9g; 10h.

4.

1. ho; 2. avessi; 3. avessi saputo; 4. puoi; 5. fosse; 6. fossimo partiti.

5.

1. Se non avessi trovato… non mi sarei trasferito. 2. Se studiasse…riuscirebbe. 3. Se avessi… andrei… 4. Se non avesse perso… ti avrebbe telefonato. 5. Se avessi… non mi sentirei… 6. Se il mio lavoro mi piacesse, non mi licenzierei. 7. Se l'avessi vista, l'avrei salutata. 8. Se non avessero perso… non sarebbero arrivati… 9. Se ci fosse stato… non avrei messo… 10. Se avessi sentito… non sarei arrivato…

6.

1. chiamatemi; 2. foste; 3. l'avessi saputo; 4. verremmo; 5. riesco; 6. avremmo cercato; 7. lo scuserei; 8. stesse; 9. saremmo; 10. fammelo; 11. avessimo potuto; 12. avessero saputo; 13. fa - resta; 14. lo potrei / avrei potuto - volessi /avessi voluto.

7.

potessi; ci verrei; me l'avessi detto; avrei potuto; lo facessi; se la prenderebbero; ci rimarrebbero; sarebbero; mi facessi; vi trattenete; vi raggiungo; è; ci vediamo.

8.

1. Museo dei ragazzi; 2. Museo archeologico Villa Sulcis; 3. Centro L. Pecci; 4. Museo e Certosa di San Martino; 5. Mart; 6. Centro L. Pecci.

9.

antichi; arte; librerie; laboratori; musei; visitatori; collezione; iniziative; pubblico; artisti; calchi; medievale.

10.

le armi; gli uomini; il dio; i templi; le ali; il paio; le dita; il bue; l'uovo; le mani; il migliaio; le centinaia; il miglio; le braccia.

11.

libero.

12.

uova; uova; templi; dei; armi; ali.

13.

libero.

15.

1. viziato; 2. micidiale; 3. vertiginosamente; 4. burla; 5. insofferente; 6. incarnare; 7. fraintendere; 8. ineguagliabile.

16.

libero.

17.

1. si festeggia – Venezia; 2. si mangiano – Liguria; 3. si può – Milano; 4. si corre – Siena; 5. si possono – Pompei; 6. si producono – Piemonte; 7. si può – Roma; 8. si organizza – Verona.

18.

si faranno; si gusteranno; si farà; si dedicherà; si visiteranno; si concluderanno; si pernotterà; ci si fermerà; si vedranno; si andrà; si visiterà.

19.

si sono fatte; si sono gustate; si è fatta; si è dedicato; si sono visitati; si sono concluse; si è pernottato; ci si è fermati; si sono visti; si è andati; si è visitata.

20.

1. Si sono fatte; 2. Si è fatto; 3. Si è vista; 4. Si sono chiuse; 5. Ci si è riposati; 6. Si è inaugurata; 7. Si sono visitati; 8. Si è fatta; 9. Si sono descritte; 10. Ci si è fermati.

21.

libero.

Test: 1. (1)a-(2) b- (3)c; 2. (1) a-(2)b-(3)c; 3. b; 4. c; 5. le braccia; delle uova; migliaia. 6. (1)b-(2)b-(3)a; 7. a; 8.b.

Unità 10

1.
a1; b4; c2; d7; e3; f9; g5; h8; i6.

2.
FELLINI: da una; il; natale; per; a; come; degli; con; nel; esce; più; il; la; che; e; di; in; alla; suoi; lo; prima di; riceve.
SORDI: un; italiano; delle; italiana; della; cinema; uno; storia; con; decisione/scelta.
LEONE: un; uno; della; suoi; più; sua; piena; alla; con; che; a cui.
MORRICONE: del; nato; comincia; nel; quella; musica; con; suo; anni; serie; di; della; conferisce.

3.
libero.

4.
gli piace; va; mangia; ha mangiato; fa; torna; ti porta; mi chiama.

5.
libero.

6.
libero.

7.
A 1-7-5-6; B 3-4-2-8.

8.
libero.

9.
libero.

10.
libero.

11.
libero.

12.
libero.

13.
2. ...che ci saremmo visti il giorno dopo. 3. ...che aveva finito... un anno prima. 4. ...di andare al cinema con loro. 5. ...che si era trasferita un anno prima. 6. ...che aveva trovato lavoro un mese prima. 7. ...che sarebbe partito per l'Inghilterra un mese dopo. 8. ...che quell'anno non era stato molto fortunato. 9. ... che il giorno dopo sarebbe piovuto. 10. ...che un anno dopo sarebbero stati...

14.
poteva; stava; di chiederti; sentiva; di darti; di dirti.

15.
saresti partito per... che pensavi di restarci..., che poi in estate avresti cercato... e dopo l'estate avresti cominciato a cercare... e che forse a fine anno avresti deciso di sposarti e saresti andato via di casa.

16.
1. Ha detto / Disse che non aveva ancora finito di studiare.
2. Ha affermato / Affermò che era certa di avere ragione.
3. Ha ribadito / Ribadì che riteneva non dovessero dare quell'esame. 4. Ha pensato / Pensò che era troppo tardi.
5. Ha ripetuto / Ripeté che non voleva che lui prendesse la sua moto. 6. Ha risposto / Rispose che gli dispiaceva ma quel giorno non poteva prestargli la sua macchina.
7. Inveì mandando al diavolo quell'ufficio e tutti quelli che ci lavoravano.
8. Lo pregò di non partire. 9. Urlò che era stufa di quel continuo rumore. 10. Ha concluso / concluse che se tutti erano d'accordo si sarebbe cominciato il lavoro la settimana seguente/dopo.

17.
2. Q - C - L
3. Q - L - C
4. L - Q - C
5. C - L - Q
6. C - Q - L

18.
libero.

19.
libero.

Test: 1. (1)c-(2)b-(3)a; 2. a; 3. Ha detto che quel film era senz'altro uno degli esempi migliori per il debutto di un regista italiano. Il regista era riuscito a descrivere nel suo film un ambiente familiare che rispecchiava i cambiamenti sociali degli ultimi dieci anni; 4. (1)b-(2)b-(3)a; 5.a-b; 6. a; 7. c; 8.c.

Unità 11

1.
2-3-1-4.

2.
libero.

3.
1930; 1492; 21.07.69; Meucci 1871 - Bell 1876; 1984; 1949.

4.
libero.

5.

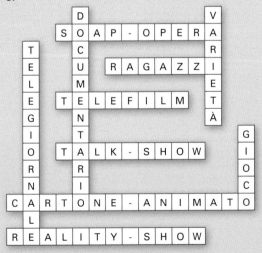

6.
libero.

7.
1. fu/venne creato; 2. venivano; 3. era introdotto;
4. era seguito; era evidenziato; 5. veniva fatta; veniva
annunciata; 6. venivano pubblicati; 7. venivano messi.

8.
1. da Guglielmo Marconi; 2. da Roberto Benigni; 3. da
Manzoni; 4. da Michelangelo; 5. da Cavour; 6. da Verdi;
7. dalla Fiat.

9.
è stato trasmesso; è stato realizzato; era collegato; è stato
ideato; è stato affidato; veniva trasmesso; condotto; fu
richiesto / venne richiesto; veniva scelto; vennero eliminati
/ furono eliminati.

10.
1j - 2g - 3f - 4c - 5b - 6e - 7d - 8i - 9h -10a.

11.
libero.

12.
1. Tenendo presente; 2. Facendo; 3. Prima di criticare;
4. Dopo aver visto; 5. Avendo pagato; 6. Visti i programmi.

13.
1. guardando; 2. guardare; 3. aver parlato; 4. aver visto;
5. guardare; 6. parlando; 7. conducendo; 8. fare.

14.
1. Anche se avevo visto / Benché avessi visto (concessiva);
2. Poiché / Siccome ha studiato (causale); 3. Dopo aver
fatto (temporale); 4. Se si considerano (condizionale);
5. Anche se non sono / Sebbene non sia (concessiva);
6. Poiché / Siccome è nato (causale); 7. guardando
(modale).

15.
B - A - D - C.

16.
libero.

17.
libero.

18.
cercavo; ho cominciato; rivedevo; sono venute; usava;
è venuto; mi sarebbe piaciuto vedere; avevo chiuso;
ho cominciato; ho cercato; potesse; facevo; ho trovato;
è sembrato; sia; può; era; prenda; hanno fatto; venisse;
è stato sprecato.

Test: 1.c; 2. (1) b-(2)a-(3)c; 3.b; 4. Molti spettacoli sono stati
creati per il grande pubblico; 5. Essendo chiaro a tutti,
ritenevano non opportuno ripetere; 6.b; 7.b; 8.a.

Finito di stampare nel mese di giugno 2011
da Grafiche CMF - Foligno (PG)
per conto di Guerra Edizioni - Guru s.r.l.